OBRAS DO AUTOR PUBLICADAS PELA EDITORA RECORD

1356
Azincourt
O condenado
Stonehenge
O forte
Tolos e mortais

Trilogia *As Crônicas de Artur*

O rei do inverno
O inimigo de Deus
Excalibur

Trilogia *A Busca do Graal*

O arqueiro
O andarilho
O herege

Série *As Aventuras de um Soldado nas Guerras Napoleônicas*

O tigre de Sharpe (Índia, 1799)
O triunfo de Sharpe (Índia, setembro de 1803)
A fortaleza de Sharpe (Índia, dezembro de 1803)
Sharpe em Trafalgar (Espanha, 1805)
A presa de Sharpe (Dinamarca, 1807)
Os fuzileiros de Sharpe (Espanha, janeiro de 1809)
A devastação de Sharpe (Portugal, maio de 1809)
A águia de Sharpe (Espanha, julho de 1809)
O ouro de Sharpe (Portugal, agosto de 1810)
A fuga de Sharpe (Portugal, setembro de 1810)
A fúria de Sharpe (Espanha, março de 1811)
A batalha de Sharpe (Espanha, maio de 1811)
A companhia de Sharpe (Espanha, janeiro a abril de 1812)
A espada de Sharpe (Espanha, junho e julho de 1812)
O inimigo de Sharpe (Espanha, dezembro de 1812)

Série *Crônicas Saxônicas*

O último reino
O cavaleiro da morte
Os senhores do norte
A canção da espada
Terra em chamas
Morte dos reis
O guerreiro pagão
O trono vazio
Guerreiros da tempestade
O Portador do Fogo
A guerra do lobo
A espada dos reis
O senhor da guerra

Série *As Crônicas de Starbuck*

Rebelde
Traidor
Inimigo
Herói

BERNARD CORNWELL

O ÚLTIMO REINO

Tradução de
ALVES CALADO

31ª edição

EDITORA RECORD
RIO DE JANEIRO • SÃO PAULO
2025

CIP-Brasil. Catalogação na fonte
Sindicato Nacional dos Editores de Livros, RJ.

Cornwell, Bernard, 1944-
C835u   O último reino / Bernard Cornwell; tradução Alves
31ª ed. Calado. – 31ª ed. – Rio de Janeiro: Record, 2025.
        – (Crônicas saxônicas; v.1)

Tradução de: The Last Kingdom
ISBN 978-85-01-07352-5

1. Alfredo, Rei da Inglaterra, 849-899 – Ficção. 2. Vikings – Ficção. 3. Grã-Bretanha – História – Alfredo, 871-899 – Ficção. 4. Romance inglês. I. Alves Calado, Ivanir, 1953- . II. Título. III. Série.

06-3666
CDD – 823
CDU – 821.111-3

Título original inglês:
THE LAST KINGDOM

Projeto gráfico: Marcelo Martinez

Copyright © Bernard Cornwell 2005

Texto revisado segundo o Acordo Ortográfico da Língua Portuguesa de 1990.

Todos os direitos reservados. Proibida a reprodução, no todo ou em parte, através de quaisquer meios.

Direitos exclusivos de publicação em língua portuguesa somente para o Brasil adquiridos pela
EDITORA RECORD LTDA.
Rua Argentina, 171 – Rio de Janeiro, RJ – 20921-380 – Tel.: (21) 2585-2000, que se reserva a propriedade literária desta tradução.

Impresso no Brasil

ISBN 978-85-01-07352-5

Seja um leitor preferencial Record.
Cadastre-se no site www.record.com.br e receba informações sobre nossos lançamentos e nossas promoções.

Atendimento e venda direta ao leitor:
sac@record.com.br

EDITORA AFILIADA

O ÚLTIMO REINO
é para Judy, com amor.

Wyrd bið ful āræd

Nota de Tradução

Foi respeitada ao longo deste livro a grafia original de diversas palavras. O autor, por diversas vezes, as usa intencionalmente com um sentido arcaico, a exemplo de *Yule*, correspondente às festas natalinas atuais, mas que, originalmente, indicava um ritual pagão. Outro exemplo é a utilização de *svear*, tribo proveniente do norte da Europa.

Além disso, foram mantidas algumas denominações sociais, como *earl* (atualmente traduzido como "conde", mas que o autor especifica como um título dinamarquês, que só mais tarde seria equiparado ao de conde, usado na Europa continental), *thegn*, *reeve*, e outros que são explicados ao longo do livro.

Por outro lado, optou-se por traduzir *lord* sempre como "senhor", jamais como "lorde", cujo sentido remete à monarquia inglesa posterior, e não à estrutura medieval. *Britain* foi traduzido como Britânia (opção igualmente aceita, mas pouco corrente), para não confundir com Bretanha, no norte da França (*Brittany*), mesmo recurso usado na tradução da série *As Crônicas de Artur*, do mesmo autor.

Sumário

Mapa 9
Topônimos 11

Prólogo
Nortúmbria, 866-867 d.C. 15

Primeira Parte
Uma infância pagã 41

Segunda Parte
O último reino 221

Terceira Parte
A parede de escudos 303

Nota Histórica 359

MAPA

Topônimos

A GRAFIA DOS TOPÔNIMOS na Inglaterra anglo-saxã era incerta, sem qualquer consistência ou concordância, nem mesmo quanto ao nome em si. Assim, Londres era conhecida como Lundonia, Lundenberg, Lundenne, Lundene, Lundenwic, Lundenceaster e Lundres. Sem dúvida, alguns leitores preferirão outras versões dos nomes listados abaixo, mas em geral empreguei a grafia citada no *Oxford Dictionary of English Place-Names* referente aos anos mais próximos ou contidos no reino de Alfredo, entre 871 e 899 d.C., mas nem mesmo essas soluções são à prova de erro. A ilha de Hayling, em 956, era grafada tanto como Heilincigae quanto como Hæglingaiggæ. E eu próprio não fui consistente; preferi a grafia moderna England (Inglaterra) a Englaland e, em vez de Norðhymbralond, usei Nortúmbria para evitar a sugestão de que as fronteiras do antigo reino coincidiam com as do condado moderno. Assim, a lista a seguir, bem como as grafias em si, são resultado de um capricho:

ÆBBANDUNA	Abingdon, Berkshire
ÆSC'S	Ashdown, Berkshire
BAÐUM (PRONUNCIA-SE BATHUM)	Bath, Avon
BASENGAS	Basing, Hampshire
BEAMFLEOT	Benfleet, Essex
BEARDASTOPOL	Bearnstable, Devon
BEBBANBURG	Castelo de Bamburgh, Northumberland
BEREWIC	Berwick-upon-Tweed, Northumberland

BERROCSCIRE	Berkshire
BLALAND	Norte da África
CANTUCTON	Cannington, Somerset
CETREHT	Catterick, Yorkshire
CIPPANHAMM	Chippenham, Wiltshire
CIRRENCEASTRE	Cirencester, Gloucestershire
CONTWARANBURG	Canterbury, Kent
CORNWALUM	Cornualha
CRIDIANTON	Crediton, Devon
CYNUIT	Cynuit Hillfort, próximo a Connington, Somerset
DARIALDA	Oeste da Escócia
DEFNASCIR	Devonshire
DEORABY	Derby, Derbyshire
DIC	Diss, Norfolk
DUNHOLM	Durham, Condado de Durham
EOFERWIC	York (também o dinamarquês Jorvic, pronuncia-se Yorvik)
EXANCEASTER	Exeter, Devon
FROMTUM	Frampton on Severn, Gloucestershire
GEGNESBURH	Gainsborough, Lincolnshire
GEWÆSC	The Wash
GLEAWECESTRE	Gloucester, Gloucestershire
GRANTAECEASTER	Cambridge, Cambridgeshire
GYRUUM	Jarrow, condado de Durham
HAITHABU	Hedeby, cidade comercial no sul da Dinamarca
HAMANFUNTA	Havant, Hampshire
HAMPTONSCIR	Hampshire
HAMTUN	Southhampton, Hampshire
HEILINCIGAE	Ilha de Hayling, Hampshire
HREAPANDUNE	Rapton, Derbyshire
KENET	Rio Kennet
LEDECESTRE	Leicester, Leicestershire
LINDISFARENA	Lindisfarne (Ilha Sagrada), Northumberland

O último reino

LUNDENE	Londres
MERETON	Marten, Wiltshire
MESLACH	Matlock, Derbyshire
PEDREDAN	rio Parrett
PICTLAND	leste da Escócia
POOLE	Poole Harbour, Dorset
READINGUM	Reading, Berkshire
SÆFERN	rio Severn
SCIREBURNAN	Sherborne, Dorset
SNOTENGAHAM	Nottingham, Nottinghamshire
SOLENTE	Solent
STREONSHALL	Strensall, Yorkshire
SUMORSÆTE	Somerset
SUTH SEAXA	Sussex (Saxões do sul)
SYNNINGTHWAIT	Swinithwaite, Yorkshire
TEMES	rio Tâmisa
THORNSÆTA	Dorset
TINE	rio Tyne
TRENTE	rio Trent
TUEDE	rio Tweed
TWYFYRDE	Tiverton, Devon
UISC	rio Exe
WERHAM	Wareham, Dorset
WIHT	ilha de Wight
WIIRE	rio Wear
WILTUN	Wilton, Wiltshire
WILTUNCIR	Wiltshire
WINBURNAN	Wimborne Minster, Dorset
WINTANCEASTER	Winchester, Hampshire

Topônimos

Prólogo

Nortúmbria, 866-867 d.C.

Meu nome é Uhtred. Sou filho de Uhtred, que era filho de Uhtred, cujo pai também se chamava Uhtred. O escrivão do meu pai, um padre chamado Beocca, o escrevia Utred. Não sei se era assim que meu pai teria escrito, já que ele não sabia ler nem escrever, mas sei fazer as duas coisas e algumas vezes pego os velhos pergaminhos no baú de madeira e vejo o nome grafado como Uhtred, Utred, Ughtred ou Ootred. Olho esses pergaminhos que são documentos dizendo que Uhtred, filho de Uhtred, é o único e legítimo dono das terras cuidadosamente marcadas por pedras e diques, por carvalhos e freixos, por pântano e mar, e sonho com aquelas terras ermas batidas pelas ondas, sob o céu empurrado pelo vento. Sonho e sei que um dia tomarei as terras de volta daqueles que as roubaram de mim.

Sou um *ealdorman*, mas me chamo de *earl* Uhtred, o que é a mesma coisa, e os pergaminhos desbotados são prova do que possuo. A lei diz que possuo aquelas terras, e a lei, pelo que dizem, é o que nos torna homens sob os olhos de Deus, em vez de animais na lama. Porém a lei não me ajuda a ter de volta minhas terras. A lei quer acordo. A lei acha que o dinheiro compensará a perda. A lei, acima de tudo, teme as rixas de sangue. Mas sou Uhtred, filho de Uhtred, e esta é a história de uma rixa de sangue. É a história de como tomarei de meu inimigo o que a lei diz que é meu. E é a história de uma mulher e de seu pai, um rei.

Ele era meu rei, e tudo que tenho devo a ele. A comida que como, o castelo onde vivo e as espadas de meus homens, tudo veio de Alfredo, meu rei, que me odiava.

*

Esta história começa muito antes de eu conhecer Alfredo. Começa quando eu tinha nove anos e vi os dinamarqueses pela primeira vez. Era o ano 866 e na época eu não me chamava Uhtred, e sim Osbert, porque era o segundo filho de meu pai, e o mais velho é que ficava com o nome Uhtred. Meu irmão tinha 17 anos, era alto e forte, com os cabelos claros de nossa família e o rosto soturno de meu pai.

No dia em que vi os dinamarqueses pela primeira vez estávamos cavalgando à beira do mar com falcões nos punhos. Meu pai, o irmão de meu pai, meu irmão, eu e uma dúzia de criados. Era outono. Os penhascos junto ao mar estavam cheios das últimas plantas crescidas no verão, havia focas nas rochas e uma quantidade de aves marinhas girando e gritando, uma quantidade demasiada para que deixássemos os falcões soltos. Cavalgamos até chegar aos baixios entrecruzados que ondulavam entre nossa terra e Lindisfarena, a Ilha Sagrada, e lembro-me de olhar para as paredes quebradas da abadia, do outro lado da água. Os dinamarqueses a haviam saqueado, mas isso fora muitos anos antes de eu nascer, e ainda que os monges estivessem vivendo lá outra vez, o mosteiro nunca havia recuperado a glória anterior.

Também lembro que era um dia bonito, e talvez fosse. Talvez chovesse, mas não creio. O sol brilhava, o mar estava calmo, as ondas suaves e o mundo feliz. As garras do falcão fêmea prendiam-se ao meu pulso protegido pela luva de couro, a cabeça coberta com capuz movia-se bruscamente porque ela escutava os gritos dos pássaros brancos. Tínhamos deixado a fortaleza antes do meio-dia, cavalgando para o norte, e, apesar de levarmos falcões, não cavalgávamos para caçar, e sim para que meu pai pudesse se decidir.

Nós governávamos essa terra. Meu pai, o *ealdorman* Uhtred, era senhor de tudo ao sul do Tuede e ao norte do Tine, mas tínhamos um rei na Nortúmbria e seu nome, como o meu, era Osbert. Ele vivia ao sul de nós, raramente vinha ao norte e não nos incomodava, mas agora um homem chamado Ælla queria o trono, e Ælla, que era um *ealdorman* das colinas a oeste de Eoferwic, tinha montado um exército para desafiar Osbert e mandara presentes ao meu pai, para encorajar seu apoio. Meu pai, percebo agora, tinha nas mãos o destino da rebelião. Eu queria que ele apoiasse Osbert, pelo simples motivo de que o rei tinha meu mesmo nome e porque, ingenuamente, aos nove anos, eu acreditava que qualquer homem chamado Osbert deveria ser nobre, bom e corajoso. Na verdade, Osbert era um idiota, mas era o rei, e meu pai relutava em abandoná-lo. Mas Osbert não havia mandado presentes e não tinha demonstrado respeito, ao passo que Ælla sim, e por isso meu pai se preocupava. A qualquer momento poderíamos liderar 150 homens para a guerra, todos bem armados, e em um mês poderíamos inchar essa força até mais de quatrocentos guerreiros, de modo que qualquer homem que apoiássemos seria rei e grato a nós.

Pelo menos pensávamos.

E então os vi.

Três navios.

Em minha lembrança eles deslizaram para fora de uma cortina de névoa, e talvez até tivesse sido assim, mas a memória é uma coisa falha e minhas outras imagens daquele dia são de um céu limpo e sem nuvens, de modo que talvez não existisse névoa, mas me parece que num momento o mar estava vazio e no outro havia três navios vindo do sul.

Coisas lindas. Pareciam repousar sem peso no oceano, e, quando seus remos penetravam nas ondas, eles deslizavam sobre a água. As proas e as popas se enrolavam altas e eram encimadas por feras douradas, serpentes e dragões, e me pareceu que naquele distante dia de verão os três barcos dançavam na água, impelidos pelo subir e descer das asas de prata de suas fileiras de remos. O sol faiscava nas pás molhadas, fagulhas de luz, então os remos mergulhavam, eram puxados e os barcos com cabeça de fera empinavam e eu olhava em transe.

— Os cagalhões do diabo — resmungou meu pai. Ele não era um cristão muito bom, mas naquele momento ficou com medo suficiente para fazer o sinal da cruz.

— E que o diabo os engula — disse meu tio. Seu nome era Ælfric. Era um homem magro, astucioso, sombrio e cheio de segredos.

Os três barcos estavam remando para o norte, com as velas quadradas enroladas nas vergas compridas, mas quando viramos de novo em direção ao sul, para galopar pela areia na direção de casa, de modo que as crinas dos cavalos nos golpeavam como os borrifos lançados pelo vento e os falcões

Nortúmbria, 866-867 d.C.

encapuzados piavam em alarme, os navios viraram conosco. Onde o penhasco havia desmoronado deixando uma rampa de terra partida entramos para o interior, os cavalos vencendo a encosta, e de lá galopamos pelo caminho costeiro em direção à nossa fortaleza.

Para Bebbanburg. Bebba fora uma rainha de nossa terra havia muitos anos e tinha dado seu nome à minha casa, que é o lugar mais querido de todo o mundo. A fortaleza fica numa rocha elevada que se desenrola na direção do mar. As ondas batem no lado leste e se despedaçam brancas no ponto norte da rocha, e uma laguna rasa ondula pelo lado oeste, entre a fortaleza e a terra. Para chegar a Bebbanburg é preciso pegar a estrada para o sul, uma longa tira de rocha e areia guardada por uma grande torre de madeira, o Portão de Baixo, construído em cima de uma parede de terra. Passamos trovejando pelo arco da torre, os cavalos brancos de suor, passamos pelos depósitos de grãos, pela oficina do ferreiro, pelos abrigos dos falcões e os estábulos, todas construções de madeira bem cobertas com palha de cevada, e em seguida subimos o caminho interno até o Portão de Cima, que protegia o pico da rocha rodeado por uma paliçada de madeira envolvendo o castelo do meu pai. Ali apeamos, deixando os escravizados levarem nossos cavalos e falcões, e corremos até a paliçada do leste, de onde olhamos para o mar.

Agora os três navios estavam perto das ilhas onde vivem os papagaios-do-mar e o povo das focas dança no inverno. Ficamos olhando, e minha madrasta, alarmada pelo som de cascos, veio do castelo se juntar a nós na paliçada.

— O diabo abriu as entranhas — disse meu pai, recebendo-a.

— Que Deus e seus santos nos preservem — respondeu Gytha, fazendo o sinal da cruz. Eu não conheci minha mãe de verdade, que foi a segunda mulher de meu pai e, como a primeira, morreu de parto. Então meu irmão e eu, que na verdade éramos meios-irmãos, não tínhamos mãe, mas eu pensava em Gytha como minha mãe e, no geral, ela era gentil comigo, na verdade mais gentil do que o meu pai, que não gostava muito de crianças. Gytha queria que eu fosse padre, dizendo que meu irmão mais velho herdaria as terras e iria se tornar guerreiro para protegê-las, de modo que eu deveria encontrar outro caminho na vida. Ela dera dois filhos e uma filha ao meu pai, mas nenhum vivera mais do que um ano.

Agora os três navios estavam chegando mais perto. Parecia que tinham vindo inspecionar Bebbanburg, o que não nos preocupou, porque a fortaleza era considerada inexpugnável, de modo que os dinamarqueses podiam olhar o quanto quisessem. O navio mais próximo tinha duas fileiras de 12 remos cada, e quando costeou a cem passos de distância da terra, um homem saltou da lateral da embarcação e correu sobre a fila de remos mais próxima, saltando de um cabo de remo ao outro como um dançarino, e fazia isso usando cota de malha e segurando uma espada. Todos rezamos para que ele caísse, mas claro que isso não aconteceu. Tinha cabelos claros e compridos, muito compridos, e depois de cabriolar por toda a extensão da fila de remos, virou-se e correu de volta sobre eles.

— Esse navio estava comerciando na boca do Tine há uma semana — disse Ælfric, o irmão do meu pai.

— Como sabe disso?

— Eu vi. Reconheço aquela proa. Está vendo como há uma fiada de tábuas de cor clara no costado? — Ele cuspiu. — Na ocasião não tinha uma cabeça de dragão.

— Eles tiram as cabeças de animais quando fazem comércio — explicou meu pai. — O que estavam comprando?

— Trocavam peles por sal e peixe seco. Disseram que eram mercadores de Haithabu.

— Agora são mercadores procurando briga — disse meu pai, e os dinamarqueses nos três navios estavam de fato nos desafiando, batendo com as lanças e espadas nos escudos pintados, mas havia pouco que pudessem fazer contra Bebbanburg e nada que pudéssemos fazer contra eles, mas meu pai ordenou que sua flâmula do lobo fosse erguida. A bandeira mostrava uma cabeça de lobo rosnando e era seu estandarte de batalha, mas não havia vento, de modo que a flâmula ficou pendente e seu desafio se perdeu diante dos pagãos que, depois de um tempo, se entediaram de nos provocar, acomodaram-se nos bancos e remaram para o sul.

— Devemos rezar — disse minha madrasta. Gytha era muito mais nova do que meu pai. Era uma mulher pequena e gorducha, com uma massa de cabelos claros e grande reverência por São Cuthbert, de quem era devota por-

Nortúmbria, 866-867 d.C.

que ele fizera milagres. Na igreja ao lado do castelo, ela mantinha um pente de marfim que supostamente fora o pente de barba de Cuthbert, e talvez fosse mesmo.

— Devemos agir — rosnou meu pai. Em seguida deu as costas para a paliçada. — Você — disse ao meu irmão mais velho, Uhtred. — Pegue uma dúzia de homens e vá para o sul. Vigie os pagãos, mas nada além disso, entendeu? Se eles desembarcarem em terras minhas, quero saber onde.

— Sim, pai.

— Mas não lute com eles — ordenou meu pai. — Só vigie os desgraçados e volte ao anoitecer.

Outros seis homens foram mandados para alertar o campo. Cada homem livre tinha deveres militares, e assim meu pai estava juntando seu exército e, ao alvorecer do dia seguinte, esperava ter perto de duzentos homens, alguns armados com machados, lanças ou foices, ao passo que seus servos de nível mais alto, os homens que viviam conosco em Bebbanburg, seriam equipados com espadas bem-feitas e escudos pesados.

— Se os dinamarqueses ficarem em número inferior — me disse meu pai naquela noite —, não vão lutar. São como cães, os dinamarqueses. Covardes no coração, mas sentem coragem quando estão numa matilha. — Estava escuro e meu irmão não tinha voltado, mas ninguém ficou indevidamente ansioso com isso. Uhtred era capaz, ainda que algumas vezes imprudente, e sem dúvida chegaria de madrugada, por isso meu pai tinha ordenado que fosse acendido um farol no caldeirão de ferro em cima do Portão de Cima, para guiá-lo até a casa.

Achávamos que estávamos em segurança em Bebbanburg porque o lugar nunca havia caído diante de um ataque inimigo, no entanto meu pai e meu tio continuavam preocupados porque os dinamarqueses tinham retornado à Nortúmbria.

— Eles procuram comida — disse meu pai. — Os desgraçados famintos querem desembarcar, roubar algumas cabeças de gado e ir embora.

Lembrei-me das palavras de meu tio, que os navios tinham estado na foz do Tine trocando peles por peixe seco, portanto como poderiam estar com fome? Mas não falei nada. Tinha nove anos e o que sabia sobre dinamarqueses?

Sabia que eram selvagens, pagãos e terríveis. Sabia que por duas gerações antes de eu nascer seus navios tinham atacado nosso litoral. Sabia que o padre Beocca, escrivão do meu pai e nosso sacerdote, rezava todos os domingos para nos poupar da fúria dos homens do norte, mas essa fúria não se enraizou em mim. Nenhum dinamarquês tinha vindo às nossas terras desde que eu nascera, mas meu pai havia lutado contra eles com bastante frequência, e, naquela noite, enquanto esperávamos a volta de meu irmão, ele falou de seus velhos inimigos. Disse que vinham de terras ao norte, onde prevaleciam o gelo e a névoa, cultuavam os deuses antigos, os mesmos que tínhamos cultuado antes que a luz de Cristo viesse nos abençoar, e quando tinham chegado pela primeira vez à Nortúmbria, segundo me disse, dragões ferozes haviam disparado pelo céu do norte, grandes raios marcaram as colinas e o mar fervilhou com redemoinhos.

— Eles são mandados por Deus para nos punir — disse Gytha timidamente.

— Punir por quê? — perguntou meu pai em tom selvagem.

— Por nossos pecados. — Gytha fez o sinal da cruz.

— Danem-se os nossos pecados — rosnou meu pai. — Eles vêm aqui porque estão com fome. — Ele se irritava com a devoção de minha madrasta, se recusava a abrir mão da bandeira com cabeça de lobo que proclamava que nossa família descendia de Woden, o antigo deus saxão das batalhas. O lobo, como havia me dito o ferreiro Ealdwulf, era um dos três animais prediletos de Woden, os outros eram a águia e o corvo. Minha mãe queria que nossa bandeira mostrasse a cruz, mas meu pai tinha orgulho dos ancestrais, ainda que raramente falasse de Woden. Mesmo com nove anos eu entendia que um bom cristão não deveria alardear que fora gerado por um deus pagão, mas também gostava da ideia de ser descendente de um deus, e Ealdwulf costumava me contar histórias de Woden, de como ele havia recompensado nosso povo, dando-nos a terra que chamávamos de Inglaterra, e como uma vez havia atirado uma lança de guerra ao redor da lua, como seu escudo podia escurecer o céu do verão e como ele podia colher todo o trigo do mundo com um golpe de sua grande espada. Eu gostava daquelas histórias. Eram melhores do que as da minha madrasta, sobre os milagres de Cuthbert. Parecia que os cristãos viviam se lamuriando, e eu não achava que os seguidores de Woden chorassem muito.

Nortúmbria, 866-867 d.C.

Esperamos no castelo. Ele era, na verdade ainda é, um grande salão de madeira com grosso teto de palha e vigas fortes, uma harpa num tablado e uma lareira de pedra no centro do piso. Eram necessárias doze pessoas escravizadas por dia para manter o grande fogo aceso, arrastando a madeira pela estrada e passando pelos portões, e no fim do verão fazíamos uma pilha de toras maior do que a igreja, como reserva para o inverno. Nas bordas do salão havia plataformas de tábuas cheias de terra socada e com camadas de tapetes de lã, e era naquelas plataformas que vivíamos, acima das correntes de ar. Os cães ficavam embaixo, no chão forrado de folhas de samambaias, onde os homens de menor importância podiam comer nos quatro grandes festins do ano.

Naquela noite não havia festim, apenas pão, queijo e cerveja, e meu pai esperava meu irmão e se perguntava, em voz alta, se os dinamarqueses estariam inquietos de novo.

— Em geral eles vêm para pegar comida e pilhar — disse-me —, mas em alguns lugares ficaram e tomaram as terras.

— O senhor acha que eles querem nossas terras? — perguntei.

— Eles tomam qualquer terra — respondeu meu pai, irritado. Ele ficava irritado com minhas perguntas, mas naquela noite estava preocupado, por isso continuou falando. — A terra deles é feita de pedra e gelo, e eles sofrem a ameaça de gigantes.

Eu queria que ele contasse mais sobre os gigantes, mas em vez disso meu pai ficou pensativo.

— Nossos ancestrais — prosseguiu depois de um tempo — tomaram esta terra. Tomaram, cultivaram e mantiveram. Não entregaremos o que nossos ancestrais nos deram. Eles atravessaram o mar e lutaram aqui, construíram aqui e estão enterrados aqui. Esta é nossa terra, misturada com nosso sangue, reforçada com nossos ossos. É nossa. — Ele estava com raiva, mas ficava com raiva frequentemente. Olhou-me com expressão furiosa, como se perguntasse se eu era forte o bastante para sustentar esta terra da Nortúmbria que nossos ancestrais tinham dominado com espada, lança, sangue e massacres.

Depois de um tempo dormimos, ou pelo menos eu dormi. Acho que meu pai andou pelas paliçadas, mas ao amanhecer estava de volta no castelo e foi então que acordei com a trompa do Portão de Cima, desci cambaleando da plataforma e saí às primeiras luzes da manhã. Havia orvalho no capim, uma águia-pescadora circulando no alto, e os cães de meu pai saindo pela porta do castelo em resposta ao chamado da buzina. Vi meu pai descer correndo ao Portão de Baixo e o segui até que pude me enfiar entre os homens que se amontoavam na muralha de terra para olhar a estrada.

Cavaleiros vinham do sul. Uma dúzia, os cascos brilhando com o orvalho. O cavalo do meu irmão estava na frente. Era um garanhão malhado, de olhos selvagens e com passo curioso. Lançava as patas dianteiras para fora no meio-galope e ninguém poderia deixar de identificá-lo, mas não era Uhtred quem o montava. O homem na sela tinha cabelo muito comprido, cor de ouro pálido, que balançava como as caudas dos cavalos. Usava cota de malha, tinha uma bainha de espada balançando ao lado do corpo e um machado pendurado num dos ombros, e tive certeza de que era o mesmo homem que havia dançado sobre os cabos dos remos no dia anterior. Seus companheiros usavam couro ou lã, e, à medida que se aproximavam da fortaleza, o homem de cabelos compridos sinalizou para os outros conterem os cavalos enquanto se adiantava sozinho. Chegou ao alcance de uma flecha, mas nenhum de nós, na fortificação de terra, pôs uma flecha no arco. Ele ficou olhando a fileira de homens, com expressão de zombaria no rosto, depois fez uma reverência, jogou algo no caminho e girou o cavalo. Bateu com os calcanhares e o animal voltou correndo, e seus homens rudes se juntaram a ele para galopar em direção ao sul.

O que ele havia jogado no caminho era a cabeça de meu irmão. Ela foi trazida ao meu pai, que ficou olhando-a por longo tempo, mas não traiu qualquer sentimento. Não chorou, não fez careta, não fez muxoxo, apenas olhou para a cabeça do filho mais velho e em seguida para mim.

— De hoje em diante seu nome é Uhtred — disse ele.

E foi assim que ganhei meu nome.

O padre Beocca insistiu em que eu fosse batizado de novo, caso contrário o céu não saberia quem eu era quando chegasse com o nome de Uhtred. Protestei, mas Gytha também queria isso, e meu pai se importava mais com o contentamento dela do que com o meu, portanto um barril foi levado para a igreja e enchido até a metade com água do mar, e o padre Beocca me fez ficar de pé dentro do barril e derramou água sobre meu cabelo.

— Receba vosso servo Uhtred — entoou ele — na sagrada companhia dos santos e nas fileiras dos anjos mais luminosos.

Espero que os santos e anjos estejam mais aquecidos do que eu me senti naquele dia, e depois do batismo Gytha chorou por mim, mas não fiquei sabendo por quê. Ela teria feito melhor chorando por meu irmão.

Descobrimos o que havia acontecido com ele. Os três navios dinamarqueses tinham fundeado na foz do rio Aln, onde havia uma pequena aldeia de pescadores e suas famílias. Essas pessoas, prudentemente, haviam fugido para o interior, mas um punhado permaneceu e ficou vigiando a foz do rio a partir das florestas, em terreno mais elevado. Elas disseram que meu irmão havia chegado ao anoitecer e visto os vikings incendiando as casas. Os invasores eram chamados de vikings quando faziam ataques e pilhagens, mas de dinamarqueses ou pagãos quando eram comerciantes, e aqueles homens tinham queimado e saqueado, por isso foram considerados vikings. Parecia haver muito poucos deles na aldeia — a maioria estava nos navios — e meu irmão decidiu ir até as cabanas e matar aqueles poucos. Mas, claro, era uma armadilha. Os dinamarqueses tinham visto seu cavalo chegar e escondido a tripulação de um dos navios ao norte da aldeia, e aqueles quarenta homens chegaram por trás do grupo do meu irmão e mataram todos. Meu pai afirmou que a morte de seu filho mais velho deve ter sido rápida, o que lhe servia de consolo, mas, claro, não foi uma morte rápida, porque meu irmão viveu o bastante para os dinamarqueses descobrirem quem ele era, caso contrário por que teriam trazido sua cabeça de volta a Bebbanburg? Os pescadores disseram que tentaram alertá-lo, mas duvido disso. Os homens dizem essas coisas para não serem culpados pelo desastre, mas quer meu irmão tenha sido alertado ou não, mesmo assim morreu, e os dinamarqueses tomaram 13 boas espadas, 13 bons cavalos, uma cota de malha, um elmo e meu antigo nome.

Mas não foi o fim. Uma rápida visita de três navios não era um grande acontecimento, porém uma semana depois da morte do meu irmão ouvimos dizer que uma grande frota dinamarquesa havia entrado nos rios para capturar Eoferwic. Tinham conseguido essa vitória no Dia de Todos os Santos, o que fez Gytha chorar, porque isso sugeria que Deus havia nos abandonado, mas também havia boas notícias, porque aparentemente meu antigo xará, o rei Osbert, tinha feito uma aliança com seu rival, o pretenso futuro rei Ælla, e os dois concordaram em deixar de lado a rivalidade, juntar forças e tomar Eoferwic de volta. Isso parece simples, mas claro que demorou. Mensageiros cavalgaram, conselheiros confundiram, padres rezaram, e somente no Natal Osbert e Ælla selaram a paz com juramentos e então convocaram os homens de meu pai, mas claro que não marchamos no inverno. Os dinamarqueses estavam em Eoferwic e nós os deixamos lá até o início da primavera, quando chegaram notícias de que o exército da Nortúmbria deveria se reunir em volta da cidade e, para meu júbilo, meu pai decretou que eu o acompanharia ao sul.

— Ele é novo demais — protestou Gytha.

— Tem quase dez anos — disse meu pai — e tem de aprender a lutar.

— Seria melhor que continuasse com as lições — contestou ela.

— Um leitor morto não tem serventia para Bebbanburg, e agora Uhtred é o herdeiro, por isso precisa aprender a lutar.

Naquela noite ele fez Beocca me mostrar os pergaminhos guardados na igreja, os pergaminhos dizendo que éramos donos da terra. Beocca vinha me ensinando a ler havia dois anos, mas eu era mau aluno e, para desespero do padre, não entendi bulhufas dos escritos. Beocca suspirou e depois disse o que havia neles.

— Eles descrevem a terra, a terra de seu pai, e dizem que a terra é dele segundo a lei de Deus e segundo nossa lei.

E um dia, aparentemente, as terras seriam minhas, porque naquela noite meu pai ditou um novo testamento em que dizia que, se morresse, Bebbanburg pertenceria a seu filho Uhtred, e eu seria *ealdorman*, e todo o povo entre o Tuede e o Tine juraria aliança a mim.

— Nós já fomos reis aqui — contou-me ele —, e nossa terra se chamava Bernícia. — Em seguida apertou seu sinete na cera vermelha, deixando a impressão de uma cabeça de lobo.

— Deveríamos ser reis de novo — disse meu tio Ælfric.

Nortúmbria, 866-867 d.C.

— Não importa como nos chamem — respondeu meu pai peremptoriamente —, desde que nos obedeçam. — Em seguida fez Ælfric jurar sobre o pente de São Cuthbert que respeitaria o novo testamento e me reconheceria como Uhtred de Bebbanburg. Ælfric jurou. — Mas isso não vai acontecer — insistiu meu pai. — Vamos trucidar esses dinamarqueses como ovelhas num aprisco e vamos voltar para cá com saques e honra.

— Que Deus permita — disse Ælfric.

Ælfric e trinta homens ficariam em Bebbanburg para guardar a fortaleza e proteger as mulheres. Naquela noite ele me deu presentes; um casaco de couro que protegeria contra um corte de espada e, melhor de tudo, um elmo ao redor do qual Ealdwulf, o ferreiro, tinha posto uma faixa de bronze dourado.

— Para saberem que você é um príncipe — disse Ælfric.

— Mas ele não é príncipe — contestou meu pai —, e sim o herdeiro de um *ealdorman*. — No entanto ficou satisfeito com os presentes do irmão para mim e também me deu dois: uma espada curta e um cavalo. A espada era antiga, cortada, com bainha de couro forrada com pelo de carneiro. Tinha um cabo grosso, era canhestra, mas naquela noite dormi com a espada sob meu cobertor.

Na manhã seguinte, enquanto minha madrasta chorava sobre a paliçada do Portão de Cima, e sob um céu azul e límpido, cavalgamos para a guerra. Duzentos e cinquenta homens foram para o sul, seguindo nosso estandarte com a cabeça de lobo.

Isso foi no ano de 867, a primeira vez que fui para a guerra.

E nunca mais deixei de ir.

— Você não lutará na parede de escudos — disse meu pai.

— Não, pai.

— Só homens podem ficar na parede de escudos, mas você vai olhar, aprender e descobrir que o golpe mais perigoso não é da espada ou do machado que você pode ver, e sim do que não pode ver, da lâmina que vem por baixo dos escudos para morder seus tornozelos.

De má vontade ele me deu muitos outros conselhos enquanto seguíamos a longa estrada para o sul. Dos 250 homens que foram de Bebbanburg para Eoferwic, 150 estavam a cavalo. Esses eram os homens do castelo de meu pai ou os fazendeiros mais ricos, os que podiam se dar ao luxo de ter algum tipo de armadura e possuíam escudos e espadas. A maioria não era rica, mas tinha jurado seguir meu pai e marchava com foices, lanças, arpões de pesca e machados. Alguns carregavam arcos de caça, e todos tinham recebido ordens de levar comida para uma semana, que era na maior parte pão duro, queijo mais duro ainda e peixe defumado. Muitos eram acompanhados por mulheres. Meu pai tinha ordenado que nenhuma mulher marchasse para o sul, mas não as mandou de volta, reconhecendo que elas iriam atrás deles de qualquer modo e que os homens lutavam melhor quando suas mulheres ou amantes estavam olhando, e tinha confiança de que aquelas mulheres veriam o exército temporário da Nortúmbria causar uma terrível matança nos dinamarqueses. Afirmou que éramos os homens mais duros da Inglaterra, muito mais do que os frouxos mércios.

— Sua mãe era de Mércia — acrescentou, mas não disse mais nada. Nunca falava sobre ela. Eu sabia que os dois ficaram casados por menos de um ano, que ela havia morrido ao me dar à luz e que era filha de um *ealdorman*, mas para meu pai era como se nunca tivesse existido. Dizia desprezar os mércios, mas não tanto quanto abominava os inválidos saxões do oeste. — Em Wessex não existe dureza — afirmava, mas reservava o julgamento mais severo para os de Ânglia Oriental. — Eles moram em pântanos — disse-me uma vez — e vivem como sapos.

Nós, da Nortúmbria, odiávamos os homens de Ânglia Oriental porque há muito tempo eles nos venceram em batalha, matando Æthelfrith, nosso rei e marido de Bebba, de quem nossa fortaleza recebeu o nome. Mais tarde eu descobriria que os homens de Ânglia Oriental tinham dado cavalos e abrigo de inverno aos dinamarqueses que haviam capturado Eoferwic, portanto meu pai estava certo em desprezá-los. Eram sapos traiçoeiros.

O padre Beocca viajou conosco. Meu pai não gostava muito do sacerdote, mas não queria ir para a guerra sem um homem de Deus para fazer as orações. Beocca, por sua vez, era dedicado a meu pai, que o havia libertado e lhe dado educação. Meu pai poderia adorar o diabo e mesmo assim acho que Beocca fingiria não ver. Era jovem, de barba feita e extraordiná-

Nortúmbria, 866-867 d.C.

riamente feio, com estrabismo terrível, nariz chato, cabelos ruivos desgrenhados e mão esquerda paralisada. Também era muito inteligente, se bem que na época eu não apreciasse isso, ressentindo-me das aulas. O coitado havia se esforçado demais para me ensinar as letras, mas eu zombava de seus esforços, preferindo levar uma surra de meu pai a me concentrar no alfabeto.

Seguimos pela estrada romana, atravessando a grande muralha deles no Tine e continuando para o sul. Segundo meu pai, os romanos haviam sido gigantes que construíam coisas maravilhosas, mas tinham voltado para Roma e os gigantes morreram, e agora os únicos romanos que restavam eram padres, mas as estradas dos gigantes continuavam ali. E enquanto seguíamos para o sul, mais homens se juntavam a nós até que uma horda marchava nas charnecas de cada lado da superfície partida da estrada de pedra. Os homens dormiam ao ar livre, mas meu pai e seus servos mais importantes se acomodavam para a noite em abadias ou celeiros.

E também nos retardávamos. Mesmo com nove anos eu percebia como nos retardávamos. Os homens tinham trazido bebida, caso contrário roubavam hidromel ou cerveja das aldeias por onde passávamos. Frequentemente ficavam bêbados e simplesmente desmoronavam ao lado da estrada e ninguém parecia se importar.

— Eles nos alcançarão — comentava meu pai descuidadamente.

— Isso não é bom — disse-me o padre Beocca.

— O que não é bom?

— Deveria haver mais disciplina. Eu li sobre as guerras romanas e sei que deve haver disciplina.

— Eles nos alcançarão — falei, imitando meu pai.

Naquela noite juntaram-se a nós homens do lugar chamado Cetreht, onde, havia muito tempo, tínhamos derrotado os galeses numa grande batalha. Os recém-chegados cantavam sobre a batalha, entoando como tínhamos alimentado os corvos com o sangue dos estrangeiros. As palavras animaram meu pai que me disse que estávamos perto de Eoferwic e que no dia seguinte deveríamos nos juntar a Osbert e Ælla e que um dia depois alimentaríamos os corvos de novo. Estávamos sentados perto de uma fogueira, uma das centenas que se estendiam pelos campos. Ao sul de nós, do outro lado de uma planície, pude ver o céu iluminado por mais fogueiras ainda e soube que elas mostravam onde estava reunido o resto do exército da Nortúmbria.

— O corvo é uma criatura de Woden, não é? — perguntei nervoso.

Meu pai me olhou, desaprovando.

— Quem lhe disse isso?

Dei de ombros, sem responder.

— Ealdwulf? — adivinhou ele, sabendo que o ferreiro de Bebbanburg, que tinha ficado na fortaleza com Ælfric, era pagão em segredo.

— Só ouvi — respondi, esperando me livrar com a evasiva sem levar um tapa — e sei que somos descendentes de Woden.

— Somos — admitiu meu pai —, mas agora temos um novo Deus. — Ele olhou com ar funesto para o acampamento, onde homens bebiam. — Sabe quem vence as batalhas, garoto?

— Nós, pai.

— O lado que estiver menos bêbado — disse ele, e depois de uma pausa: — Mas estar bêbado ajuda.

— Por quê?

— Porque uma parede de escudos é um lugar medonho. — Ele olhou para o fogo. — Estive em seis paredes de escudos, e a cada vez rezei para que fosse a última. Já seu irmão era um homem que talvez poderia amar uma parede de escudos. Ele tinha coragem. — Meu pai ficou em silêncio, pensando, depois fez um muxoxo. — O homem que trouxe a cabeça dele. Quero a cabeça dele. Quero cuspir em seus olhos mortos e depois colocar o crânio num mastro acima do Portão de Baixo.

— O senhor a terá.

Ele deu um riso de desprezo diante disso.

— Como você sabe? Eu o trouxe, garoto, porque você deve ver uma batalha. Porque nossos homens devem ver que você está aqui. Mas não vai lutar. Você é como um filhote de cachorro que vê os cães mais velhos matarem o javali, mas não morde. Veja e aprenda, veja e aprenda, e talvez um dia você seja útil. Mas por enquanto não passa de um filhote. — Ele me dispensou com um gesto.

Nortúmbria, 866-867 d.C.

No dia seguinte a estrada romana atravessou uma planície, cruzando diques e valas, até finalmente chegarmos onde os exércitos reunidos de Osbert e Ælla tinham se abrigado. Para além deles, e apenas visível acima das árvores esparsas, estava Eoferwic, e era lá que os dinamarqueses estavam.

Eoferwic era, e ainda é, a principal cidade do norte da Inglaterra. Possui uma grande abadia, um arcebispado, uma fortaleza, muralhas altas e um vasto mercado. A localidade fica à margem do rio Ouse e tem orgulho de sua ponte, mas os navios podem chegar a Eoferwic do mar distante, e foi assim que os dinamarqueses tinham vindo. Deviam saber que a Nortúmbria estava enfraquecida pela guerra civil, que Osbert, o rei legítimo, havia marchado para o oeste para se encontrar com as forças do aspirante Ælla, e na ausência do rei tinham tomado a cidade. Não seria difícil para eles terem descoberto a ausência de Osbert. O problema entre Osbert e Ælla vinha crescendo havia semanas, e Eoferwic estava cheia de comerciantes, muitos vindos do outro lado do mar, que saberiam sobre a rivalidade amarga entre os dois. Uma coisa que aprendi sobre os dinamarqueses é que eles sabem espionar. Os monges que escrevem as crônicas contam que eles vinham de lugar nenhum, os navios com proas de dragões aparecendo subitamente de um vazio azul, mas raramente era assim. As tripulações vikings podiam atacar inesperadamente, mas as grandes frotas, as frotas de guerra, iam aonde sabiam que já existia encrenca. Encontravam um ferimento existente e o enchiam como vermes.

Meu pai me levou para perto da cidade, ele e uns vinte homens, todos nós montados e usando cota de malha ou couro. Podíamos ver os inimigos na muralha. Parte da muralha era construída de pedra, trabalho romano, mas boa parte da cidade era protegida por um muro de terra encimado por uma alta paliçada de madeira, e a leste da cidade parte dessa paliçada estava faltando. Parecia ter sido queimada, porque dava para ver madeira preta em cima da fortificação de terra, onde novas estacas tinham sido fincadas no chão para sustentar a nova paliçada que substituiria a antiga.

Para além das novas estacas havia um amontoado de tetos de palha, as torres de madeira dos sinos de três igrejas e, no rio, os mastros da frota dinamarquesa. Nossos batedores disseram que havia 34 barcos, o que significaria que os dinamarqueses tinham um exército de cerca de mil homens. O nosso era maior, com quase 1.500, mas era difícil contar. Ninguém parecia estar no comando. Os dois líderes, Osbert e Ælla, acampavam separados e, mesmo tendo feito as pazes oficialmente, recusavam-se a falar um com o outro, comunicando-se através de mensageiros. Meu pai, o terceiro homem mais importante do exército, podia falar com os dois, mas não pôde persuadir Osbert e Ælla a se encontrarem, quanto mais a concordar num plano de campanha. Osbert queria sitiar a cidade e fazer os dinamarqueses morrerem de fome, ao passo que Ælla insistia num ataque imediato. O muro de terra estava rompido, disse ele, e um ataque penetraria fundo no emaranhado de ruas onde os dinamarqueses poderiam ser caçados e mortos. Não sei que caminho meu pai preferia, porque nunca disse, mas no fim a decisão nos foi tirada.

Nosso exército não podia esperar. Tínhamos trazido um pouco de comida, mas ela acabou logo. Os homens estavam se afastando ainda mais para conseguir o que comer, e alguns não voltavam. Simplesmente esgueiravam-se para casa. Outros resmungavam que suas fazendas precisavam de trabalho e que se não voltassem para casa teriam um ano de fome. Foi convocada uma reunião com todos os homens importantes e eles passaram o dia inteiro discutindo. Osbert compareceu à reunião, o que significa que Ælla não foi, mas um de seus principais apoiadores estava lá, e sugeriu que a relutância de Osbert em atacar a cidade era covardia. Talvez fosse, porque Osbert não respondeu à provocação, propondo em vez disso que escavássemos nossas próprias fortificações fora da cidade. Três ou quatro fortes, segundo ele, encurralariam os dinamarqueses. Nossos melhores guerreiros guarneceriam os fortes e os outros homens poderiam ir para casa cuidar dos campos. Outro homem propôs construir uma nova ponte atravessando o rio, uma ponte que prendesse a frota dinamarquesa, e defendeu o argumento tediosamente, mas acho que todo mundo sabia que não tínhamos tempo para construir uma ponte num rio daqueles.

— Além disso — disse o rei Osbert —, queremos que os dinamarqueses levem seus navios embora. Que voltem ao mar. Que vão perturbar outro.

Um bispo implorou por mais tempo, dizendo que o *ealdorman* Egbert, que tinha terras ao sul de Eoferwic, ainda precisava chegar com seus homens.

— Ricsig também não está aqui — disse um padre, falando de outro grande senhor.

Nortúmbria, 866-867 d.C.

— Ele está doente — explicou Osbert.

— A doença da coragem — zombou o porta-voz de Ælla.

— Dê-lhes tempo — sugeriu o bispo. — Com os homens de Egbert e Ricsig teremos tropas suficientes para amedrontar os dinamarqueses simplesmente pelo número.

Meu pai não disse nada durante a reunião, mesmo estando claro que muitos homens quisessem que ele falasse, e fiquei perplexo por ele ter permanecido em silêncio, mas naquela noite Beocca me explicou o motivo.

— Se ele dissesse que deveríamos atacar, os homens presumiriam que seu pai havia tomado o lado de Ælla, e se encorajasse um cerco seria considerado a favor de Osbert.

— Isso importa?

Beocca me olhou do outro lado da fogueira, ou pelo menos um dos seus olhos me olhou, enquanto o outro vagueava por algum lugar na noite.

— Quando os dinamarqueses forem derrotados, a rixa entre Osbert e Ælla vai recomeçar. Seu pai não quer fazer parte disso.

— Mas o lado que ele apoiar vai vencer — respondi.

— E se os dois matarem um ao outro, quem será rei?

Olhei-o, entendi e não disse nada.

— E quem será rei depois? — perguntou Beocca, e apontou para mim. — Você. E um rei deve saber ler e escrever.

— Um rei pode empregar homens para ler e escrever — respondi com escárnio.

Então, na manhã seguinte, a decisão de atacar ou sitiar foi tomada por nós, porque chegou a notícia de que mais navios dinamarqueses tinham aparecido na foz do rio Humber, e que isso só podia significar que o inimigo seria reforçado dentro de alguns dias, de modo que meu pai, que tinha ficado quieto por tanto tempo, finalmente se manifestou:

— Devemos atacar antes da chegada dos novos barcos — disse a Osbert e Ælla.

Ælla, claro, concordou com entusiasmo, e até Osbert entendeu que os novos navios significavam que tudo havia mudado. Além disso, os dinamarqueses dentro da cidade vinham tendo problemas com a nova muralha. Acordamos um dia de manhã e vimos todo um novo trecho de paliçada, com a madeira áspera e luminosa, mas um grande vento soprou naquele dia, e o novo trabalho desmoronou, o que causou grande júbilo em nossos acampamentos. Os dinamarqueses nem sabiam construir um muro, disseram os homens.

— Mas sabem construir navios — disse-me o padre Beocca.

— E daí?

— Um homem que sabe construir um navio geralmente sabe construir um muro — disse o jovem sacerdote. — Não é tão difícil quanto construir navios.

— Ele caiu!

— Talvez devesse cair mesmo — disse Beocca, e quando simplesmente o encarei ele explicou: — Talvez eles queiram que ataquemos lá, não é?

Não sei se ele contou suas suspeitas a meu pai, mas se fez isso não tenho dúvida de que meu pai as desconsiderou. Meu pai não confiava nas opiniões de Beocca sobre guerras. A utilidade do padre estava em encorajar Deus a esmagar os dinamarqueses, e só isso, e, para ser justo, Beocca rezou tremendamente e por longo tempo para que Deus nos desse a vitória.

E no dia depois de o muro desmoronar demos a Deus sua chance de atender às preces de Beocca.

Atacamos.

Não sei se cada homem que atacou Eoferwic estava bêbado, mas estaria se houvesse hidromel, cerveja e vinho de bétula suficientes. A bebedeira havia ocupado boa parte da noite e quando acordei encontrei homens vomitando ao alvorecer. Os poucos que, como meu pai, possuíam cotas de malha vestiram-nas. A maioria tinha armadura de couro e alguns não tinham qualquer proteção além dos casacos. Armas foram afiadas em pedras de amolar. Os padres percorreram o acampamento distribuindo bênçãos, e os homens faziam juramentos de irmandade e lealdade. Alguns se juntavam e prometiam dividir igualmente os saques, alguns poucos estavam pálidos e um bom punhado se esgueirou para longe através dos diques que atravessavam a paisagem plana e úmida.

Nortúmbria, 866-867 d.C.

Alguns homens receberam ordem de ficar no acampamento e guardar as mulheres e os cavalos, mas padre Beocca e eu fomos ordenados a montar.

— Fique a cavalo — disse-me meu pai. — E você ficará com ele — acrescentou ao padre.

— Claro, meu senhor — respondeu Beocca.

— Se acontecer alguma coisa — meu pai foi deliberadamente vago —, sigam para Bebbanburg, fechem o portão e esperem lá.

— Deus está do nosso lado — disse Beocca.

Meu pai parecia um grande guerreiro, e era mesmo, mas afirmava estar ficando velho para lutar. Sua barba grisalha caía sobre a cota de malha, por cima da qual havia pendurado um crucifixo esculpido em osso de boi, que fora presente de Gytha. O cinto da espada era de couro cravejado de prata, e a grande espada, Quebra-Ossos, era embainhada em couro com acabamentos de bronze dourado. As botas tinham placas de ferro de cada lado dos tornozelos, lembrando-me de seu conselho sobre a parede de escudos. O elmo era polido até brilhar. O protetor de rosto, com os buracos para os olhos e a boca rosnando, era engastado com prata. O escudo redondo era feito de tília, tinha uma pesada bossa de ferro, era coberto de couro e pintado com a cabeça de lobo. O *ealdorman* Uhtred ia à guerra.

As trompas convocaram o exército. A ordem era pouca. Houvera discussões sobre quem deveria estar na direita ou na esquerda, mas Beocca me disse que a discussão fora resolvida quando o bispo lançou dados. E agora o rei Osbert estava à direita, Ælla à esquerda, e meu pai no centro, e as bandeiras desses três chefes avançaram enquanto as trompas soavam. Os homens se reuniram sob as bandeiras. As tropas do castelo do meu pai, seus melhores guerreiros, estavam na frente, e atrás vinham os bandos trazidos pelos *thegns*. Os *thegns* eram homens importantes, donos de terras vastas, alguns deles com suas próprias fortalezas, e eram os homens que compartilhavam a plataforma de meu pai nos festins do castelo. E tinham de ser vigiados no caso de suas ambições os levarem à tentativa de tomar o lugar dele, mas agora sua lealdade os reunia atrás de meu pai. E os *ceorls*, homens livres do nível mais baixo, estavam reunidos a eles. Os homens lutavam em grupos familiares ou com amigos. Havia muitos garotos no exército, mas eu era o único a cavalo e o único com espada e elmo.

  Podia ver alguns poucos dinamarqueses atrás das paliçadas inteiras de cada lado da abertura onde o muro havia caído, mas a maior parte do exército preenchia a abertura, fazendo uma barreira de escudos em cima da fortificação de terra. E era uma fortificação alta, com pelo menos três ou quatro metros de altura, e íngreme, de modo que seria difícil subir diante dos matadores que esperavam, mas eu tinha confiança em que venceríamos. Estava com nove anos, quase dez.

  Os dinamarqueses gritavam para nós, mas estávamos muito distantes para ouvir seus insultos. Os escudos, redondos como os nossos, eram pintados de amarelo, preto, marrom e azul. Nossos homens começaram a bater com as armas nos escudos e esse era um som temível, a primeira vez que eu escutava um exército fazendo aquela música de guerra; o choque de lanças de freixo e lâminas de espadas de ferro contra a madeira dos escudos.

  — É uma coisa terrível — disse Beocca. — A guerra é uma coisa medonha.

  Não respondi. Estava achando gloriosa e maravilhosa.

  — A parede de escudos é o lugar onde os homens morrem — continuou Beocca, e beijou a cruz de madeira pendurada no pescoço. — Os portões do céu e do inferno estarão atulhados de almas antes que este dia termine.

  — Os mortos não são levados a um salão de festim? — perguntei.

Ele me olhou de modo muito estranho, depois pareceu chocado.

  — Onde escutou isso?

  — Em Bebbanburg — falei, sensato o bastante para não admitir que fora Ealdwulf, o ferreiro, que me contava essas histórias enquanto eu o olhava bater hastes de ferro para fazer lâminas de espadas.

  — É nisso que os pagãos acreditam — respondeu Beocca, sério. — Eles acreditam que os guerreiros mortos são carregados ao castelo dos cadáveres, de Woden, para festejar até o fim do mundo, mas é uma crença perigosamente errônea. É um erro! Porém os dinamarqueses estão sempre errados. Eles se curvam diante de ídolos, negam o Deus verdadeiro, estão errados.

  — Mas um homem deve morrer com a espada na mão? — insisti.

Nortúmbria, 866-867 d.C.

— Posso ver que precisamos lhe ensinar o catecismo quando isto houver terminado — disse o padre, sério.

Não falei mais nada. Estava olhando, tentando fixar na memória cada detalhe daquele dia. O céu tinha um azul de verão, com apenas algumas nuvens longe, a oeste, e a luz do sol se refletia nas pontas das lanças do nosso exército como brilhos de luz tremeluzindo no mar de verão. Prímulas pintalgavam a campina onde o exército havia se reunido e um cuco chamou da floresta atrás de nós, onde uma multidão dos nossos homens observava o exército. Havia cisnes no rio, que estava plácido porque o vento era pouco. A fumaça dos fogos de cozinhar dentro de Eoferwic subia quase reta, e essa visão me lembrou de que haveria uma festa na cidade naquela noite, um festim de porco assado ou o que quer que encontrássemos nos depósitos do inimigo. Alguns dos nossos homens, os das primeiras filas, estavam saltando à frente para gritar contra o inimigo, ou então para desafiá-lo a vir travar uma batalha particular entre as linhas dos exércitos, um homem contra outro, mas nenhum dinamarquês rompeu fileiras. Só olhavam, esperavam, as lanças formando uma cerca viva, os escudos uma muralha, e então nossas trompas soaram de novo e os gritos e as batidas nos escudos foram sumindo enquanto nosso exército se adiantava lentamente.

Ele prosseguia de modo irregular. Mais tarde, muito mais tarde, eu entenderia a relutância dos homens em se lançar contra uma parede de escudos, quanto mais uma parede de escudos no topo de um barranco íngreme, mas naquele dia me senti apenas impaciente para que nosso exército corresse e rompesse os imprudentes dinamarqueses, e Beocca precisou me conter, segurando minhas rédeas para me impedir de cavalgar até as fileiras de trás.

— Vamos esperar até eles atravessarem.

— Quero matar um dinamarquês — protestei.

— Não seja estúpido — reagiu Beocca, com raiva. — Se você tentar matar um dinamarquês seu pai não terá filhos. Agora você é o filho único e sua obrigação é viver.

Assim cumpri minha obrigação e fiquei para trás, olhando, enquanto nosso exército muito lentamente encontrava a coragem e avançava para a cidade. O rio estava à esquerda, o acampamento vazio atrás, à direita, a abertura convidativa no muro da cidade à nossa frente, e ali os dinamarqueses esperavam em silêncio, com os escudos se sobrepondo.

— Os mais corajosos irão primeiro — disse Beocca — e seu pai será um deles. Farão uma cunha, o que os autores latinos chamam de *porcinum caput*. Sabe o que significa?

— Não. — E não me interessava.

— Cabeça de porco. Como o focinho de um javali. Os mais corajosos vão primeiro e, se atravessarem, os outros seguirão.

Beocca estava certo. As cunhas se formaram nas frentes de nossas fileiras, cada uma brotando das tropas pessoais de Osbert, Ælla e de meu pai. Os homens ficavam bem perto uns dos outros, com os escudos se sobrepondo como os dos dinamarqueses, enquanto as fileiras de trás de cada cunha tinham os escudos levantados como um teto. Então, quando estavam prontos, os homens das três cunhas deram um grito muito alto e avançaram. Não correram. Eu tinha esperado que corressem, mas não é possível manter a cunha enquanto se corre. A cunha é a guerra em ritmo lento, lento o bastante para os homens dentro da cunha se perguntarem o quanto o inimigo é forte e para temer que o resto do exército não fosse atrás, mas foi. As três cunhas não tinham andado mais do que vinte passos antes que a massa restante de homens se movesse para a frente.

— Quero ficar mais perto — falei.

— Você vai esperar.

Agora eu podia ouvir os gritos, gritos de desafio e gritos para encorajar, e então os arqueiros nos muros da cidade soltaram as cordas e eu vi o brilho das penas enquanto as flechas disparavam em direção às cunhas, e um instante depois as lanças vieram, fazendo arcos acima das fileiras dinamarquesas até cair sobre os escudos levantados. Espantosamente, pelo menos para mim, parecia que nenhum de nossos homens fora atingido, mas eu podia ver que os escudos estavam cravados de flechas e lanças como porcos-espinhos. E as três cunhas continuavam avançando. Agora nossos arqueiros estavam disparando contra os dinamarqueses e um punhado dos nossos homens se separou das fileiras por trás das cunhas para atirar suas lanças contra a parede de escudos inimiga.

Nortúmbria, 866-867 d.C.

— Agora não falta muito — disse Beocca nervoso. Em seguida fez o sinal da cruz. Estava rezando em silêncio, e sua mão esquerda, aleijada, tremia.

Eu olhava a cunha do meu pai, a cunha central, a que estava bem na frente da bandeira da cabeça de lobo, e vi os escudos que se tocavam desaparecerem na vala diante da parede de terra. Soube que meu pai estava perigosamente perto da morte e insisti para que ele vencesse, matasse, desse ainda mais fama ao nome Uhtred de Bebbanburg, e então vi a cunha de escudos emergir da vala e, como uma fera monstruosa, arrastar-se pela face do barranco.

— A vantagem deles — disse Beocca na voz paciente que usava para ensinar — é que os pés do inimigo são alvos fáceis quando a gente vem de baixo.

Acho que ele estava tentando se tranquilizar, mas mesmo assim acreditei, e isso devia ser verdadeiro porque a formação do meu pai, a primeira a subir o barranco, não pareceu ser contida quando encontrou a parede de escudos do inimigo. Agora eu não podia ver nada além dos clarões das lâminas subindo e descendo, e escutava aquele som, a verdadeira música da batalha, o ruído de ferro em madeira, ferro em ferro, no entanto a cunha continuava se movendo. Como a presa afiada de um javali, ela havia rasgado a parede de escudos dinamarquesa e movia-se em frente, e ainda que os dinamarqueses tivessem envolvido a cunha pelas laterais, parecia que nossos homens estavam vencendo, porque pressionavam pelo barranco, e os soldados atrás deviam ter sentido que o *ealdorman* Uhtred havia lhes trazido a vitória, porque subitamente gritaram em comemoração e correram para ajudar a cunha envolvida pelos inimigos.

— Deus seja louvado — disse Beocca, porque os dinamarqueses estavam fugindo. Num instante haviam formado uma densa parede de escudos, eriçada de armas, e agora desapareciam na cidade, e nosso exército, com o alívio de homens cujas vidas tinham sido poupadas, corria atrás deles.

— Devagar — ordenou Beocca, fazendo seu cavalo andar e guiando o meu pelas rédeas.

Os dinamarqueses tinham ido embora. Agora a fortificação de terra estava preta, coberta por nossos homens que passavam pelo buraco na paliçada da cidade, depois descendo pelo outro lado do barranco para chegar às ruas e becos mais atrás. As três bandeiras — a cabeça de lobo do meu pai, o machado de guerra de Ælla e a cruz de Osbert — estavam dentro de Eoferwic. Dava para ouvir homens comemorando, e instiguei minha égua, forçando-a a se soltar de Beocca.

— Volte! — gritou ele, mas mesmo me seguindo não tentou me arrastar para longe. Tínhamos vencido, Deus tinha nos dado a vitória e eu queria estar bem perto para sentir o cheiro da carnificina.

Nenhum de nós pôde entrar na cidade porque a abertura na paliçada estava entupida com nossos homens, mas instiguei a égua de novo e ela abriu caminho pela multidão. Alguns homens protestaram contra o que eu estava fazendo, mas viram o círculo de bronze dourado no meu elmo e souberam que eu era de origem nobre, por isso tentaram me ajudar a passar, enquanto Beocca, preso atrás da turba, gritava dizendo que eu não deveria me adiantar muito longe dele.

— Siga-me! — chamei.

Então ele gritou de novo, mas desta vez sua voz estava frenética, aterrorizada, e eu me virei e vi dinamarqueses jorrando pelo campo por onde nosso exército tinha avançado. Era uma horda de dinamarqueses que deviam ter saído pelo portão norte da cidade para impedir nossa retirada, e deviam saber que iríamos recuar, porque afinal de contas parecia que eram capazes de construir muralhas e tinham-nas construído atravessando as ruas dentro da cidade, depois fingiram fugir da paliçada para nos atrair para seu terreno de matança, e agora fecharam a armadilha. Alguns dinamarqueses que vieram da cidade estavam montados, a maioria se encontrava a pé, e Beocca entrou em pânico. Não o culpo. Os dinamarqueses gostam de matar sacerdotes cristãos, e Beocca deve ter visto a morte, não desejava o martírio, por isso galopou para longe, junto ao rio. E os dinamarqueses, não se importando com o destino de um homem quando tantos estavam presos na armadilha, deixaram-no ir.

É verdade que na maioria dos exércitos os homens tímidos e os que têm as armas mais débeis ficam atrás. Os corajosos vão na frente, os fracos procuram a retaguarda, portanto, se você conseguir chegar à parte de trás de um exército inimigo conseguirá um massacre.

Agora sou velho e tem sido meu destino ver o pânico tomar conta de muitos exércitos. Esse pânico é pior do que o terror de ovelhas presas numa fenda e sendo atacadas por lobos, mais frenético do que as sacudidas de um

Nortúmbria, 866-867 d.C.

salmão apanhado numa rede e arrastado para o ar. O som do pânico deve rasgar os céus, mas para os dinamarqueses, naquele dia, foi o mais doce som da vitória. E para nós foi a morte.

Tentei escapar. Deus sabe que também entrei em pânico. Tinha visto Beocca fugir para longe, ao lado dos salgueiros do rio, e consegui virar a égua, mas então um dos nossos homens tentou me agarrar, presumivelmente querendo minha montaria, e tive o espírito de desembainhar a espada curta e brandi-la contra ele às cegas. Cravei os calcanhares no animal, mas só consegui sair da massa em pânico e ir para o caminho dos dinamarqueses, e a toda volta homens gritavam e os machados e espadas dos dinamarqueses cortavam e giravam. O trabalho sinistro, o festim de sangue, a canção da espada, é como podem chamar, e talvez eu tenha sido salvo por um momento porque era o único em nosso exército que estava a cavalo, e uns vinte dinamarqueses também estavam, e talvez tenham me confundido com um deles, mas então um daqueles dinamarqueses gritou comigo numa língua que eu não falava. Olhei-o e vi seu cabelo comprido, sem elmo, o cabelo comprido e claro, a malha cor de prata e o riso largo no rosto selvagem, e o reconheci como o homem que tinha matado meu irmão. E, como o idiota que era, gritei contra ele. Um porta-estandarte vinha logo atrás do dinamarquês cabeludo, trazendo uma asa de águia num mastro comprido. Lágrimas borravam minha visão, e talvez a loucura da batalha tenha baixado sobre mim, porque, apesar do pânico, fui na direção do dinamarquês cabeludo e o golpeei com minha espada pequena, e sua espada aparou o meu golpe. A minha lâmina frágil se dobrou como a espinha de um arenque. Ela simplesmente se dobrou, e ele recuou sua espada para o golpe mortal, viu minha patética lâmina dobrada e começou a rir. Eu estava me mijando, ele estava rindo. Bati nele de novo com a espada inútil e ele continuou rindo, então se inclinou, arrancou a arma da minha mão e a jogou longe. Em seguida me pegou. Eu estava gritando e batendo nele, mas ele achou tudo aquilo muito divertido, deitou-me de barriga para baixo sobre a sela, diante dele, e em seguida esporeou, entrando no caos para continuar a matança.

E foi assim que conheci Ragnar. Ragnar, o Intrépido, assassino do meu irmão e o homem cuja cabeça deveria enfeitar um mastro nas paliçadas de Bebbanburg, o *earl* Ragnar.

Primeira Parte
Uma infância pagã

Um

Naquele dia os dinamarqueses foram inteligentes. Tinham feito novas muralhas dentro da cidade. Convidando nossos homens para as ruas, prenderam-nos entre as novas muralhas, depois os cercaram e mataram. Não mataram todo o exército da Nortúmbria, porque até mesmo os guerreiros mais ferozes se cansam da carnificina e, além disso, os dinamarqueses ganhavam muito mais dinheiro com pessoas escravizadas. A maioria das pessoas escravizadas na Inglaterra era vendida a fazendeiros nas selvagens ilhas do norte ou na Irlanda, ou eram mandados através do mar até as ilhas dinamarquesas. Mas alguns, pelo que fiquei sabendo, eram levados aos grandes mercados de pessoas na Frankia, e uns poucos eram mandados de navio para o sul, até um lugar onde não havia inverno e onde homens com rosto cor de madeira queimada pagavam bom dinheiro por homens, e mais dinheiro ainda por mulheres jovens.

Mas mataram um número suficiente dos nossos. Mataram Ælla, mataram Osbert e mataram meu pai. Ælla e meu pai tiveram sorte, porque morreram na batalha, com espada na mão, mas Osbert foi capturado e torturado naquela noite enquanto os dinamarqueses festejavam numa cidade que fedia a sangue. Alguns vitoriosos guardavam as muralhas, outros comemoravam nas casas capturadas, mas a maioria se reuniu no castelo do rei derrotado da Nortúmbria, para onde Ragnar me levou. Eu não sabia por que ele me levara até lá, meio esperava ser morto ou, na melhor das hipóteses, vendido, mas Ragnar me fez sentar com seus homens e pôs uma coxa de ganso assada, meio pão e um pote de cerveja na minha frente, depois abraçou minha cabeça, animado.

A princípio os outros dinamarqueses me ignoraram. Estavam ocupados demais se embebedando e aplaudindo as lutas que tiveram início assim que estavam bêbados, mas os gritos mais altos vieram quando o capturado Osbert foi obrigado a lutar contra um jovem guerreiro que tinha habilidade extraordinária com a espada. Ele dançava ao redor do rei, depois decepou a mão esquerda dele antes de abrir sua barriga com um golpe rápido. E como Osbert era um homem pesado, suas entranhas se derramaram como enguias se retorcendo para fora de um saco rompido. Depois disso alguns dinamarqueses ficaram fracos de tanto rir. O rei demorou muito a morrer, e, enquanto gritava implorando por alívio, os dinamarqueses crucificaram um padre capturado que tinha lutado contra eles na batalha. Sentiam-se intrigados e repelidos por nossa religião e ficaram furiosos quando as mãos do padre se soltaram dos pregos, e alguns argumentaram que era impossível matar alguém desse modo. Discutiram sobre isso bêbados, depois tentaram pregar o padre às traves de madeira do salão pela segunda vez até que, entediado com aquilo, um dos guerreiros cravou uma lança no peito do padre, esmagando suas costelas e rasgando o coração.

Um punhado deles se virou para mim assim que o padre estava morto. E como eu tinha usado um elmo com faixa de bronze dourado, achavam que devia ser filho do rei. Fizeram com que eu vestisse um manto e um homem subiu na mesa para mijar em cima de mim. Nesse momento uma voz imensa gritou para que parassem, e Ragnar abriu caminho pela multidão. Arrancou o manto de cima de mim e arengou com os homens, dizendo não sei o quê, mas o que quer que tenha dito os fez parar, e então Ragnar passou o braço ao redor dos meus ombros, levou-me a um tablado na lateral do castelo e sinalizou que eu deveria subir. Um velho estava comendo sozinho ali. Era cego, com os olhos de um branco leitoso e tinha o rosto muito enrugado, emoldurado por cabelos grisalhos compridos como os de Ragnar. Ele me ouviu subindo e fez uma pergunta. Ragnar respondeu e os dois se afastaram.

— Você deve estar com fome, garoto — disse o velho em inglês.

Não respondi. Estava aterrorizado com seus olhos cegos.

— Você desapareceu? — perguntou ele. — Os anões o arrastaram para baixo da terra?

— Estou com fome — admiti.

— Então você está aqui, afinal de contas. E aqui há carne de porco, pão, queijo e cerveja. Qual é o seu nome?

Quase falei Osbert, depois me lembrei de que eu era Uhtred.

— Uhtred.

— Nome feio — disse o velho —, mas meu filho disse que eu deveria cuidar de você, e farei isso, mas você também deve cuidar de mim. Pode cortar um pedaço de carne de porco para mim?

— Seu filho?

— *Earl* Ragnar. Algumas vezes chamado de Ragnar, o Intrépido. Quem eles estavam matando aqui?

— O rei. E um padre.

— Que rei?

— Osbert.

— Ele morreu bem?

— Não.

— Então não deveria ter sido rei.

— O senhor é rei?

Ele riu.

— Sou Ravn, e já fui *earl* e guerreiro, mas agora estou cego e não sirvo para ninguém. Eles deveriam me bater na cabeça com um porrete e me mandar para o outro mundo.

Não falei nada, porque não sabia o que dizer.

— Mas tento ser útil — continuou Ravn, com as mãos tentando pegar o pão. — Falo sua língua, a língua dos britânicos, a dos wends, a dos frísios e a dos francos. Agora a linguagem é meu trabalho, garoto, porque me tornei um *skald*.

— *Skald*?

— Um bardo, é como você me chamaria. Um poeta, tecelão de sonhos, um homem que cria glória a partir do nada e espanta os outros com essa criação. E agora meu trabalho é contar a história deste dia de tal modo que os homens jamais esqueçam nossos grandes feitos.

— Mas se o senhor não pode ver, como pode contar o que aconteceu?

Uma infância pagã

Ravn riu.

— Já ouviu falar de Odin? Então deve saber que Odin sacrificou um de seus olhos para obter o dom da poesia. De modo que talvez eu seja um *skald* duas vezes melhor do que Odin, não é?

— Eu sou descendente de Woden.

— É mesmo? — Ele pareceu impressionado, ou talvez só quisesse ser gentil. — Então quem é você, Uhtred, descendente do grande Odin?

— Sou *ealdorman* de Bebbanburg — falei, e isso me lembrou de que eu não tinha pai. Meu ar de desafio desmoronou e, para minha vergonha, comecei a chorar. Ravn me ignorou enquanto ouvia os gritos bêbados, as canções e os berros das garotas que tinham sido capturadas nos nossos campos e agora davam aos guerreiros a recompensa pela vitória. Olhar as cabriolas afastou minha mente da tristeza porque, em verdade, eu nunca tinha visto essas coisas antes. Mas, graças a Deus, tive muitas dessas recompensas nos tempos vindouros.

— Bebbanburg? — perguntou Ravn. — Eu estive lá antes de você nascer. Há vinte anos.

— Em Bebbanburg?

— Não na fortaleza, o lugar era forte demais. Mas fui ao norte dela, à ilha onde os monges rezam. Matei seis homens lá. Não monges, homens. Guerreiros. — Ele sorriu sozinho, lembrando-se. — Agora diga o que está acontecendo, *ealdorman* Uhtred de Bebbanburg.

Assim me tornei os olhos dele e contei sobre os homens dançando, os homens tirando as roupas das mulheres e o que eles fizeram em seguida com elas, mas Ravn não se interessou por isso.

— O que Ivar e Ubba estão fazendo? — quis saber ele.

— Ivar e Ubba?

— Devem estar na plataforma mais alta. Ubba é o mais baixo e parece um barril com barba, e Ivar é tão magro que o chamam de Ivar, o Sem-ossos. É tão magro que daria para juntar os pés dele e atirá-lo com um arco.

Mais tarde fiquei sabendo que Ivar e Ubba eram os mais velhos de três irmãos, líderes conjuntos do exército dinamarquês. Ubba estava dormindo, a cabeça de cabelos pretos acolchoada pelos braços que, por sua vez, repousavam nos restos de sua refeição, mas Ivar, o Sem-ossos, estava acordado. Tinha olhos fundos, rosto parecido com uma caveira, cabelos louros que iam até a parte de baixo da nuca e uma expressão de malevolência carrancuda. Os braços estavam cheios das pulseiras douradas que os dinamarqueses gostam de usar para provar sua habilidade na batalha, e havia um cordão de ouro pendurado no pescoço. Dois homens falavam com ele. Um, de pé logo atrás de Ivar, parecia sussurrar em seu ouvido, o outro, um sujeito de aparência preocupada, estava sentado entre os dois irmãos. Descrevi tudo isso para Ravn, que quis saber qual era a aparência do homem preocupado, sentado entre Ivar e Ubba.

— Não tem argolas nos braços — falei. — Usa um aro de ouro em volta do pescoço. Cabelos castanhos, barba comprida, bem velho.

— Para os novos todo mundo parece velho. Aquele deve ser o rei Egbert.

— O rei Egbert? — Eu nunca tinha ouvido falar dele.

— Ele era o *ealdorman* Egbert — explicou Ravn —, mas fez as pazes conosco no inverno e nós o recompensamos tornando-o rei aqui da Nortúmbria. Ele é rei, mas nós somos os senhores da terra. — Ravn deu um risinho, e por mais que eu fosse jovem entendi a traição envolvida. O *ealdorman* Egbert tinha propriedades no sul de nosso reino e era o que meu pai tinha sido no norte, um homem muito poderoso. Os dinamarqueses o haviam subornado, mantido longe da luta e agora ele seria chamado de rei, no entanto estava claro que seria rei com rédea curta. — Se você quer viver — disse-me Ravn —, seria sensato prestar respeitos a Egbert.

— Viver? — falei bruscamente. De algum modo eu tinha pensado que, tendo sobrevivido à batalha, claro que viveria. Eu era criança, estava sob a responsabilidade dos outros, mas as palavras de Ravn trouxeram a realidade de volta a marteladas. Jamais deveria ter confessado minha posição, pensei. Melhor estar escravizado e vivo que um *ealdorman* morto.

— Acho que você viverá — disse Ravn. — Ragnar gosta de você e Ragnar consegue o que quer. Ele disse que você o atacou. Foi?

— Ataquei, sim.

— Ele deve ter gostado disso. Um garoto que ataca o *earl* Ragnar? Deve ser um tremendo garoto, hein? Bom demais para desperdiçar, diz ele, mas meu filho sempre teve um lado lamentavelmente sentimental. Eu teria arrancado

Uma infância pagã

sua cabeça, mas aí está você, vivo, e acho que seria sensato se curvar diante de Egbert.

Agora, olhando para tão longe no meu passado, penso que provavelmente mudei os acontecimentos daquela noite. Havia um festim, Ivar e Ubba estavam lá, Egbert estava tentando parecer rei, Ravn foi gentil comigo, mas tenho certeza de que eu estava mais confuso e muito mais apavorado do que demonstrei. No entanto, em outros sentidos, minhas lembranças do festim são muito precisas. Olhe e aprenda, tinha dito meu pai. Ravn me fez olhar, e eu aprendi. Aprendi sobre traição, em especial quando Ragnar, chamado por Ravn, me pegou pela gola e me levou a um alto tablado onde, depois de um gesto carrancudo de permissão por parte de Ivar, tive permissão de me aproximar da mesa.

— Senhor rei — guinchei, depois me ajoelhei de modo que o surpreso Egbert teve de se inclinar para a frente para me ver. — Sou Uhtred de Bebbanburg — tinha sido orientado por Ravn quanto ao que deveria dizer — e peço sua nobre proteção.

Isso produziu silêncio, a não ser pelo murmúrio do intérprete falando com Ivar. Então Ubba acordou, parecendo espantado por alguns instantes, como se não soubesse direito onde estava, depois me olhou e eu senti a carne estremecer, porque nunca tinha visto um rosto tão maldoso. Tinha olhos escuros, cheios de ódio, e desejei que a terra me engolisse. Ele não disse nada, apenas me olhou e tocou um amuleto em forma de martelo pendurado no pescoço. Ubba tinha o rosto fino do irmão, mas em vez de cabelos louros puxados para trás, grudados ao crânio, tinha cabelos pretos e fartos e uma barba densa cheia de migalhas de comida. Então bocejou — e foi como olhar para a bocarra de uma fera. O intérprete falou com Ivar, que disse alguma coisa, e o intérprete, por sua vez, falou com Egbert, que tentou parecer sério.

— Seu pai optou por lutar contra nós — disse ele.

— E está morto — respondi com lágrimas nos olhos. Quis dizer mais alguma coisa, mas nada saía, e em vez disso apenas funguei como um bebê e pude sentir o escárnio de Ubba parecendo o calor de um incêndio. Passei o punho no nariz, com raiva.

— Decidiremos seu destino — disse Egbert em voz altiva, e fui dispensado.

Voltei a Ravn que insistiu em que eu lhe contasse o que havia acontecido e sorriu quando descrevi o silêncio malévolo de Ubba.

— Ele é um homem amedrontador — concordou Ravn. — Sei, com certeza, que matou 16 homens em combate singular, e dezenas a mais em batalha, mas só quando os augúrios são bons, caso contrário ele não luta.

— Augúrios?

— Ubba é um rapaz muito supersticioso, mas também perigoso. Se eu puder lhe dar um conselho, jovem Uhtred, é para jamais, jamais lutar contra Ubba. Até Ragnar temeria fazer isso, e meu filho teme pouca coisa.

— E Ivar? Seu filho lutaria contra Ivar?

— O Sem-ossos? — Ravn pensou na pergunta. — Ele também é de dar medo, porque não tem piedade, mas possui bom senso. Além disso Ragnar serve a Ivar, se é que serve a alguém, e os dois são amigos, por isso não lutariam. Mas Ubba? Só os deuses lhe dizem o que fazer, e você deveria ter cuidado com homens que só recebem ordens dos deuses. Corte-me um pedaço de torresmo, garoto. Gosto particularmente de torresmo de porco.

Agora não lembro quanto tempo fiquei em Eoferwic. Fui posto para trabalhar, disso recordo. Minhas boas roupas foram tiradas e dadas a algum garoto dinamarquês, e no lugar delas recebi uma túnica de lã puída, cheia de pulgas, que prendi com um pedaço de corda na cintura. Durante alguns dias preparei a comida de Ravn, depois os outros navios dinamarqueses chegaram, trazendo principalmente mulheres e crianças, as famílias do exército vitorioso, e foi então que entendi que aqueles dinamarqueses tinham vindo à Nortúmbria para ficar. A mulher de Ravn chegou, uma mulher grandalhona chamada Gudrun, com um riso que poderia derrubar um touro, e me empurrou para longe do fogo de cozinhar, do qual ela agora cuidava com a mulher de Ragnar, que se chamava Sigrid, e cujo cabelo chegava à cintura, da cor do sol refletindo no ouro. Ela e Ragnar tinham dois filhos e uma filha. Sigrid havia dado à luz oito filhos, mas apenas três sobreviveram. Rorik, o segundo filho, era um ano mais novo que eu. E no dia em que o conheci ele provocou uma briga, vindo para mim num redemoinho de punhos e pés, mas deitei-o de costas e estava esganando-o quando Ragnar pegou nós dois, bateu nossas cabeças uma na outra e mandou que fôssemos amigos. O filho mais velho de Ragnar, também chamado Ragnar, tinha 18 anos, já era homem, e não o conheci na época porque ele estava na Irlanda, onde aprendia a lutar e matar para tornar-se *earl*, como o pai. Com o tempo conheci Ragnar, o Jovem, que era muito parecido com o pai; sempre animado, numa alegria espalhafatosa, entusiasmado com tudo que precisasse ser feito e amigável com todo mundo que lhe prestava respeito.

Como todas as outras crianças, eu tinha trabalho para me ocupar. Sempre havia lenha e água para ser apanhada, e passei dois dias ajudando a queimar a gosma verde do casco de um navio na praia. Gostava disso, mesmo que tenha entrado numa dúzia de brigas com garotos dinamarqueses, todos maiores do que eu, e vivesse com olhos pretos, joelhos ralados, pulsos torcidos e dentes frouxos. Meu pior inimigo era um garoto chamado Sven, que era dois anos mais velho e muito grande para a idade, com rosto redondo e inexpressivo, queixo caído e temperamento maligno. Era filho de um dos comandantes de navio de Ragnar, um homem chamado Kjartan. Ragnar tinha três navios, ele mesmo comandava um, Kjartan, o segundo, e um sujeito alto e endurecido pelo tempo chamado Egil estava à frente do terceiro. Kjartan e Egil também eram guerreiros, claro, e como comandantes de navios lideravam suas tripulações em batalha, por isso eram considerados importantes, tinham os braços carregados de pulseiras. Sven, filho de Kjartan, desgostou de mim imediatamente. Chamava-me de lixo inglês, bosta de bode e bafo de cachorro, e como era mais velho e maior podia me bater com bastante facilidade, mas eu também estava fazendo amigos e, por sorte, Sven desgostava de Rorik quase tanto quanto de mim, e nós dois juntos podíamos espancá-lo. De modo que, depois de um tempo, Sven passou a me evitar, a não ser que tivesse certeza de que eu estava sozinho. Portanto, afora Sven, foi um bom verão. Eu nunca tinha o suficiente para comer, nunca estava limpo, Ragnar nos fazia rir e eu raramente me sentia infeliz.

Ragnar costumava ficar ausente, já que boa parte do exército dinamarquês passou aquele verão atacando toda a extensão da Nortúmbria para acabar com os últimos focos de resistência, mas eu ouvia poucas notícias, e nenhuma de Bebbanburg. Parecia que os dinamarqueses estavam vencendo, já que, a intervalos de alguns dias, mais um inglês chegava a Eoferwic e se ajoelhava diante de Egbert, que agora vivia no palácio do rei da Nortúmbria, se bem que fora um palácio do qual os vencedores haviam tirado tudo que fosse útil. A abertura na muralha da cidade fora consertada em um dia, o mesmo dia em que um grupo nosso cavou um grande buraco no campo, por onde nosso exército havia fugido em pânico. Enchemos o buraco com os cadáveres meio podres dos mortos da Nortúmbria. Eu conhecia alguns. Acho que meu pai estava entre eles, mas não o vi. E, pensando bem, não sentia falta dele. Meu pai sempre fora um homem taciturno, sempre esperando o pior, e não gostava de crianças.

O pior serviço que recebi foi o de pintar escudos. Primeiro tivemos de ferver um pouco de couro de gado para fazer uma cola grossa que misturamos num pó que tínhamos feito socando minério de cobre com grandes pilões de pedra, e o resultado foi uma pasta azul viscosa que deveria ser espalhada nos escudos recém-feitos. Durante um dia, depois disso, fiquei com as mãos e os braços azuis, mas nossos escudos foram pendurados num navio e ficaram esplêndidos. Cada navio dinamarquês tinha, de cada lado, uma tábua ao longo do casco, onde se podiam pendurar os escudos, sobrepondo-se como se estivessem numa parede de escudos. Aqueles eram para a tripulação de Ubba, o mesmo navio que eu tinha queimado e raspado até ficar limpo. Parecia que Ubba planejava partir e queria que seu navio estivesse lindo. A embarcação tinha um animal na proa que se curvava como um peito de cisne a partir da linha d'água. O animal, meio dragão meio verme, era a parte de cima, e toda a cabeça da fera podia ser levantada da haste e guardada no fundo do casco.

— Nós tiramos as cabeças de feras para que não assustem os espíritos — explicou Ragnar.

Nessa época eu tinha aprendido um pouco da língua dinamarquesa.

— Os espíritos?

Ragnar suspirou diante de minha ignorância.

— Toda terra tem espíritos, seus próprios deuses pequenos, e quando nos aproximamos de nossas terras tiramos as cabeças de feras para que os espíritos não fujam de medo. Quantas brigas você teve hoje?

Uma infância pagã

— Nenhuma.

— Eles estão ficando com medo de você. Que negócio é esse no seu pescoço?

Mostrei. Era um grosseiro martelo de ferro, um martelo em miniatura, do tamanho do polegar de um homem, e a visão daquilo o fez rir e me dar um cascudo amigável.

— Ainda vamos transformar você num dinamarquês — disse ele, claramente satisfeito. O martelo era o símbolo de Tor, um deus dinamarquês quase tão importante quanto Odin, como eles chamavam Woden, e algumas vezes eu me perguntava se Tor não seria o deus mais importante, mas ninguém parecia saber nem se importar muito. Não havia sacerdotes entre os dinamarqueses, e eu gostava disso, porque os padres viviam dizendo para a gente não fazer coisas, tentando nos ensinar a ler ou exigindo que rezássemos, e a vida sem eles era muito mais agradável. De fato, os dinamarqueses pareciam muito despreocupados com relação aos seus deuses, embora quase todos usassem o martelo de Tor. Eu tinha arrancado o meu do pescoço de um garoto que havia lutado comigo, e o tenho até hoje.

A popa do navio de Ubba, que se curvava e se erguia quase tão alta quanto a proa, era decorada com uma cabeça de águia esculpida, e na ponta do mastro havia um cata-vento em forma de dragão. Os escudos eram pendurados nos flancos, porém mais tarde fiquei sabendo que só eram postos ali como decoração e que, assim que o navio zarpasse, eles eram guardados a bordo. Logo abaixo dos escudos ficavam os buracos dos remos, com borda de couro, 15 buracos de cada lado. Os buracos podiam ser tapados com rolhas de madeira quando o navio estivesse usando vela, de modo a poder se inclinar com o vento e não se encher de água. Ajudei a lavar todo o barco, mas, antes de esfregarmos, ele foi afundado no rio, só para afogar os ratos e desencorajar as pulgas, então nós, garotos, raspamos cada centímetro da madeira e martelamos lã encharcada com cera em cada emenda, e finalmente o navio estava pronto. E foi nesse dia que meu tio Ælfric chegou a Eoferwic.

Eu soube da vinda de Ælfric quando Ragnar trouxe meu elmo, o que tinha a faixa de bronze dourado, uma túnica com bordado vermelho na borda e um par de sapatos. Era estranho andar calçado de novo.

— Ajeite o cabelo, garoto — disse ele, depois lembrou-se de que estava com o elmo e o enfiou na minha cabeça desgrenhada. — Não ajeite o cabelo — falou rindo.

— Aonde vamos?

— Ouvir um monte de palavras, garoto. Desperdiçar o tempo. Com essa roupa você parece uma prostituta franca.

— Tão ruim assim?

— Isso é bom, garoto! Há grandes prostitutas na Frankia; gorduchas, bonitas e baratas. Venha. — Ele me levou para longe do rio. A cidade estava movimentada, as lojas cheias, as ruas apinhadas de mulas de carga. Um rebanho de ovelhas pequenas e de lã escura estava sendo levado para o matadouro, e era a única obstrução que não abriu caminho para Ragnar, cuja reputação garantia respeito. Mas essa reputação não era ruim, porque eu via como os dinamarqueses riam ao ser cumprimentados por ele. Ele podia ser chamado de *jarl* Ragnar, *earl* Ragnar, mas tinha enorme popularidade, era um brincalhão e lutador que rompia o medo como se fosse uma teia de aranha. Levou-me ao palácio, que era apenas uma casa grande, parcialmente construída pelos romanos com pedra e em parte feita mais recentemente com madeira e palha. Era na parte romana, num vasto salão com colunas de pedra e paredes caiadas, que meu tio esperava, e com ele estavam o padre Beocca e uma dúzia de guerreiros, todos meus conhecidos, que tinham ficado para defender Bebbanburg enquanto meu pai ia à guerra.

Os olhos vesgos de Beocca se arregalaram quando me viu. Devo ter parecido muito diferente, porque estava de cabelos compridos, escurecido pelo sol, magricelo, mais alto e mais selvagem. E havia o amuleto do martelo no pescoço, que ele viu porque apontou para o próprio crucifixo, depois para o meu martelo, e pareceu desaprovar. Ælfric e seus homens fizeram uma careta para mim, como se eu os tivesse abandonado, mas ninguém falou, em parte porque os guardas de Ivar, todos homens altos, e todos usando cota de malha, elmos e armados com machados de guerra com cabos compridos, ocupavam a extremidade da sala onde uma cadeira simples, que agora servia de trono da Nortúmbria, ocupava uma plataforma de madeira.

Uma infância pagã

O rei Egbert chegou, e com ele estava Ivar, o Sem-ossos, e uma dúzia de homens, inclusive Ravn que, como eu tinha sabido, era conselheiro de Ivar e seu irmão. Com Ravn estava um homem alto, de cabelos compridos e longa barba branca. Usava manto longo bordado com cruzes e anjos alados, e mais tarde descobri que era Wulfhere, arcebispo de Eoferwic que, como Egbert, havia se aliado aos dinamarqueses. O rei estava sentado, parecendo desconfortável, e a discussão teve início.

Não estavam ali apenas para discutir sobre mim. Falaram sobre quais senhores da Nortúmbria mereciam respeito, quais deveriam ser atacados, que terras seriam dadas a Ivar e Ubba, que tributo os homens da Nortúmbria deveriam pagar, quantos cavalos seriam trazidos para Eoferwic, quanta comida seria dada ao exército, quais *ealdormen* teriam de ceder reféns, e fiquei sentado, cheio de tédio, até que mencionaram meu nome. Então prestei atenção e ouvi meu tio propor que deveriam cobrar resgate por mim. Esse era o cerne da questão, mas nada é simples quando uns vinte homens decidem discutir. Por longo tempo debateram meu preço, os dinamarqueses exigindo um pagamento impossível de trezentas peças de prata, Ælfric não querendo passar de uma relutante oferta de cinquenta. Não falei nada, apenas fiquei sentado nos ladrilhos romanos quebrados, na borda do salão, e ouvi. Trezentos se transformaram em 275, cinquenta viraram sessenta, e assim a coisa continuou, os números se aproximando cada vez mais, porém ainda muito afastados, e então Ravn, que estivera em silêncio, falou pela primeira vez:

— O *earl* Uhtred — disse em dinamarquês, e esta foi a primeira vez que ouvi minha descrição como *earl*, que era um título dinamarquês — ofereceu aliança ao rei Egbert. Nesse sentido ele tem vantagem sobre você, Ælfric.

As palavras foram traduzidas, e eu vi a raiva de Ælfric quando não recebeu nenhum título. Mas ele não possuía título, a não ser o que dera a si mesmo, e fiquei sabendo disso quando meu tio falou baixinho com Beocca, que então falou por ele:

— O *ealdorman* Ælfric — disse o jovem padre — não acredita que o juramento de uma criança tenha importância.

Eu tinha feito um juramento? Não podia me lembrar disso, mas tinha pedido a proteção de Egbert, e era suficientemente jovem para confundir as duas coisas. Mesmo assim isso não importava muito, o que importava era que meu tio havia usurpado Bebbanburg. Estava se chamando de *ealdorman*. Encarei-o, chocado, e ele me olhou de volta com puro desprezo no rosto.

— É nossa crença — disse Ravn, com os olhos cegos mirando para o teto do salão onde faltavam algumas telhas, de modo que uma garoa passava pelos caibros — que seríamos mais bem servidos tendo nosso próprio *earl* jurado em Bebbanburg, leal a nós, do que suportar um homem cuja lealdade não conhecemos.

Ælfric pôde sentir o vento mudando e fez o que era óbvio. Foi até o tablado, ajoelhou-se diante de Egbert e beijou a mão estendida do rei. Como recompensa recebeu a bênção do arcebispo.

— Oferecerei cem peças de prata — disse Ælfric, tendo dado sua aliança.

— Duzentas — exigiu Ravn — e uma força de trinta dinamarqueses para formar a guarnição em Bebbanburg.

— Com minha aliança dada vocês não precisarão de dinamarqueses em Bebbanburg — respondeu Ælfric com raiva.

Assim Bebbanburg não tinha caído, e eu duvidava que caísse. Não havia fortaleza mais poderosa em toda a Nortúmbria, e talvez em toda a Inglaterra.

Egbert não tinha falado, e não falou, tampouco Ivar, e estava claro que o dinamarquês alto, magro e com rosto de fantasma sentia-se entediado com os procedimentos, porque balançou a cabeça na direção de Ragnar, que saiu do meu lado e foi conversar particularmente com seu senhor. O resto de nós esperou sem jeito. Ivar e Ragnar eram amigos, uma amizade improvável, já que eram muito diferentes. Ivar todo feito de silêncio selvagem e ameaça soturna, e Ragnar aberto e espalhafatoso, no entanto o filho mais velho de Ragnar servia a Ivar, e já agora, aos 18 anos, tinha a liderança de alguns dinamarqueses deixados na Irlanda, que sustentavam as terras de Ivar naquela ilha. Não era incomum que os filhos mais velhos servissem a outro senhor. Ragnar tinha dois filhos de *earls* em suas tripulações, e um dia os dois poderiam herdar riqueza e posição se aprendessem a lutar. Por isso, agora Ragnar e Ivar conversavam, Ælfric se remexia e ficava me olhando, Beocca rezava, e o rei Egbert, não tendo nada para fazer, apenas tentava parecer régio.

Finalmente Ivar anunciou:

Uma infância pagã

— O garoto não está à venda.

— Resgate — corrigiu Ravn gentilmente.

Ælfric ficou furioso.

— Eu vim aqui... — começou ele, mas Ivar o interrompeu.

— O garoto não está sendo oferecido para resgate — rosnou ele, depois se virou e saiu da grande câmara. Egbert ficou sem jeito, meio se levantou do trono, sentou-se de novo, e Ragnar veio para perto de mim.

— Você é meu — disse ele em voz baixa. — Acabo de comprá-lo.

— De me comprar?

— O peso da minha espada em prata.

— Por quê?

— Talvez eu queira sacrificá-lo a Odin — sugeriu, depois desgrenhou meu cabelo. — Gostamos de você, garoto, gostamos o bastante para ficar com você. E, além disso, seu tio não ofereceu prata suficiente. Por quinhentas peças eu poderia vendê-lo. — Ele riu.

Beocca atravessou o salão rapidamente.

— Você está bem? — perguntou-me.

— Estou.

— Essa coisa que você está usando... — falou, indicando o martelo de Tor, e estendeu a mão para arrancá-lo da tira de couro.

— Toque no garoto, padre — disse Ragnar asperamente —, e eu conserto seus olhos tortos antes de abrir você desde a barriga sem entranhas até a garganta magricela.

Beocca, claro, não entendeu o que o dinamarquês tinha dito, mas não podia se equivocar com o tom de voz, e sua mão parou alguns centímetros longe do martelo. Ficou nervoso. Baixou a voz para que só eu pudesse ouvi-lo.

— Seu tio vai matá-lo — sussurrou.

— Me matar?

— Ele quer ser *ealdorman*. Por isso queria pagar seu resgate. Para poder matá-lo.

— Mas... — comecei a protestar.

— Shh — fez Beocca. Ele estava curioso com minhas mãos azuis, mas não perguntou o que causara aquilo. — Sei que você é o *ealdorman*, e vamos nos encontrar de novo. — Em seguida me sorriu, olhou cauteloso para Ragnar e recuou.

Ælfric partiu. Mais tarde fiquei sabendo que ele recebera passe livre para entrar e sair de Eoferwic, e a promessa foi mantida, mas depois desse encontro retirou-se para Bebbanburg e ficou lá. Ostensivamente era leal a Egbert, o que significava aceitar a soberania dos dinamarqueses, mas estes ainda não tinham aprendido a confiar nele. Era por isso, explicou-me Ragnar, que tinha me mantido vivo.

— Gosto de Bebbanburg — disse ele. — Quero aquela fortaleza para mim.

— Ela é minha — reagi, teimoso.

— E você é meu. O que significa que Bebbanburg é minha. Você é meu, Uhtred, porque acabei de comprá-lo, portanto posso fazer o que quiser com você. Posso cozinhá-lo, se quiser, só que você não tem carne suficiente para alimentar nem mesmo uma doninha. Agora tire essa túnica de prostituta, me dê os sapatos e o elmo e volte para o trabalho.

Portanto eu estava escravizado de novo. E feliz. Algumas vezes, quando conto minha história, as pessoas perguntam por que não fugi dos pagãos, por que não escapei para o sul, entrando nas terras que os dinamarqueses ainda não dominavam, mas nunca me ocorreu tentar. Eu estava feliz, estava vivo, estava com Ragnar e isso bastava.

Mais dinamarqueses chegaram antes do inverno. Vieram 36 navios, cada um com seu contingente de guerreiros, e os navios foram puxados à margem do rio enquanto as tripulações, carregando escudos e armas, marchavam para onde quer que fossem passar os próximos meses. Os dinamarqueses estavam lançando uma rede sobre o leste da Nortúmbria, uma rede leve, mas mesmo assim uma rede de guarnições espalhadas. No entanto, não poderiam ter ficado se não tivéssemos deixado, mas os *ealdormen* e senhores de terras que não tinham morrido em Eoferwic haviam dobrado o joelho, e assim éramos agora um reino dinamarquês, apesar do atado Egbert em seu trono patético. Só no oeste, nas partes mais ermas da Nortúmbria, nenhum dinamarquês domina-

Uma infância pagã

va, mas também não havia qualquer força significativa naquelas partes selvagens para desafiá-los.

Ragnar tomou terras a oeste de Eoferwic, no alto das colinas. Sua mulher e sua família se juntaram a ele, e Ravn e Gudrun vieram, além das tripulações de todos os navios de Ragnar, que assumiram moradias nos vales próximos. Nosso primeiro trabalho foi aumentar a casa. Ela havia pertencido a um *thegn* inglês que tinha morrido em Eoferwic, mas não era um grande castelo. Era meramente uma baixa construção de madeira coberta com palha de centeio e samambaia onde o capim crescia tão denso que, a distância, parecia um morro baixo e comprido. Construímos uma parte nova, não para nós, mas para o pouco gado bovino, ovelhas e cabras que sobreviveriam ao inverno e dariam à luz no ano seguinte. O resto foi morto. Ragnar e os homens fizeram a maior parte da matança, mas quando os últimos animais chegaram ao cercado ele entregou um machado a Rorik, seu filho mais novo.

— Um golpe limpo e rápido — ordenou, e Rorik tentou, mas não era suficientemente forte e sua mira não era boa. O animal berrou e sangrou, sendo necessários seis homens para contê-lo enquanto Ragnar fazia o serviço direito. Os encarregados de tirar a pele foram para a carcaça e Ragnar me entregou o machado.

— Veja se consegue fazer melhor.

Uma vaca foi empurrada na minha direção. Um homem levantou sua cauda, ela baixou a cabeça obedientemente e eu a golpeei com o machado, lembrando-me exatamente de onde Ragnar acertava todas as vezes, e a lâmina pesada girou com mira precisa, direto na coluna, atrás do crânio, e ela caiu com um estrondo.

— Ainda vamos transformá-lo num guerreiro dinamarquês — disse Ragnar, satisfeito.

O trabalho diminuiu depois da matança do gado. Os ingleses que ainda viviam no vale trouxeram a Ragnar seu tributo em carcaças e grãos, como teriam dado os suprimentos ao seu senhor inglês. Era impossível ler nos rostos o que achavam de Ragnar e seus dinamarqueses, mas eles não causaram problemas, e Ragnar fazia questão de não perturbar sua vida. O padre local teve permissão de viver e fazer os serviços na igreja, que era um barracão de madeira decorado com uma cruz, e Ragnar sentava-se para julgar as disputas, mas sempre se certificava de ser aconselhado por um inglês que conhecesse os costumes locais.

— Não se pode viver num lugar se as pessoas não nos querem ali — disse-me ele. — Elas podem matar nosso gado ou envenenar nossos riachos, e nunca saberíamos quem fez isso. Ou matamos todos ou aprendemos a viver com eles.

O céu ficou mais pálido e o vento, mais frio. Folhas mortas voavam pelo ar. Agora nosso primeiro trabalho era alimentar o gado sobrevivente e manter alta a pilha de lenha. Uma dúzia de nós ia para a floresta, e eu me tornei hábil com o machado, aprendendo a derrubar uma árvore com economia de golpes. Prendíamos um boi aos troncos maiores para arrastá-los até o pasto, e as melhores árvores eram separadas para construção, enquanto as outras eram rachadas e cortadas para servir como lenha. Também havia tempo para brincar, e assim nós, as crianças, fizemos nosso castelo no alto da floresta, um castelo de toras inteiriças, com teto de samambaias e um crânio de texugo preso na empena, imitando o crânio de javali que coroava a casa de Ragnar. No nosso castelo de brincadeira, Rorik e eu lutávamos para saber quem seria o rei, mas Thyra, a irmã dele, que tinha oito anos, sempre era a senhora da casa. Lá ela fiava lã, porque se não fiasse lã suficiente até o fim do inverno seria punida, e olhava enquanto nós, garotos, travávamos batalhas de mentira com espadas de madeira. A maioria dos garotos era de filhos dos serviçais ou escravizados, e sempre insistiam em que eu fosse o chefe inglês e Rorik o líder dinamarquês, e meu bando de guerra só recebia os garotos menores e mais fracos, por isso quase sempre perdíamos, e Thyra, que tinha o cabelo cor de ouro claro como o da mãe, olhava e fiava, sempre fiando, com a roca na mão esquerda enquanto a direita soltava a lã tosquiada.

Todas as mulheres tinham de fiar e tecer. Ragnar sabia que eram necessárias cinco mulheres ou uma dúzia de meninas durante todo o inverno para fiar lã suficiente para uma vela nova, e os barcos sempre necessitavam de velas novas, por isso as mulheres trabalhavam todas as horas enviadas pelos deuses. Também cozinhavam, ferviam cascas de nozes para tingir a lã nova, colhiam cogumelos, curtiam o couro do gado abatido, coletavam o musgo que

Uma infância pagã

usávamos para limpar a bunda, enrolavam cera de abelha para fazer velas, maltavam a cevada e aplacavam os deuses. Havia uma enorme quantidade de deuses e deusas, alguns específicos de nossa casa, que eram celebrados pelas mulheres em seus próprios rituais, ao passo que outros, como Odin e Tor, eram poderosos e ubíquos, mas raramente tratados como os cristãos cultuavam seu Deus. Um homem apelava a Tor, Loki, Odin, Vikr ou qualquer outro dos grandes seres que viviam em Asgard, que parecia ser o céu dos deuses, mas os dinamarqueses não se reuniam numa igreja como nós, em Bebbanburg, nos reuníamos todos os domingos e dias santos. E, assim como não havia padres entre os dinamarqueses, não havia qualquer relíquia ou livro sagrado. Eu não sentia falta de nada disso.

Gostaria de sentir falta de Sven, mas o pai dele, Kjartan, tinha uma casa no vale próximo, e não demorou muito até Sven descobrir nosso castelo na floresta. Quando as primeiras geadas do inverno endureceram as folhas mortas e fizeram brilhar os frutos nos pilriteiros e azevinhos, descobrimos que nossos jogos estavam ficando selvagens. Não nos dividíamos mais em dois lados, porque agora tínhamos de lutar com os garotos de Sven, que vinham nos atacar, mas por um tempo não houve grande dano. Afinal de contas era um jogo, só um jogo, mas um jogo que Sven ganhava repetidamente. Ele roubou o crânio de texugo de nossa empena. Nós o substituímos por uma cabeça de raposa, e Thyra gritou com os garotos de Sven, escondidos no mato, dizendo que tinha passado veneno na pele da raposa, e pensamos que isso foi muito inteligente da parte dela, mas na manhã seguinte encontramos nosso castelo de mentira queimado até o chão.

— Uma queima de castelo — disse Rorik amargamente.

— Queima de castelo?

— Acontece na nossa terra antiga — explicou Rorik. — Você vai ao castelo de um inimigo e o queima. Mas tem uma coisa nas queimas de castelo. Você precisa garantir que todo mundo morra. Se houver algum sobrevivente eles se vingam, por isso você ataca à noite, rodeia o castelo e mata todo mundo que tentar escapar das chamas.

Mas Sven não tinha castelo. Havia a casa do pai dele, claro, e durante um dia tramamos vingança contra ela, discutindo como iríamos queimá-la e

O último reino

matar a família com golpes de lança enquanto eles corressem para fora, mas era apenas conversa fiada de garotos, e claro que não deu em nada. Em vez disso construímos um castelo novo, mais acima na floresta. Não era tão bonito quanto o antigo, nem de longe tão à prova d'água, na verdade não passava de um grosseiro abrigo feito de galhos e samambaias, mas pregamos um crânio de arminho na empena improvisada e garantimos que ainda tínhamos nosso reino nas colinas.

Mas nada menos do que uma vitória total satisfaria Sven. Alguns dias depois, quando nossas tarefas estavam terminadas, apenas Rorik, Thyra e eu fomos ao novo castelo. Thyra fiava, enquanto Rorik e eu discutíamos sobre onde eram feitas as melhores espadas, ele dizia que era na Dinamarca e eu reivindicava o prêmio para a Inglaterra, nenhum de nós com idade ou sensibilidade suficiente para saber que as melhores lâminas vinham da Frankia. Depois de um tempo ficamos cansados de discutir, pegamos os galhos de freixo afiados que serviam de lanças de brinquedo e decidimos procurar o javali que algumas vezes andava pela floresta ao cair da noite. Não teríamos ousado matar um javali, eles eram grandes demais, mas fingíamos ser grandes caçadores, e justo quando nós, dois grandes caçadores, estávamos nos preparando para entrar na floresta, Sven atacou. Só ele e dois seguidores, mas Sven, em vez de trazer uma espada de madeira, brandia uma de verdade, comprida como o braço de um homem, o aço brilhando à luz do inverno, e correu para nós, gritando feito um louco. Rorik e eu, vendo a fúria em seus olhos, fugimos. Ele nos seguiu, abrindo caminho no mato como o javali que queríamos caçar, e só porque éramos muito mais rápidos ficamos longe daquela espada maligna. Um instante depois ouvimos Thyra gritar.

Esgueiramo-nos de volta, cautelosos com a espada que Sven devia ter apanhado na casa do pai, e quando chegamos à nossa cabana patética descobrimos que Thyra havia sumido. Sua roca estava no chão, e a lã toda suja de folhas mortas e pedaços de gravetos.

Sven sempre fora desajeitado, apesar de forte, e tinha deixado uma trilha fácil de seguir pelo mato, e depois de um tempo escutamos vozes. Continuamos seguindo, atravessando a crista do morro onde cresciam as faias, depois descendo ao vale do nosso inimigo, e Sven não teve o bom senso de colocar um guarda que teria nos visto. Em vez disso, jactando-se da vitória, tinha ido à clareira que devia ser seu refúgio na floresta, porque havia um fogão de pedras no centro, e eu me lembrei de ter imaginado por que nunca tínhamos construído um fogão semelhante. Ele havia amarrado Thyra a uma árvore e arrancado a túnica da parte superior do corpo dela. Não havia nada para ver ali, ela era apenas uma menininha de oito anos, portanto faltavam quatro ou cinco para a idade de casar, mas era bonita, e por isso Sven a havia despido. Pude ver que os dois companheiros de Sven não estavam satisfeitos. Afinal de contas Thyra era filha do *earl* Ragnar, e o que havia começado como um jogo tinha ficado perigoso, mas Sven precisava se mostrar. Tinha de provar que não sentia medo. Não fazia ideia de que Rorik e eu estávamos agachados no mato baixo, e não creio que tivesse se importado, caso soubesse.

Ele havia largado a espada perto do fogão. Agora se plantou diante de Thyra e baixou a calça.

— Toque — ordenou.

Um de seus companheiros disse algo que não pude ouvir.

— Ela não vai contar a ninguém — disse Sven cheio de confiança —, e não vamos machucá-la. — Ele olhou de novo para Thyra. — Não vou machucar você, se você puser a mão.

Foi então que saí do esconderijo. Não estava sendo corajoso. Os companheiros de Sven tinham perdido o apetite pelo jogo, o próprio Sven estava com a calça abaixada até os joelhos, e sua espada estava caída no centro da clareira. Agarrei-a e corri até ele. De algum modo ele se manteve de pé enquanto se virava.

— Eu toco! — gritei e girei a espada comprida em direção ao seu pau, mas a espada era pesada. Eu ainda não tinha usado uma espada de homem, e em vez de acertar onde havia mirado cortei sua coxa nua, abrindo a pele. Girei-a de volta, usando toda a força, e a lâmina cortou sua cintura, onde as roupas receberam a maior parte do impacto. Ele caiu, gritando, e seus dois amigos me arrastaram para longe enquanto Rorik ia desamarrar a irmã.

Foi só isso que aconteceu. Sven estava sangrando, mas conseguiu levantar a calça, e os amigos o ajudaram a ir embora. Rorik e eu levamos Thyra de volta para casa, onde Ravn ouviu os soluços de Thyra e nossas vozes agitadas e exigiu silêncio.

— Uhtred — disse o velho sério —, espere perto das pocilgas. Rorik, conte o que aconteceu.

Esperei do lado de fora enquanto Rorik contava o que havia acontecido. Depois Rorik foi mandado para fora e eu fui chamado para dentro, para recontar a aventura da tarde. Agora Thyra estava nos braços da mãe, e a mãe e a avó estavam furiosas.

— Você contou a mesma história que Rorik — disse Ravn quando eu havia terminado.

— Porque é a verdade — falei.

— É o que parece.

— Ele a estuprou! — insistiu Sigrid.

— Não — disse Ravn com firmeza. — Graças a Uhtred ele não fez isso.

Esta foi a história que Ragnar ouviu ao retornar da caçada e, como ela me tornava um herói, não discuti contra sua inverdade essencial, que Sven não teria estuprado Thyra porque não teria ousado. Sua idiotice conhecia poucos limites, mas havia limites, e cometer estupro contra a filha do *earl* Ragnar, senhor de seu pai, estava além até mesmo da estupidez de Sven. No entanto ele fizera um inimigo e, no dia seguinte, Ragnar liderou seis homens até a casa de Kjartan no vale vizinho. Rorik e eu recebemos cavalos e a ordem de acompanhar os homens, e confesso que fiquei apavorado. Sentia que era responsável. Afinal de contas eu havia iniciado os jogos na floresta, mas Ragnar não via a coisa desse modo.

— Você não me ofendeu. Sven sim — disse de modo sombrio, sem a alegria usual. — Você fez bem, Uhtred. Comportou-se como um dinamarquês. — Não havia elogio maior que ele pudesse me fazer, e senti que Ragnar estava desapontado porque eu, e não Rorik, ataquei Sven, mas eu era mais velho e muito mais forte do que seu filho mais novo, por isso eu é que deveria ter lutado.

Seguimos pela floresta fria e fiquei curioso porque dois homens de Ragnar carregavam grandes galhos de aveleira finos demais para serem usados como arma, mas não quis perguntar para que eram, porque estava nervoso.

A propriedade de Kjartan ficava numa dobra das colinas, ao lado de um riacho que atravessava pastos onde ele mantinha ovelhas, cabras e vacas,

Uma infância pagã

mas a maioria já fora morta, e os poucos animais restantes estavam pastando o resto do capim do ano anterior. Era um dia de sol, mas frio. Cães latiram quando nos aproximamos, mas Kjartan e seus homens rosnaram e bateram neles, para que voltassem ao quintal ao lado da casa, onde ele havia plantado um pé de freixo que não parecia capaz de sobreviver ao inverno próximo. Então, acompanhado por quatro homens, nenhum deles armado, ele caminhou em direção aos cavaleiros que se aproximavam. Ragnar e seus seis homens estavam armados até não poder mais, com escudos, espadas e machados de guerra, seus peitos largos estavam cobertos por cota de malha, enquanto Ragnar usava o elmo de meu pai, que ele havia comprado depois da luta em Eoferwic. Era um elmo esplêndido, com o topo e a cobertura de rosto decorados em prata, e eu achava que ele ficava melhor em Ragnar do que em meu pai.

Kjartan, o comandante de navio, era um homem grande, mais alto do que Ragnar, com rosto chato e largo como o do filho, olhos pequenos cheios de suspeita e uma barba enorme. Olhou para os galhos de aveleira e deve ter reconhecido seu significado, porque tocou instintivamente o amuleto do martelo pendurado numa corrente de prata ao pescoço. Ragnar parou o cavalo e, num gesto que demonstrava desprezo absoluto, jogou no chão a espada que eu havia carregado de volta da clareira onde Sven tinha amarrado Thyra. Por direito agora a espada pertencia a Ragnar, e era uma arma valiosa, com arame de prata enrolado no punho, mas ele jogou a espada aos pés de Kjartan como se não passasse de uma faca para cortar feno.

— Seu filho deixou isso nas minhas terras — disse ele. — E quero dizer umas palavras a ele.

— Meu filho é um bom garoto — respondeu Kjartan com firmeza — e com o tempo servirá em seus remos e lutará em sua parede de escudos.

— Ele me ofendeu.

— Ele não teve má intenção, senhor.

— Ele me ofendeu — respondeu Ragnar asperamente. — Olhou a nudez de minha filha e mostrou a dele a ela.

— E foi punido por isso — disse Kjartan, dando-me um olhar malévolo. — Sangue foi derramado.

Ragnar fez um gesto abrupto, e os galhos de aveleira foram largados no chão. Essa era evidentemente sua resposta, que não fez sentido para mim, mas Kjartan entendeu, assim como Rorik, que se inclinou e sussurrou para mim:

— Isso significa que agora ele deve lutar por Sven.

— Lutar por ele?

— Eles marcam um quadrado no chão com os galhos e os dois lutam dentro do quadrado.

No entanto ninguém se mexeu para arrumar os galhos de aveleira formando um quadrado. Em vez disso, Kjartan voltou à sua casa e chamou Sven, que saiu mancando pela porta baixa, com a perna direita enrolada em bandagens. Parecia carrancudo e aterrorizado, o que não era de espantar, porque Ragnar e seus cavaleiros estavam em sua glória de batalha, guerreiros brilhantes, dinamarqueses e suas espadas.

— Diga o que tem a dizer — ordenou Kjartan ao filho.

Sven olhou para Ragnar.

— Desculpe — murmurou ele.

— Não estou ouvindo — rosnou Ragnar.

— Desculpe, senhor — disse Sven tremendo de medo.

— Desculpe o quê?

— O que eu fiz.

— E o que você fez?

Sven não encontrou resposta, ou não encontrou uma resposta que quisesse dar, e em vez disso se remexeu e olhou para o chão. Sombras de nuvens correram sobre a charneca distante e dois corvos partiram para a cabeça do vale.

— Você pôs as mãos na minha filha — disse Ragnar —, amarrou-a numa árvore e a despiu.

— Mas não totalmente — murmurou Sven e levou um cascudo na cabeça, dado pelo pai.

— Era um jogo — apelou Kjartan a Ragnar. — Só um jogo, senhor.

— Nenhum garoto faz jogos assim com minha filha. — Eu raramente vira Ragnar tão furioso, mas agora ele estava, sério e duro, sem qualquer traço

Uma infância pagã

do homem de coração grande que podia fazer um castelo ecoar com risos. Apeou e desembainhou a espada, a espada de batalha chamada Quebra-coração, e estendeu a ponta na direção de Kjartan.

— E então? — perguntou. — Você questiona meu direito?

— Não, senhor — respondeu Kjartan. — Mas ele é um bom garoto, forte e trabalhador, e irá servi-lo bem.

— E viu coisas que não deveria ter visto — disse Ragnar, em seguida lançou Quebra-coração no ar, de modo que a lâmina comprida se virou ao sol, e pegou-a pelo punho enquanto ela caía, mas agora estava segurando-a para trás, como se fosse uma adaga, e não uma espada. — Uhtred! — gritou Ragnar, fazendo com que eu pulasse. — Ele diz que ela só estava seminua. É verdade?

— Sim, senhor.

— Então só meia punição — disse Ragnar, e impulsionou a espada, com o punho na frente, direto contra o rosto de Sven. Os punhos das nossas espadas são pesados, algumas vezes decorados com coisas preciosas, mas por mais que pareçam bonitos ainda são brutais pedaços de metal, e o punho de Quebra-coração, com faixas de prata, esmagou o olho direito de Sven. Esmagou-o até virar geleia, cegando-o instantaneamente. Ragnar cuspiu nele e enfiou a lâmina na bainha forrada de pele de carneiro.

Sven estava agachado, gemendo, as mãos apertando o olho arruinado.

— Acabou — disse Ragnar a Kjartan.

Kjartan hesitou. Estava com raiva, envergonhado e infeliz, mas não poderia vencer um duelo de força com o *earl* Ragnar. E assim, finalmente, assentiu.

— Acabou.

— E você não serve mais a mim — disse Ragnar com frieza.

Voltamos para casa.

O duro inverno chegou, os riachos congelaram, a neve caiu preenchendo o leito dos rios e o mundo ficou frio, silencioso e branco. Lobos chegaram à borda das florestas e o sol do meio-dia era pálido, como se sua força tivesse sido sugada pelo vento norte.

Ragnar me recompensou com um bracelete de prata, o primeiro que recebi, e Kjartan foi mandado embora com sua família. Ele não comandaria mais um dos navios de Ragnar e não receberia mais uma parcela da sua generosidade, porque agora era um homem sem senhor. E foi para Eoferwic, onde se juntou à guarnição que vigiava a cidade. Não era um trabalho prestigioso, qualquer dinamarquês com ambição preferiria servir a um senhor como Ragnar, que podia torná-lo rico, ao passo que os homens que guardavam Eoferwic tinham negada qualquer chance de saquear. Sua tarefa era vigiar as planícies ao redor da cidade e se certificar de que o rei Egbert não fomentasse encrencas, mas fiquei aliviado porque Sven foi embora, e fiquei absurdamente satisfeito com meu bracelete. Os dinamarqueses adoravam braceletes. Quanto mais braceletes um homem possuísse, mais era considerado, porque os braceletes eram resultado de sucesso. Ragnar tinha braceletes de prata e de ouro, braceletes esculpidos com dragões e braceletes incrustados com pedras brilhantes. Quando ele se movia era possível ouvir as peças fazendo barulho. Os braceletes podiam ser usados como dinheiro, se não houvesse moedas. Lembro-me de ter visto um dinamarquês tirar um bracelete e despedaçá-lo com um machado, depois oferecer a um mercador os pedaços, até que a balança mostrasse que ele havia pagado em prata suficiente. Isso foi no vale maior, num grande povoado onde a maioria dos jovens de Ragnar tinha se estabelecido e onde comerciantes compravam mercadorias de Eoferwic. Os dinamarqueses que chegavam tinham encontrado um pequeno povoamento inglês no vale, mas precisavam de mais espaço para novas casas, e para isso haviam queimado um bosque de aveleiras, e era assim que Ragnar chamava o local, Synningthwait, que significava lugar limpo a fogo. Sem dúvida o povoado tinha nome inglês, mas este já estava sendo esquecido.

— Agora estamos na Inglaterra para ficar — disse-me Ragnar um dia, enquanto íamos para casa, depois de comprar mantimentos em Synningthwait. A estrada era uma trilha socada na neve, e nossos cavalos andavam com cuidado entre os montes de neve recém-caída, através dos quais apareciam os galhos pretos do topo dos arbustos. Eu guiava os dois cavalos de carga, com seus preciosos sacos de sal, e fazia a Ragnar minhas perguntas de sempre; para onde as andorinhas iam no inverno, por que os elfos provocavam soluços e por que Ivar era chamado de Sem-ossos.

— Porque é magro demais, claro — disse Ragnar —, e parece que a gente poderia enrolá-lo como se fosse uma capa.

— Por que Ubba não tem apelido?

— Tem. É chamado de Ubba, o Horrível. — Ele riu, porque tinha inventado o apelido, e eu ri porque estava feliz. Ragnar gostava da minha companhia. Com meus cabelos compridos e louros, os homens achavam que eu era seu filho, e eu gostava disso. Rorik deveria ter ido conosco, mas naquele dia estava doente e as mulheres estavam colhendo ervas e cantando feitiços.

— Ele costuma adoecer — disse Ragnar. — Não é como Ragnar. — Estava falando do filho mais velho, que ajudava a defender as terras de Ivar na Irlanda. — Ragnar é como um touro, nunca adoece! É como você, Uhtred. — Ele sorriu, pensando no filho mais velho, de quem sentia falta. — Ragnar vai tomar terras e prosperar. Mas Rorik? Talvez eu tenha de dar a ele essas terras. Ele não pode voltar à Dinamarca.

— Por quê?

— A Dinamarca é uma terra ruim. Ou é plana e arenosa, de modo que não dá para cultivar nada naquele tipo de campo, ou, do outro lado da água, é toda de morros grandes e íngremes com pequenos trechos de pasto onde a gente trabalha como um cão e passa fome.

— Do outro lado da água? — perguntei, e ele explicou que os dinamarqueses vêm de um país dividido em duas partes rodeadas por incontáveis ilhas, e que a parte mais próxima, de onde ele veio, era muito plana e muito arenosa, e que a outra parte, que ficava a leste, depois de um grande estreito, era onde ficavam as montanhas. — E lá também há os *svear*.

— *Svear*?

— Uma tribo. Como nós. Eles cultuam Tor e Odin, mas falam diferente. — Ragnar deu de ombros. — Nós nos damos com os *svear* e com os *norse*. — Os *svear*, os *norse* e os dinamarqueses eram os homens do norte, os homens que iam nas expedições vikings, mas os dinamarqueses é que tinham vindo tomar minha terra. Porém não falei isso a Ragnar. Tinha aprendido a esconder minha alma, ou talvez estivesse confuso. Nortumbriano ou dinamarquês? O que eu era? O que queria ser?

— Suponho — lancei a dúvida no ar — que o resto dos ingleses não quer que nós fiquemos aqui. — Usei a palavra "nós" deliberadamente.

Ele riu disso.

— Os ingleses podem querer o que quiserem! Mas você viu o que aconteceu em Yorvik. — Era assim que os dinamarqueses pronunciavam Eoferwic. Por algum motivo achavam esse nome difícil, por isso falavam Yorvik. — Quem foi o inglês mais corajoso em Yorvik? Você! Uma criança! Você me atacou com aquela coisinha! Era uma faca de estripar, não uma espada, e você tentou me matar! Quase morri de rir. — Ele se inclinou e me deu um cascudo afetuoso. — Claro que os ingleses não nos querem aqui, mas o que podem fazer? No ano que vem vamos tomar Mércia, depois Ânglia Oriental e, finalmente, Wessex.

— Meu pai sempre dizia que Wessex era o reino mais forte.

Meu pai não tinha dito nada do tipo, na verdade ele desprezava os homens de Wessex porque os achava efeminados e religiosos demais, mas eu estava tentando provocar Ragnar.

Fracassei.

— É o reino mais rico — disse ele —, mas isso não o torna forte. Os homens tornam um reino forte, e não o ouro. — Ele riu para mim. — Nós somos os dinamarqueses. Não perdemos, vencemos, e Wessex cairá.

— Cairá?

— Há um rei novo, fraco — disse Ragnar sem dar importância —, e se ele morrer, seu filho é apenas uma criança, de modo que talvez ponham o irmão do novo rei no trono. Nós gostaríamos disso.

— Por quê?

— Porque o irmão é outro fracote. Chama-se Alfredo.

Alfredo. Era a primeira vez que eu ouvia falar de Alfredo de Wessex. Na época não pensei nada a respeito. Por que deveria?

— Alfredo... — continuou Ragnar cheio de desprezo. — Ele só se importa em fornicar com as garotas. O que é bom! Não diga a Sigrid que falei isso, mas não há nada errado em tirar a espada da bainha quando a gente pode, mas Alfredo passa metade do tempo fornicando e a outra metade rezando a

Uma infância pagã

seu deus para perdoá-lo pela fornicação. Como um deus pode desaprovar uma boa trepada?

— Como você sabe sobre Alfredo? — perguntei.

— Espiões, Uhtred, espiões. Principalmente comerciantes. Eles conversam com pessoas em Wessex, por isso sabemos tudo sobre o rei Æthelred e seu irmão Alfredo. E na metade do tempo Alfredo vive doente como um arminho. — Ele parou, talvez pensando no filho mais novo, que estava doente. — É uma casa fraca, e os saxões do oeste deveriam se livrar deles e colocar um homem de verdade no trono, só que não farão isso, e quando Wessex cair não haverá mais Inglaterra.

— Talvez eles encontrem um rei forte.

— Não — respondeu Ragnar com firmeza. — Na Dinamarca nossos reis são homens duros e, se seus filhos são moles, um homem de outra família se torna rei, mas na Inglaterra acreditam que o trono passa através das pernas de uma mulher. De modo que uma criatura débil como Alfredo se torna rei só porque seu pai era rei.

— Vocês têm um rei na Dinamarca?

— Uma dúzia. Eu mesmo poderia me chamar de rei, se quisesse, só que Ivar e Ubba talvez não gostassem disso, e nenhum homem os ofende à toa.

Cavalguei em silêncio, ouvindo os cascos dos animais esmagando a neve e fazendo-a guinchar. Estava pensando no sonho de Ragnar, o sonho de não haver mais Inglaterra, de ver a terra entregue aos dinamarqueses.

— O que acontece comigo? — perguntei enfim.

— Você? — Ele pareceu surpreso com a pergunta. — O que acontece com você, Uhtred, é o que você fizer acontecer. Você vai crescer, aprender a usar a espada, aprender sobre a parede de escudos, aprenderá sobre o remo, aprenderá a honrar os deuses e depois usará o que aprendeu para tornar sua vida boa ou ruim.

— Quero Bebbanburg.

— Então deve tomá-la. Talvez eu o ajude, mas não por enquanto. Antes disso vamos para o sul, e antes de irmos ao sul devemos convencer Odin a nos olhar com favor.

Eu ainda não entendia a religião dinamarquesa. Eles a levavam muito menos a sério do que os ingleses, mas as mulheres rezavam com bastante frequência, e de vez em quando um homem matava um bom animal, dedicava-o aos deuses e pregava a cabeça sangrenta acima de sua porta, para mostrar que haveria uma festa em homenagem a Tor e Odin em sua casa, mas a festa, mesmo sendo um ato de culto, era sempre igual a qualquer outra farra de bebedeira.

Lembro-me da festa de Yule porque foi na semana em que Weland chegou. Ele chegou no dia mais frio do inverno, quando havia montes de neve. Veio a pé, com uma espada ao lado, um arco no ombro e trapos nas costas, e se ajoelhou respeitosamente do lado de fora da casa de Ragnar. Sigrid o fez entrar, deu-lhe comida e cerveja, mas quando tinha se alimentado ele insistiu em voltar para a neve e esperar Ragnar que estava nos morros, caçando.

Weland era parecido com uma cobra, esse foi o meu primeiro pensamento ao vê-lo. Fazia-me lembrar do meu tio Ælfric, magro, astuto e cheio de segredos. No mesmo instante não gostei dele e senti uma pontada de medo vendo-o se prostrar na neve quando Ragnar voltou.

— Meu nome é Weland — disse ele — e preciso de um senhor.

— Você não é jovem — respondeu Ragnar. — Por que não tem um senhor?

— Ele morreu quando seu navio afundou.

— Quem era ele?

— Snorri, senhor.

— Que Snorri?

— Filho de Eric, filho de Grimm, de Birka.

— E você não se afogou? — perguntou Ragnar enquanto desmontava e me dava as rédeas de seu cavalo.

— Eu estava em terra, senhor. Estava doente.

— Sua família? Sua casa?

— Sou filho de Godfred, senhor, de Haithabu.

— Haithabu! — disse Ragnar acidamente. — É comerciante?

— Sou guerreiro, senhor.

— Então por que veio a mim?

Uma infância pagã

Weland deu de ombros.

— Os homens dizem que o senhor é um bom senhor, doador de braceletes, mas se me recusar procurarei outros homens.

— E você é capaz de usar essa espada, Weland Godfredson?

— Como uma mulher é capaz de usar a língua, senhor.

— É bom assim, hein? — perguntou Ragnar, incapaz como sempre de resistir a uma piada. Deu a Weland permissão para ficar, mandando-o a Synninghtwait para encontrar abrigo, e depois, quando falei que não gostei de Weland, Ragnar apenas deu de ombros e disse que o estranho precisava de gentileza. Estávamos sentados em casa, um pouco sufocado por causa da fumaça que se retorcia nos caibros. — Não há nada pior, Uhtred, do que um homem não ter senhor. Não ter quem lhe dê braceletes — acrescentou, tocando seus próprios braceletes.

— Não confio nele — disse Sigrid, do fogão onde estava fazendo bolo de centeio sobre uma pedra. Rorik, recuperando-se da doença, estava ajudando-a, enquanto Thyra, como sempre, fiava. — Acho que é um fora da lei.

— Provavelmente é — admitiu Ragnar —, mas meu navio não se importa se os remos são puxados por foras da lei. — Ele estendeu a mão para um dos bolos e levou um tapa de Sigrid, que disse que os bolos eram para a festa de Yule.

Yule era a maior comemoração do ano, uma semana inteira de comida, cerveja, hidromel, lutas, risos e homens bêbados vomitando na neve. Os homens de Ragnar se reuniam em Synningthwait e havia corridas de cavalos, lutas, competições de lançamento de dardos, machados e pedras, e, minha predileta, o cabo de guerra, onde duas equipes de homens ou garotos tentavam puxar a outra para dentro de um riacho frio. Vi Weland me observando enquanto eu lutava com um garoto um ano mais velho do que eu. Weland já parecia mais próspero. Seus trapos haviam sumido e ele usava uma capa de pele de raposa. Naquele Yule fiquei bêbado pela primeira vez, tão bêbado que minhas pernas não respondiam e fiquei gemendo, com a cabeça latejando, e Ragnar explodiu em gargalhadas e me fez beber mais hidromel, até eu vomitar. Ragnar, claro, venceu a competição de bebedeira, e Ravn recitou um longo poema sobre algum herói antigo que matou um monstro e depois a mãe do monstro, que era ainda mais temível do que o filho, mas eu estava bêbado demais para lembrar alguma coisa.

E depois da festa de Yule descobri uma coisa nova sobre os dinamarqueses e seus deuses, porque Ragnar tinha ordenado que um grande buraco fosse cavado na floresta acima de sua casa, e Rorik e eu ajudamos a fazer o buraco numa clareira. Arrancamos as raízes das árvores a machadadas, tiramos a terra com pás, e Ragnar queria o buraco ainda mais fundo, e só ficou satisfeito quando pôde ficar no fundo e não ver acima da borda. Uma rampa descia no buraco, ao lado do qual havia um grande monte de terra escavada.

Na noite seguinte, todos os homens de Ragnar, mas nenhuma mulher, foram até o buraco em meio à escuridão. Nós, garotos, carregávamos tochas encharcadas de alcatrão acesas sob as árvores, lançando sombras trêmulas que se dissolviam na escuridão ao redor. Todos os homens estavam vestidos e armados como se fossem à guerra.

O cego Ravn esperou junto ao buraco, parado no lado oposto da rampa, e cantou um grande épico em louvor a Odin. A coisa continuou e continuou, as palavras duras e rítmicas como som de tambor, descrevendo como o grande deus tinha feito o mundo a partir do cadáver do gigante Ymir, e como tinha jogado o sol e a lua no céu, e como sua lança, Gungnir, era a arma mais poderosa de toda a criação, forjada por anões nas profundezas do mundo, e continuou, e os homens reunidos ao redor do buraco pareciam cambalear na pulsação do poema, algumas vezes repetindo um verso, e confesso que estava quase tão chateado como quando Beocca falava sem parar em seu latim gaguejante e fiquei olhando para a floresta, vigiando as sombras, imaginando que coisas se moveriam no escuro e pensando nos *sceadugengan*.

Pensava frequentemente nos *sceadugengan*, os Andarilhos das Sombras. Ealdwulf, o ferreiro de Bebbanburg, foi o primeiro a me contar sobre eles. Tinha me alertado para não falar a Beocca sobre as histórias, e nunca falei, e Ealdwulf me contou como, antes de Cristo vir para a Inglaterra, na época em que nós, ingleses, cultuávamos Woden e os outros deuses, todo mundo sabia que havia Andarilhos das Sombras que se moviam em silêncio, somente eram entrevistos, criaturas misteriosas que podiam mudar de forma. Num momento eram lobos, depois eram homens, ou talvez águias, e não eram vivos nem

Uma infância pagã

mortos, e sim coisas do mundo das sombras, feras da noite, e eu olhava para as árvores escuras e queria que houvesse um *sceadugengan* ali no escuro, algo que seria meu segredo, algo que amedrontaria os dinamarqueses, algo para me devolver Bebbanburg, algo tão poderoso quanto a magia que deu a vitória aos dinamarqueses.

Era um sonho infantil, claro. Quando a gente é jovem e impotente sonha em possuir força mística, e quando cresce e fica forte condena as pessoas inferiores a esse mesmo sonho, mas quando eu era criança queria o poder dos *sceadugengan*. Lembro-me da empolgação naquela noite diante da ideia de usar o poder dos Andarilhos das Sombras, até que um relincho trouxe minha atenção de volta ao buraco e vi que os homens junto à rampa tinham se dividido e uma estranha procissão vinha do escuro. Havia um garanhão, um carneiro, um cachorro, um ganso, um touro e um javali, cada animal puxado por um dos guerreiros de Ragnar, e atrás vinha um prisioneiro inglês, um homem condenado por mudar de lugar um marco de campo, e ele, como os animais, tinha uma corda no pescoço.

Eu conhecia o garanhão. Era o melhor de Ragnar, um grande cavalo preto chamado Pisa nas Chamas, um cavalo que Ragnar adorava. No entanto Pisa nas Chamas, como todos os outros animais, seria dado a Odin naquela noite. Ragnar fez isso. Despido até a cintura, com o peito cheio de cicatrizes parecendo ainda maior à luz das chamas, usou um machado de guerra para matar os animais um a um, e Pisa nas Chamas foi o último a morrer, e os olhos do grande cavalo estavam brancos enquanto era forçado a descer a rampa. Ele lutou, aterrorizado pelo fedor de sangue que tinha sujado as laterais do buraco. Ragnar foi até o cavalo, e havia lágrimas em seus olhos quando beijou o focinho de Pisa nas Chamas, e então matou-o, um golpe entre os olhos, direto e preciso, de modo que o garanhão caiu com os cascos se sacudindo, mas morto num instante. O homem foi o último a morrer, mas não foi tão perturbador quanto a morte do cavalo. Então Ragnar ficou de pé no amontoado de pelos sujos de sangue e levantou o machado sujo para o céu.

— Odin! — gritou ele.

— Odin! — Cada um dos homens ecoou o grito e todos estenderam as lanças ou machados na direção do buraco fumegante. — Odin! — gritaram de novo, e eu vi Weland, a cobra, me olhando do outro lado do buraco da matança iluminado pelas tochas.

Todos os cadáveres foram tirados do buraco e pendurados em galhos de árvores. O sangue fora dado às criaturas de baixo da terra, e agora a carne era dada aos deuses de cima. Então enchemos o buraco, dançamos sobre ele para socar a terra, e os jarros de cerveja e os odres de hidromel passaram de mão em mão. E bebemos sob os cadáveres pendurados. Odin, o deus terrível, fora invocado porque Ragnar e seu povo iam à guerra.

Pensei nas armas seguradas acima do poço de sangue, pensei no deus se agitando em seu palácio de cadáveres para lançar uma bênção àqueles homens, e soube que toda a Inglaterra cairia a não ser que encontrasse uma magia tão forte quanto a feitiçaria daqueles homens fortes. Tinha apenas dez anos, mas naquela noite soube o que me tornaria.

Iria me juntar aos *sceadugengan*, seria um Andarilho das Sombras.

Dois

Primavera, ano de 868, eu tinha 11 anos e o *Víbora do Vento* estava flutuando.

Estava flutuando mas não no mar. O *Víbora do Vento* era o navio de Ragnar, uma coisa linda com casco de carvalho, cabeça de serpente esculpida na proa, cabeça de águia na popa e um cata-vento triangular feito de bronze, no qual havia um corvo pintado de preto. O cata-vento era montado na ponta do mastro, mas agora o mastro estava baixado e sustentado por duas muletas de tábuas, de modo que parecia uma viga no centro do longo barco. Os homens de Ragnar remavam e seus escudos pintados adornavam as laterais do navio. Enquanto remavam, cantavam a história de como o poderoso Tor havia pescado a temível serpente Midgard que fica enrolada nas raízes do mundo, e como a serpente havia mordido o anzol com uma cabeça de boi como isca, e como o gigante Hymir, aterrorizado com a cobra gigantesca, havia cortado a linha. É uma boa história, e seus ritmos nos levaram pelo rio Trente, que é afluente do Humber e vem do fundo de Mércia. Estávamos indo para o sul, contra a corrente, mas a viagem era fácil, o movimento, plácido, o sol, quente, e as margens do rio estavam densas de flores. Alguns homens iam a cavalo, mantendo o passo conosco na margem leste, e atrás de nós havia uma frota de navios com proas de animais. Este era o exército de Ivar, o Sem-ossos, e Ubba, o Horrível, uma horda de nórdicos, dinamarqueses e suas espadas, indo para a guerra.

Todo o leste da Nortúmbria pertencia a eles, o oeste da Nortúmbria oferecia uma aliança de má vontade, e agora eles planejavam tomar Mércia, que era o reino no coração da Inglaterra. O território mércio se estendia ao sul até o rio Temes, onde começavam as terras de Wessex, a oeste até a região montanhosa onde viviam as tribos galesas, e a leste até as fazendas e os pântanos de Ânglia Oriental. Mércia, mesmo não sendo tão rico quanto Wessex, era muito mais rico do que a Nortúmbria, o rio Trente entrava no coração do reino, e o *Víbora do Vento* era a ponta de uma lança dinamarquesa apontada para esse coração.

O rio não era fundo, mas Ragnar alardeava que o *Víbora do Vento* podia flutuar numa poça, e era quase verdade. A distância, parecia comprido, esguio e semelhante a uma faca, mas quando a gente estava a bordo podia ver como a meia-nau se abria para os lados, de modo que se acomodava na água como uma tigela rasa, e não a cortava como uma lâmina, e mesmo tendo a barriga cheia com quarenta ou cinquenta homens, armas, escudos, comida e cerveja, ele precisava de muito pouca profundidade. De vez em quando sua quilha comprida raspava o cascalho, mas, mantendo-nos longe da parte interna das curvas do rio, podíamos nos manter sobre água suficiente. Por isso o mastro fora baixado, de modo que na parte externa das curvas podíamos deslizar sob as árvores sem nos emaranharmos.

Rorik e eu estávamos sentados na proa com o avô dele, Ravn, e nosso serviço era contar ao velho tudo que víssemos, e que era muito pouco além de flores, árvores, juncos, animais aquáticos e o movimento das trutas saltando para pegar insetos. Andorinhas tinham vindo do sono de inverno e voavam sobre o rio, enquanto andorinhas-de-casa bicavam nas margens, recolhendo lama para fazer seus ninhos. Os chilreios eram altos, pombos faziam barulho entre as folhas novas, e os falcões deslizavam imóveis e ameaçadores entre as nuvens espalhadas. Cisnes nos olhavam passar, e de vez em quando víamos filhotes de lontra brincando sob os salgueiros de folhas pálidas, e havia uma agitação na água quando eles fugiam diante de nossa chegada. Algumas vezes passávamos por um povoado à margem, feito de madeira e palha, mas as pessoas e seus animais já haviam fugido.

— Mércia está com medo de nós — disse Ravn. Ele ergueu os olhos brancos e cegos para o ar que chegava. — E tem razão em sentir medo. Nós somos guerreiros.

— Eles também têm guerreiros — respondi.

Ravn riu.

— Acho que um homem em cada três é guerreiro, e algumas vezes nem tantos assim, mas em nosso exército, Uhtred, todo homem é lutador. Quem não quer ser guerreiro fica em casa, na Dinamarca. Trabalha no solo, cuida de ovelhas, pesca no mar, mas não vai para os navios tornar-se lutador. Mas aqui na Inglaterra? Todo homem é obrigado a lutar, mas só um em cada três, ou talvez um em cada quatro tem estômago para isso. O resto é de camponeses que só querem fugir. Nós somos lobos lutando contra ovelhas.

Observe e aprenda, dissera meu pai, e eu estava aprendendo. O que mais pode fazer um garoto que ainda não mudou a voz? Um em cada três homens é guerreiro, lembre-se dos Andarilhos das Sombras, cuidado com o corte abaixo do escudo, um rio pode ser a estrada de um exército para o coração de um reino, olhe e aprenda.

— E eles têm um rei fraco — continuou Ravn. — chama-se Burghred e não tem entranhas para lutar. Vai lutar, claro, porque vamos obrigá-lo, e ele chamará seus amigos em Wessex para ajudá-lo, mas em seu coração fraco sabe que não pode vencer.

— Como o senhor sabe disso? — perguntou Rorik.

Ravn sorriu.

— Durante todo o inverno, garoto, nossos comerciantes estiveram em Mércia. Vendendo peles, vendendo âmbar, comprando minério de ferro, comprando malte, e eles falam e ouvem, e voltam e nos contam o que ouviram.

Matar os comerciantes, pensei.

Por que pensava assim? Eu gostava de Ragnar. Gostava dele muito mais do que havia gostado de meu pai. Por direito eu deveria estar morto, mas Ragnar tinha me salvado, Ragnar me mimava e me tratava como um filho, me chamava de dinamarquês. E eu gostava dos dinamarqueses. No entanto, mesmo naquela época, sabia que não era dinamarquês. Era Uhtred de Bebbanburg e me agarrava à memória da fortaleza junto ao mar, dos pássaros gritando sobre as ondas que se quebravam, dos papagaios-do-mar girando acima da espuma, das focas nas pedras, da água branca se despedaçando nos penhascos. Lembrava-me das pessoas daquela terra, dos homens que chamavam meu pai de "senhor" mas falavam com ele sobre primos que tinham em comum. A fofoca dos vizinhos, o conforto de conhecer todas as famílias num raio de um dia de cavalgada, e isso era, e é, Bebbanburg para mim: Um lar. Ragnar teria me dado a fortaleza se ela pudesse ser tomada, mas então ela pertenceria aos dinamarqueses, e eu não seria nada além de um lacaio, *ealdorman* ao prazer deles, nem um pouco melhor do que o rei Egbert que não era rei, e sim um cachorro mimado com guia curta, e o que o dinamarquês dá o dinamarquês pode tomar. Eu teria Bebbanburg pelos meus próprios esforços.

Será que eu sabia de tudo isso aos 11 anos? Um pouco, acho. Estava no meu coração, sem forma, sem ser dito, mas duro como pedra. Com o tempo ficaria encoberto, meio esquecido e frequentemente contradito, mas estava sempre lá. O destino é tudo, gostava de dizer Ravn, o destino é tudo. Ele até dizia em inglês: *"wyrd bið ful āræd."*

— Em que você está pensando? — perguntou Rorik.

— Que seria bom nadar — respondi.

Os remos mergulhavam, e o *Víbora do vento* deslizava para Mércia.

No dia seguinte uma pequena força esperava em nosso caminho. Os mércios tinham bloqueado o rio com árvores caídas que não barravam totalmente a passagem, mas certamente tornariam difícil para nossos remadores fazer progresso através da pequena abertura entre os galhos emaranhados. Havia cerca de uma centena de mércios que tinham uns vinte arqueiros e atiradores de lanças esperando perto do bloqueio, prontos para acertar nossos remadores, enquanto o resto deles estava formado numa parede de escudos na margem leste. Ragnar riu ao vê-los. Esta foi outra coisa que aprendi, o júbilo com que os dinamarqueses encaravam a batalha. Ragnar estava gritando de alegria enquanto se inclinava sobre o leme e guiava o navio para a margem, e os navios atrás também estavam encalhando, enquanto os cavaleiros que vinham mantendo o passo conosco apeavam para a batalha.

Fiquei olhando da proa do *Víbora do Vento* as tripulações dos navios correrem para a margem colocando armadura de couro ou malha. O que aqueles mércios viam? Viam jovens com cabelos revoltos, barbas revoltas e rostos famintos. Homens que abraçavam a batalha como se fosse uma amante. Se os dinamarqueses não podiam lutar contra um inimigo, lutavam entre si. A maioria não tinha nada além de um orgulho monstruoso, cicatrizes de batalhas e armas bem afiadas, e com essas coisas pegavam o que quisessem. E aquela parede de escudos mércia nem mesmo ficou para a luta, assim que viram que estariam em menor número fugiram sob os uivos de zombaria dos homens de Ragnar que em seguida tiraram as malhas e as vestes de couro e usaram os machados e as cordas de pelo torcido do *Víbora do Vento* para afastar as árvores caídas. Demorou algumas horas para desbloquear o rio, mas então estávamos em movimento outra vez. Naquela noite os navios se juntaram na margem do rio, fogueiras foram acesas, homens foram postos de sentinela e cada guerreiro adormecido mantinha as armas ao lado do corpo, mas ninguém nos perturbou, e ao alvorecer fomos em frente, logo chegando a uma cidade com grossas fortificações de terra e uma alta paliçada. Esse, presumiu Ragnar, era o local que os mércios tinham falhado em defender, mas não parecia haver sinal de soldados na paliçada, por isso ele virou o barco outra vez para a margem e liderou sua tripulação até a cidade.

Os muros de terra e a paliçada de madeira estavam em boas condições, e Ragnar se maravilhou ao pensar que a guarnição da cidade tinha optado por marchar rio abaixo e lutar conosco, em vez de ficar atrás das defesas bem-cuidadas. Os soldados mércios com certeza haviam ido embora, provavelmente fugindo para o sul, porque os portões estavam abertos e uma dúzia de moradores se ajoelhava do lado de fora do arco de madeira, estendendo as mãos, suplicando por misericórdia. Três das pessoas aterrorizadas eram monges baixando as cabeças tonsuradas.

— Odeio monges — disse Ragnar alegre. Sua espada, Quebra-coração, estava em sua mão, e ele girou a lâmina nua num arco sibilante.

— Por quê? — perguntei.

— Os monges são como formigas, andando de um lado para o outro vestidos de preto, inúteis. Eu os odeio. Você falará por mim, Uhtred. Pergunte que lugar é este.

Perguntei e fiquei sabendo que o local se chamava Gegnesburh.

— Diga a eles — instruiu Ragnar — que sou o *earl* Ragnar, sou chamado de Intrépido e como crianças quando não me dão comida e prata.

Obedeci e disse. Os homens ajoelhados olharam para Ragnar. Este havia desamarrado o cabelo, o que, se eles soubessem, era sempre sinal de que estava no clima para matar. Seus homens sorridentes fizeram uma fileira atrás, uma fileira cheia de machados, espadas, lanças, escudos e martelos de guerra.

— Toda a comida que houver é sua — traduzi a resposta de um homem de barba grisalha. — Mas ele diz que não há muita comida.

Ragnar sorriu diante disso, adiantou-se e, ainda sorrindo, girou Quebra-coração de modo que a espada meio decapitou o sujeito. Pulei para trás, não assustado, mas porque não queria que minha túnica se sujasse de sangue.

— Uma boca a menos para alimentar — disse Ragnar, animado. — Agora pergunte aos outros quanta comida eles têm.

Agora o homem de barba grisalha estava com a barba vermelha, engasgava e se retorcia, agonizando. Sua luta acabou devagar e então ele simplesmente ficou deitado, os olhos espiando os meus com reprovação. Nenhum de seus companheiros tentou ajudá-lo, estavam apavorados demais.

— Quanta comida vocês têm? — perguntei.

— Há comida, senhor — respondeu um dos monges.

— Quanta? — perguntei de novo.

— O bastante.

— Ele diz que há o bastante — contei a Ragnar.

— Uma espada é uma grande ferramenta para descobrir a verdade — disse Ragnar. — E a igreja do monge? Quanta prata ela tem?

O monge balbuciou dizendo que podíamos olhar, que podíamos pegar o que encontrássemos, que era tudo nosso, qualquer coisa que achássemos era nossa. Traduzi essa declaração feita em pânico e Ragnar sorriu de novo.

— Ele não está dizendo a verdade, está?

— Não está? — perguntei.

— Ele quer que eu olhe porque sabe que não vou encontrar, e isso significa que esconderam o tesouro ou mandaram levá-lo para longe. Pergunte se eles esconderam a prata.

Perguntei, e o monge ficou vermelho.

— Somos uma igreja pobre — disse ele —, com pouco tesouro. — E olhou arregalado enquanto eu traduzia a resposta, depois tentou se levantar e

O último reino

correr quando Ragnar se adiantou, mas tropeçou na batina e Quebra-coração partiu sua coluna, de modo que ele se sacudiu como um peixe fora d'água enquanto morria.

Havia prata, claro, e estava enterrada. Outro monge contou, e Ragnar suspirou enquanto limpava a espada na batina do monge morto.

— Eles são muito idiotas — lamentou. — Viveriam se respondessem a verdade na primeira vez.

— Mas e se não houvesse tesouro? — perguntei.

— Então contariam a verdade e morreriam — disse Ragnar, e achou isso engraçado. — Mas qual é o sentido de haver um monge a não ser para amontoar tesouros para nós, dinamarqueses? São formigas que juntam prata. Basta achar o formigueiro, cavar e ficar rico. — Ele passou por cima das vítimas. A princípio fiquei chocado com a facilidade com que aquele dinamarquês matava um homem indefeso, mas Ragnar não tinha respeito por pessoas que se encolhiam e mentiam. Apreciava um inimigo que lutasse, que mostrasse espírito, mas homens fracos e dissimulados como os que matou no portão de Gegnesburh estavam abaixo de seu desprezo, não eram melhores do que animais.

Esvaziamos Gegnesburh de toda a comida, depois fizemos os monges desenterrarem seu tesouro. Não era muita coisa: dois cálices e três pratos de prata, um crucifixo de bronze com um Cristo de prata, uma escultura em osso, com anjos subindo uma escada, e um saco de moedas de prata. Ragnar distribuiu as moedas entre seus homens, depois despedaçou os pratos e cálices de prata com um machado e dividiu os pedaços. Não tinha utilidade para a escultura em osso, por isso despedaçou-a com a espada.

— Religião estranha — disse ele. — Adoram só um deus?

— Um deus — falei. — Mas ele é dividido em três.

Ragnar gostou disso.

— Um truque inteligente, mas não útil. Esse deus triplo tem mãe, não é?

— Maria — falei, seguindo-o enquanto ele explorava o mosteiro à procura de mais coisas para saquear.

Uma infância pagã

— Imagino se o bebê saiu em três pedaços. E então, qual é o nome desse deus?

— Não sei. — Eu sabia que ele tinha nome porque Beocca havia me contado, mas não conseguia lembrar. — Os três juntos formam a trindade, mas esse não é o nome de Deus. Em geral só o chamam de Deus.

— É como chamar um cachorro de cachorro — declarou Ragnar e gargalhou. — E quem é Jesus?

— Um dos três.

— O que morreu, não é? E voltou à vida?

— É — respondi, subitamente temeroso de que o deus cristão estivesse me olhando, preparando um castigo pavoroso por meus pecados.

— Deuses podem fazer isso — disse Ragnar distraidamente. — Eles morrem e voltam à vida. São deuses. — Em seguida me olhou, sentindo meu medo, e desgrenhou meu cabelo. — Não se preocupe, Uhtred, o deus cristão não tem poder aqui.

— Não?

— Claro que não! — Ele estava revistando um barracão no fundo do mosteiro e achou uma foice decente, que enfiou no cinto. — Os deuses lutam uns contra os outros! Todo mundo sabe disso. Olhe os nossos deuses! Os Aesir e os Vanir lutavam como gatos antes de ficarem amigos. — Os Aesir e os Vanir eram as duas famílias de deuses dinamarqueses que agora compartilhavam Asgard, mas houve um tempo em que eram os piores inimigos. — Os deuses lutam — continuou Ragnar, sério —, e alguns vencem, alguns perdem. O deus cristão está perdendo, caso contrário por que estaríamos aqui? Por que estaríamos vencendo? Os deuses nos recompensam se lhes prestarmos respeito, mas o deus cristão não ajuda seu povo, ajuda? As pessoas choram rios de lágrimas por ele, rezam a ele, dão-lhe sua prata, e nós chegamos e matamos todas! O deus deles é patético. Se tivesse algum poder verdadeiro nós não estaríamos aqui, estaríamos?

Parecia uma lógica inatacável. Qual era o sentido de cultuar um deus se ele não ajudava? E era incontestável que os adoradores de Odin e Tor estavam vencendo, e toquei disfarçadamente o martelo de Tor pendurado no pescoço enquanto voltávamos ao *Víbora do Vento*. Deixamos Gegnesburh devastada, o povo chorando e os depósitos vazios, e remamos pelo rio amplo, com a barriga do barco cheia de grãos, pão, carne salgada e peixe defumado. Mais tarde, muito mais tarde, fiquei sabendo que Ælswith, mulher do rei Alfredo, tinha vindo de Gegnesburh. O pai dela, o homem que não conseguira lutar conosco, era *eldorman* de lá e ela havia crescido na cidade. E sempre lamentava que, depois de ela ter saído, os dinamarqueses tenham saqueado o local. Deus, segundo ela sempre declarou, teria sua vingança contra os pagãos que haviam devastado sua cidade natal, e parecia sensato não lhe dizer que eu fui um dos saqueadores.

Terminamos a viagem numa cidade chamada Snotengaham, que significa lar do povo *snot*, e era um lugar muito maior do que Gegnesburh, mas sua guarnição tinha fugido e as pessoas que permaneceram deram as boas-vindas aos dinamarqueses com pilhas de comida e montes de prata. Teria havido tempo para um cavaleiro chegar a Snotengaham com notícias sobre os mortos em Gegnesburh, e os dinamarqueses sempre ficavam satisfeitos por esses mensageiros espalharem o medo de sua chegada. Assim, a cidade maior, com suas muralhas, caiu sem luta.

Algumas tripulações dos navios receberam ordem de vigiar as muralhas, ao passo que outros atacaram o campo. A primeira coisa que buscavam era mais cavalos, e quando os bandos de guerreiros estavam montados iam ainda mais longe, roubando, queimando e assolando a terra.

— Ficaremos aqui — disse-me Ragnar.
— Todo o verão?
— Até o fim do mundo, Uhtred. Isto agora é terra dinamarquesa.

No fim do inverno Ivar e Ubba tinham mandado três navios de volta à pátria dinamarquesa para encorajar mais colonizadores, e esses novos navios começaram a chegar sozinhos ou em pares, trazendo homens, mulheres e crianças. Os recém-chegados tinham permissão de pegar as casas que quisessem, a não ser as poucas que pertenciam aos líderes mércios que haviam se dobrado a Ivar e Ubba. Um deles era o bispo, um jovem chamado Æthelbrid, que pregava às suas congregações dizendo que Deus mandara os dinamarqueses. Nunca dizia por que Deus tinha feito isso, e talvez não soubesse, mas os sermões significavam que sua mulher e os filhos viviam, que sua casa estava

85

Uma infância pagã

em segurança e sua igreja teve permissão de ficar com um cálice de prata da missa, ainda que Ivar tenha insistido em que os filhos gêmeos do bispo fossem mantidos como reféns para o caso de o deus cristão mudar de ideia quanto aos dinamarqueses.

Ragnar, como os outros líderes dinamarqueses, partia frequentemente para o campo com o objetivo de trazer comida, e gostava que eu fosse com ele, porque eu podia traduzir. E, à medida que os dias passavam, ouvíamos mais e mais histórias sobre um grande exército mércio reunindo-se ao sul, em Ledecestre, que, segundo Ragnar, era a maior fortaleza de Mércia. Tinha sido feita pelos romanos, que construíam melhor do que qualquer homem hoje em dia, e Burghred, o rei de Mércia, estava juntando forças lá, por isso Ragnar queria tanto acumular comida.

— Eles vão nos sitiar — disse —, mas vamos vencer, e então Ledecestre será nossa, assim como Mércia. — Ele falava muito calmamente, como se não houvesse possibilidade de derrota.

Rorik ficava na cidade enquanto eu cavalgava com seu pai. Isso porque Rorik estava doente de novo, com dores de barriga tão fortes que algumas vezes ficava reduzido a lágrimas impotentes. Vomitava à noite, estava pálido, e o único alívio vinha de uma infusão de ervas feita por uma velha que era serviçal do bispo. Ragnar se preocupava com Rorik, mas ficava feliz porque seu filho e eu éramos tão bons amigos. Rorik não questionava o apreço do pai por mim nem tinha ciúme. Com o tempo, ele sabia, Ragnar planejava me levar de volta a Bebbanburg e eu receberia meu patrimônio, e ele presumia que eu iria permanecer seu amigo, de modo que Bebbanburg seria um fortim dinamarquês. Eu seria o *earl* Uhtred, Rorik e seu irmão mais velho teriam outras fortalezas e Ragnar seria um grande senhor, apoiado pelos filhos e por Bebbanburg, e todos seríamos dinamarqueses, Odin sorriria para nós. E assim o mundo continuaria até a conflagração final, quando os grandes deuses lutariam com os monstros, e o exército dos mortos marcharia do Valhalla, o mundo subterrâneo soltaria suas feras e o fogo consumiria a grande árvore da vida, Yggdrasil. Em outras palavras, tudo ficaria igual até não existir mais. Esse era o pensamento de Rorik, e sem dúvida Ragnar achava o mesmo. O destino é tudo, dizia Ravn.

No auge do verão chegaram notícias de que o exército mércio finalmente marchava e que o rei Æthelred de Wessex trazia seu exército para apoiar Burghred, portanto enfrentaríamos dois dos três reinos ingleses remanescentes. Paramos com os ataques ao campo e preparamos Snotengaham para o cerco inevitável. A paliçada sobre os muros de terra foi reforçada e o fosso do lado de fora do muro foi aprofundado. Os navios foram trazidos para a margem do rio dentro da cidade, longe dos muros, para que não fossem reduzidos a cinzas por flechas incendiárias lançadas de fora das defesas, e o teto de palha das construções mais próximas do muro foi tirado, para que as casas não se incendiassem.

Ivar e Ubba tinham decidido sofrer um cerco porque admitiam que estávamos suficientemente fortes para sustentar o que havíamos tomado, mas, se tomássemos mais territórios, as forças dinamarquesas ficariam muito espalhadas e poderíamos ser derrotados parte por parte. Achavam melhor deixar o inimigo chegar e se arrebentar contra as defesas de Snotengaham.

Esse inimigo chegou quando as papoulas floriram. Os batedores mércios vieram primeiro, pequenos grupos de cavaleiros que rodearam a cidade cautelosamente, e ao meio-dia a infantaria de Burghred apareceu, bando após bando de homens com lanças, machados, espadas e foices. Acamparam bem longe dos muros, usando galhos e terra para fazer uma cidadela de abrigos grosseiros que brotou nas colinas baixas e nas campinas. Snotengaham ficava na margem norte do rio Trente, o que significava que o rio estava entre a cidade e o resto de Mércia, mas o exército inimigo veio do oeste, tendo atravessado o Trente em algum lugar ao sul da cidade. Alguns dos homens deles ficaram na margem sul, para garantir que nossos navios não atravessassem o rio para desembarcar guerreiros em expedições de busca de comida, e a presença desses homens significava que o inimigo nos rodeava, mas ele não fez qualquer tentativa de atacar. Os mércios esperavam a chegada dos saxões do oeste, e naquela primeira semana a única empolgação aconteceu quando um punhado de arqueiros de Burghred se esgueirou em direção à cidade e atirou algumas flechas que atingiram a paliçada e ficaram presas ali, como poleiros de pássaros, e esse foi o alcance de sua beligerância. Depois disso fortificaram seu acampamento, rodeando-o com uma barricada de árvores caídas e arbustos de espinheiros.

— Eles estão com medo de fazermos uma investida e matarmos todos — disse Ragnar. — Por isso vão ficar ali sentados, tentando nos matar de fome.

— E vão conseguir? — perguntei.

— Eles não conseguiriam matar de fome um camundongo numa panela — disse Ragnar animado. Tinha pendurado seu escudo do lado de fora da paliçada, um dos mais de mil e duzentos escudos pintados de cores fortes que deixamos expostos ali. Não tínhamos mil e duzentos homens, mas quase todos os dinamarqueses possuíam mais de um escudo, e penduraram todos no muro para fazer os inimigos pensarem que nossa guarnição se igualava ao número de escudos. Os grandes senhores dinamarqueses penduraram seus estandartes no muro; dentre eles a bandeira do corvo de Ubba e a asa de águia de Ragnar. A bandeira do corvo era um triângulo de pano branco, com franja de borlas brancas, mostrando um corvo preto de asas abertas, ao passo que o estandarte de Ragnar era uma asa de águia de verdade, pregada num mastro, e estava ficando tão esfarrapada que Ragnar tinha oferecido um bracelete de ouro a quem pudesse substituí-la. — Se eles nos querem fora daqui — continuou —, é melhor fazerem um ataque, e é melhor fazerem nas próximas três semanas, antes que seus homens partam de volta para fazer a colheita.

Mas, em vez de atacar, os mércios tentaram nos expulsar de Snotengaham à custa de orações. Uma dúzia de padres, todos de batina, carregando mastros com cruzes na ponta e seguidos por uma quantidade de monges carregando estandartes sagrados sobre cajados em forma de cruz, saiu de trás das barricadas e desfilou logo além do alcance das flechas. As bandeiras mostravam santos. Um dos padres aspergiu água benta, e todo o grupo parava a intervalos de alguns metros para pronunciar maldições contra nós. Esse foi o dia em que as forças dos saxões do oeste chegaram para apoiar Æthelred de Wessex, e foi o primeiro dia em que vi o estandarte do dragão de Wessex. Era uma bandeira gigantesca, de pesado tecido verde sobre o qual um dragão branco soltava fogo, e o porta-estandarte galopou para alcançar os padres com o dragão fumegando atrás.

— Sua vez chegará — disse Ragnar em voz baixa, falando ao dragão ondulante.

— Quando?

— Só os deuses sabem — respondeu Ragnar, ainda olhando o estandarte. — Neste ano acabaremos com Mércia, em seguida vamos a Ânglia Oriental e depois, a Wessex. Quanto tempo demoraremos para tomar todas as terras e os tesouros da Inglaterra, Uhtred? Três anos? Quatro? Mas precisamos de mais navios. — Ele queria dizer que precisávamos de mais tripulações de navios, mais dinamarqueses com escudos, mais espadas.

— Por que não ir para o norte? — perguntei.

— A Dalriada e Pictland? — Ele riu. — Não existe nada lá, Uhtred, a não ser rochas nuas, campos nus e bundas nuas. A terra de lá não é melhor do que a da Dinamarca. — Ele assentiu para o acampamento inimigo. — Mas esta terra é boa. Rica e profunda. Dá para criar filhos aqui. Dá para ficar forte aqui. — Ele permaneceu em silêncio, enquanto um grupo de cavaleiros aparecia vindo do acampamento inimigo e seguia o cavaleiro com o estandarte do dragão. Mesmo de muito longe dava para ver que eram grandes homens, porque montavam cavalos esplêndidos e tinham cotas de malha que brilhavam por baixo das capas vermelho-escuras. — O rei de Wessex? — supôs Ragnar.

— Æthelred?

— Provavelmente é ele. Agora descobriremos.

— Descobriremos o quê?

— De que esses saxões do oeste são feitos. Os mércios não vão nos atacar, então vejamos se os homens de Æthelred são melhores. É ao alvorecer, Uhtred, que eles virão. Direto para nós, escadas contra a muralha, perdendo alguns homens, mas deixando o resto nos trucidar. — Ele riu. — É o que eu faria, mas esses aí? — Ele cuspiu cheio de desprezo.

Ivar e Ubba deviam achar o mesmo, porque mandaram dois homens espionar as forças dos mércios e dos saxões do oeste para ver se havia algum sinal de que estivessem fazendo escadas. Os dois homens saíram à noite e deveriam rodear o acampamento dos sitiantes e descobrir um local para vigiar o inimigo de fora das fortificações deles, mas de algum modo foram vistos e apanhados. Os dois foram trazidos aos campos diante da muralha e obrigados a ajoelhar ali, com as mãos amarradas às costas. Um inglês alto ficou parado atrás deles com uma espada desembainhada, e eu vi quando ele cutucou um dos dinamarqueses nas costas, quando o dinamarquês levantou a cabeça e a

Uma infância pagã

espada girou. O segundo dinamarquês morreu do mesmo modo, e os dois corpos foram deixados para serem comidos pelos corvos.

— Desgraçados — disse Ragnar.

Ivar e Ubba também tinham assistido às execuções. Eu raramente via os dois irmãos. Ubba ficava em sua casa na maior parte do tempo, enquanto Ivar, magro demais e parecendo um espectro, era mais evidente, percorrendo as muralhas sempre ao alvorecer e no crepúsculo, com cara de desprezo para o inimigo e falando pouco, mas conversou urgentemente com Ragnar, gesticulando para o sul, em direção aos campos verdes do outro lado do rio. Ele jamais parecia falar sem um rosnado, mas Ragnar não se ofendeu.

— Ivar está com raiva — disse-me ele mais tarde — porque precisa saber se eles planejam nos atacar. Agora quer que alguns de meus homens espionem o acampamento deles, mas depois disso? — Ragnar balançou a cabeça na direção dos dois corpos decapitados no campo. — Talvez seja melhor eu mesmo ir.

— Eles estarão à espera de mais espiões — falei, não querendo que Ragnar acabasse sem cabeça diante dos muros.

— Um líder lidera — disse Ragnar — e não se pode pedir que os homens arrisquem a vida se não estivermos dispostos a arriscá-la também.

— Deixe-me ir — pedi.

Ele riu disso.

— Que tipo de líder manda um garoto fazer um serviço de homem, hein?

— Eu sou inglês. Eles não vão suspeitar de um garoto inglês.

Ragnar sorriu para mim.

— Você é inglês, então como podemos confiar em que vai nos contar a verdade sobre o que vir?

Segurei o martelo de Tor.

— Direi a verdade. Juro. E agora sou dinamarquês! Você mesmo disse! Você diz que eu sou dinamarquês!

Ragnar começou a me levar a sério. Ajoelhou-se para olhar meu rosto.

— Você é realmente dinamarquês?

— Sou dinamarquês — respondi, e nesse momento falei sério. Em outras ocasiões tinha certeza de que era nortumbriano, um *sceadugengan* secreto escondido entre os dinamarqueses, e na verdade estava confuso. Amava Ragnar como um pai, gostava de Ravn, lutava, disputava corridas e brincava com Rorik quando ele estava bem de saúde, e todos me tratavam como um deles. Eu simplesmente era de outra tribo. Havia três tribos principais entre os homens do norte; os dinamarqueses, os *norse* e os *svear*, mas Ragnar disse que havia outras, como os *getes*, e não sabia direito onde os homens do norte acabavam e os outros começavam, mas de repente estava preocupado comigo. — Sou dinamarquês — repeti com ênfase — e quem melhor do que eu para espioná-los? Eu falo a língua deles!

— Você é um garoto — disse Ragnar, e pensei que ele estava se recusando a deixar que eu fosse, mas em vez disso estava se acostumando à ideia. — Ninguém suspeitará de um garoto — continuou. Ainda me encarava, depois se levantou e olhou de novo para os dois corpos cujas cabeças cortadas os corvos bicavam. — Tem certeza, Uhtred?

— Tenho.

— Vou perguntar aos irmãos — disse ele, e perguntou. E Ivar e Ubba devem ter concordado, porque me deixaram ir. Já havia escurecido quando o portão foi aberto e eu me esgueirei para fora. Agora, pensei, sou finalmente um Andarilho das Sombras, ainda que de fato a jornada não precisasse de habilidades sobrenaturais, porque havia um rio de fogueiras nas fileiras mércias e saxãs do oeste, iluminando o caminho. Ragnar tinha me alertado para rodear o grande acampamento e ver se havia um modo fácil de entrar por trás, mas em vez disso fui direto às fogueiras mais próximas, que ficavam depois das árvores tombadas que serviam como muro protetor para os ingleses, e depois daquele emaranhado preto pude ver as formas escuras de sentinelas delineadas pelas fogueiras. Estava nervoso. Durante meses vinha acalentando a ideia do *sceadugengan*, e ali estava eu, no escuro, e não muito longe estavam os corpos decapitados, e minha imaginação inventou um destino semelhante para mim mesmo. Por quê? Uma pequena parte de mim sabia que eu podia entrar no acampamento e dizer quem eu era, depois exigir ser levado a Burghred ou Æthelred, no entanto havia falado a verdade a Ragnar. Voltaria e diria a verdade. Tinha prometido, e para um garoto as promessas são coisas solenes, sustentadas pelo pavor da vingança divina. Com o tempo eu escolheria minha tribo, mas esse tempo ainda não havia chegado, por isso me esgueirei pelo campo, sentindo-me muito pequeno e vulnerável, com o coração martelando nas costelas e a alma consumida pela importância do que estava fazendo.

E na metade do caminho para o acampamento mércio senti os pelos da nuca se eriçando. Tive a sensação de que estava sendo seguido e girei, tentei ouvir e olhei com atenção, mas não vi nada além das formas pretas que estremecem na noite, mas, como uma lebre, corri para o lado, joguei-me no chão subitamente e tentei ouvir de novo, e desta vez tive certeza de escutar uma pegada no capim. Esperei, olhei e não vi nada. Continuei me esgueirando até chegar à barricada mércia e esperei de novo ali, mas não ouvi mais nada atrás e decidi que estivera imaginando coisas. Também estivera preocupado com a possibilidade de não conseguir passar pelos obstáculos dos mércios, mas no fim foi bastante simples, porque uma grande árvore tombada deixava espaço suficiente para um garoto se espremer por entre os galhos, e eu fiz isso lentamente, sem causar ruído, depois corri para o acampamento e fui quase imediatamente notado por uma sentinela.

— Quem é você? — rosnou o sujeito, e pude ver a luz da fogueira se refletindo numa ponta de lança brilhante que vinha na minha direção.

— Osbert — falei, usando meu nome antigo.

— Um garoto? — O homem parou, surpreso.

— Precisava mijar.

— Diabo, garoto, o que há de errado em mijar do lado de fora do seu abrigo?

— Meu senhor não gosta.

— Quem é seu senhor? — A lança tinha sido levantada e o homem estava me espiando à luz fraca das fogueiras.

— Beocca — falei. Foi o primeiro nome que me veio à cabeça.

— O padre?

Isso me surpreendeu e eu hesitei, mas assenti e isso satisfez o sujeito.

— Então é melhor voltar para ele.

— Estou perdido.

— Então não deveria ter vindo até aqui para mijar no meu posto de sentinela, não é? — disse ele e em seguida apontou. — Por ali, garoto.

Então andei abertamente pelo acampamento, passei pelas fogueiras e pelos pequenos abrigos onde homens roncavam. Uns dois cachorros latiram para mim. Cavalos relincharam. Em algum lugar uma flauta tocava e uma mulher cantava baixinho. Fagulhas voavam das fogueiras agonizantes.

A sentinela havia me indicado as fileiras dos saxões do oeste. Eu sabia disso porque a bandeira do dragão estava pendurada do lado de fora de uma grande tenda iluminada por uma fogueira maior, e fui em direção àquela tenda por falta de outro lugar aonde ir. Estava procurando escadas, mas não vi nenhuma. Uma criança chorou num abrigo, uma mulher gemeu, e alguns homens cantavam perto de uma fogueira. Um dos cantores me viu, me interpelou e depois percebeu que eu era só um garoto e me dispensou. Agora eu estava perto da grande fogueira, a que iluminava a frente da tenda com o estandarte, e passei ao largo, indo para a escuridão atrás da tenda iluminada por dentro com velas ou lampiões. Dois homens montavam guarda na frente e vozes murmuravam dentro, mas ninguém me notou quando passei pelas sombras, ainda procurando escadas. Ragnar tinha dito que as escadas deveriam estar guardadas juntas, no coração do acampamento ou perto da borda, mas não vi nenhuma. Em vez disso escutei soluços.

Tinha chegado aos fundos da tenda grande e estava escondido ao lado de uma grande pilha de lenha e, a julgar pelo fedor, perto de uma latrina. Agachei-me e vi um homem ajoelhado no espaço vazio entre a pilha de madeira e a tenda grande, e era esse homem que estava soluçando. Também estava rezando e algumas vezes batendo os punhos no peito. Fiquei pasmo, até mesmo alarmado pelo que ele fazia, mas continuei deitado de barriga como uma cobra e me retorci nas sombras para chegar mais perto e ver o que mais ele poderia fazer.

O sujeito gemeu como se sentisse dor, levantou as mãos ao céu, depois se dobrou para a frente como se cultuasse a terra.

— Poupai-me, Deus — ouvi-o dizer. — Poupai-me. Sou um pecador. — Então ele vomitou, mas não parecia bêbado, e depois de ter vomitado gemeu. Senti que era um jovem. Depois uma aba da tenda foi levantada e um pouco de luz de velas se derramou no capim. Congelei, imóvel como um tronco, e vi que o sujeito tão arrasado era de fato um jovem, e então também vi,

93
Uma infância pagã

para minha perplexidade, que quem havia erguido a aba da tenda era o padre Beocca. Tinha achado coincidência existirem dois padres com esse nome, mas não era coincidência alguma. Era de fato o ruivo e caolho Beocca, e ele estava aqui, em Mércia.

— Meu senhor — disse Beocca, largando a aba e lançando a escuridão sobre o rapaz.

— Sou um pecador, padre — repetiu o jovem. Tinha parado de soluçar, talvez porque não quisesse que Beocca visse essa prova de fraqueza, mas sua voz era cheia de lamento. — Sou um pecador deplorável.

— Todos somos pecadores, meu senhor.

— Um pecador deplorável — insistiu o jovem, ignorando o consolo de Beocca. — E sou casado!

— A salvação está no remorso, meu senhor.

— Então, Deus sabe, eu deveria ser redimido, porque meu remorso preencherá o céu. — Ele ergueu a cabeça para olhar as estrelas. — A carne, padre — gemeu ele. — A carne.

Beocca andou na minha direção, parou e se virou. Chegou quase suficientemente perto para que eu o tocasse, mas não fazia ideia de que eu estivesse ali.

— Deus manda a tentação para nos testar, senhor — disse ele em voz baixa.

— Ele manda as mulheres para nos testar — concordou o jovem com aspereza. — E nós fracassamos, então Ele manda os dinamarqueses nos punir pelo fracasso.

— O caminho dele é difícil — disse Beocca — e ninguém jamais duvidou disso.

Ainda ajoelhado, o jovem baixou a cabeça.

— Eu nunca deveria ter me casado, padre. Deveria ter entrado para a igreja. Para um mosteiro.

— E Deus teria encontrado um grande servo no senhor, mas Ele tem outros planos. Se seu irmão morrer...

— Que Deus não permita! Que tipo de rei eu seria?

— O rei de Deus, meu senhor.

Então esse era Alfredo, pensei. Era a primeira vez que eu o via ou escutava sua voz, e ele jamais soube. Fiquei deitado no capim, escutando, enquanto Beocca consolava o príncipe por ceder à tentação. Parecia que Alfredo tinha fornicado com uma serviçal e, logo depois, fora dominado por uma dor física e pelo que chamava de tormento espiritual.

— O que o senhor deve fazer — disse Beocca — é colocar a garota a seu serviço.

— Não! — protestou Alfredo.

Uma harpa começou a tocar na tenda e os dois homens pararam para ouvir, então Beocca se agachou perto do príncipe infeliz e pôs a mão em seu ombro.

— Ponha a garota a seu serviço — repetiu ele — e resista a ela. Preste esse tributo a Deus, deixe-o ver sua força e ele irá recompensá-lo. Agradeça a Deus por tê-lo tentado, senhor, e o louve quando resistir à tentação.

— Deus me matará — disse Alfredo com amargura. — Juro que eu não faria isso de novo. Não depois de Osferth. — Osferth? O nome não significou nada para mim. Mais tarde, muito mais tarde, descobri que Osferth era o filho bastardo de Alfredo, gerado em outra serva. — Rezei para ser poupado da tentação — continuou Alfredo — e para ser afligido com a dor como lembrança, e como distração Deus, em sua misericórdia, me fez ficar doente, mas mesmo assim cedi. Sou o mais miserável dos pecadores.

— Somos todos pecadores — disse Beocca, com a mão boa ainda no ombro de Alfredo — e todos caímos abaixo da glória de Deus.

— Ninguém caiu tanto quanto eu — gemeu Alfredo.

— Deus vê seu remorso e vai erguê-lo, senhor. Aceite a tentação — continuou com urgência —, aceite-a, resista a ela e agradeça a Deus quando tiver sucesso. E Deus irá recompensá-lo, senhor, irá recompensá-lo.

— Retirando os dinamarqueses? — perguntou Alfredo com amargura.

— Sim, meu senhor, sim.

— Mas não se ficarmos esperando — disse Alfredo, e agora havia uma dureza súbita em sua voz, que fez Beocca se afastar. Alfredo se levantou, erguendo-se mais alto do que o padre. — Deveríamos atacá-los!

Uma infância pagã

— Burghred sabe o que faz — disse Beocca em tom tranquilizador —, assim como o seu irmão. Os pagãos morrerão de fome, senhor, se esta for a vontade de Deus.

Assim eu tinha a minha resposta: os ingleses não estavam planejando um ataque, e sim esperavam fazer Snotengaham passar fome e se render. Não ousei levar essa resposta direto de volta à cidade, pelo menos enquanto Beocca e Alfredo estivessem tão perto de mim, por isso fiquei e ouvi enquanto Beocca rezava com o príncipe. E quando Alfredo estava calmo os dois foram para a tenda e entraram.

E voltei. Demorei um longo tempo, mas ninguém me viu. Naquela noite fui um verdadeiro *sceadugengan*, movendo-me pelas sombras como um espectro, subindo a colina para a cidade até poder correr os últimos cem passos e gritar o nome de Ragnar. O portão se abriu rangendo e eu estava de volta em Snotengaham.

Ragnar me levou para ver Ubba quando o sol nasceu e, para minha surpresa, Weland estava lá, Weland, a cobra, e ele me lançou um olhar azedo, mas não tão azedo quanto a careta no rosto escuro de Ubba.

— Então, o que você fez? — resmungou ele.

— Não vi nenhuma escada... — comecei.

— O que você fez? — rosnou Ubba, então contei minha história desde o início, como tinha atravessado os campos e pensei que estava sendo seguido, e que me desviei como uma lebre, depois passei por uma barricada e falei com a sentinela. Nesse ponto Ubba me parou e olhou para Weland.

— E então?

Weland assentiu.

— Eu o vi passar pela barricada, senhor, ouvi-o falar com um homem.

Então Weland tinha me seguido? Olhei para Ragnar, que deu de ombros.

— Meu senhor Ubba queria que um segundo homem fosse — explicou ele —, e Weland se ofereceu.

Weland me deu um sorriso, o tipo de sorriso que o diabo devia dar a um bispo que entrasse no inferno.

— Não pude passar pela barreira, senhor — disse ele a Ubba.

— Mas viu o garoto passar?

— E o ouvi falar com a sentinela, mas não sei o que ele disse.

— Você viu escadas? — perguntou Ubba a Weland.

— Não, senhor, mas eu só rodeei a cerca.

Ubba olhou para Weland, deixando-o desconfortável, depois transferiu o olhar sombrio para mim e me deixou desconfortável também.

— Então você atravessou a barreira — disse ele. — O que viu?

Contei que tinha encontrado a tenda grande e a conversa que escutei, como Alfredo tinha chorado porque pecou e como queria atacar a cidade, e o padre disse que Deus faria os dinamarqueses passarem fome se fosse sua vontade. Ubba acreditou, porque admitiu que um garoto não poderia inventar a história da serviçal com o príncipe.

Além disso eu tinha achado engraçado, o que ficou evidente. Achava que Alfredo era um fracote devoto, um penitente chorão, um nada patético, e até Ubba sorriu quando descrevi o príncipe soluçando e o padre sério.

— Então — perguntou Ubba. — Nenhuma escada?

— Não vi nenhuma, senhor.

Ele me encarou com seu temível rosto barbudo e, para minha perplexidade, tirou um de seus braceletes e jogou para mim.

— Você está certo — disse a Ragnar. — Ele é um dinamarquês.

— É um bom garoto — respondeu Ragnar.

— Algumas vezes o cão vadio que a gente acha no campo acaba sendo útil — disse Ubba, depois chamou um velho que estivera sentado num banco no canto da sala.

O velho se chamava Storri e, como Ravn, era um *skald*, mas também feiticeiro, e Ubba não faria nada sem o conselho dele. Agora, sem dizer uma palavra, Storri pegou um punhado de finas varetas brancas, cada uma do tamanho da mão de um homem, e segurou-as logo acima do chão, murmurando uma prece a Odin, depois soltou-as. Elas fizeram um pequeno barulho ao cair, e então Storri se inclinou para olhar o padrão formado.

Eram varetas de runas. Muitos dinamarqueses consultavam as varetas de runas, mas a habilidade de Storri em ler os sinais era famosa, e Ubba era um homem tão cheio de superstições que não faria nada sem acreditar que os deuses estivessem do seu lado.

— E então? — perguntou impaciente.

Storri ignorou Ubba, em vez disso olhou para as varetas, vendo se podia detectar uma runa ou um padrão significativo nas posições aleatórias. Moveu-se ao redor da pequena pilha, ainda espiando, depois assentiu devagar.

— Não poderia ser melhor — disse ele.

— O garoto disse a verdade?

— O garoto disse a verdade — respondeu Storri —, mas as varetas falam de hoje, e não da noite passada, e dizem que tudo está bem.

— Bom. — Ubba se levantou e tirou sua espada de um gancho na parede. — Não há escadas — disse a Ragnar —, portanto não haverá ataque. Devemos ir.

Eles tinham se preocupado com a hipótese de os mércios e os saxões do oeste lançarem um ataque contra os muros enquanto os dinamarqueses fizessem um ataque do outro lado do rio. A margem sul era pouco guarnecida pelos sitiadores, mantendo pouco mais do que um cordão de homens para deter grupos de busca a comida que atravessassem o Trente, mas naquela tarde Ubba liderou seis navios atravessando o rio e atacou aqueles mércios. E as varetas de runas não tinham mentido, porque nenhum dinamarquês morreu e eles trouxeram de volta cavalos, armas, armaduras e prisioneiros.

Vinte prisioneiros.

Os mércios tinham decapitado dois de nossos homens, portanto agora Ubba matou vinte deles, e fez isso à vista, para que eles enxergassem sua vingança. Os corpos sem cabeça foram jogados no fosso diante do muro, e as vinte cabeças foram enfiadas em lanças e colocadas sobre o portão norte.

— Na guerra, seja implacável — disse-me Ragnar.

— Por que você mandou Weland me seguir? — perguntei, magoado.

— Porque Ubba insistiu.

— Por que você não confiou em mim?

— Porque Ubba não confia em ninguém, a não ser em Storri. Mas eu confio em você, Uhtred.

As cabeças acima do portão de Snotengaham foram bicadas por pássaros até não passarem de crânios com punhados de cabelos que balançavam ao vento de verão. Os mércios e os saxões do oeste continuaram sem atacar. O sol brilhava. O rio ondulava bonito, passando pela cidade onde os navios estavam encalhados na margem.

Mesmo sendo cego, Ravn gostava de ir à paliçada, onde exigia que eu descrevesse tudo que pudesse ver. Nada muda, dizia eu, o inimigo continua atrás de sua cerca de árvores tombadas, há nuvens sobre os morros distantes, um falcão caça, o vento ondula o capim, os andorinhões se juntam em bandos, nada muda, e me fale sobre as varetas de runas, pedi.

— As varetas! — Ele riu.

— Elas funcionam?

Ravn pensou a respeito.

— Se você conseguir lê-las, sim. Eu era bom em ler as runas antes de perder os olhos.

— Então elas funcionam — falei ansioso.

Ravn sinalizou para a paisagem que não conseguia ver.

— Lá, Uhtred, há uma dúzia de sinais dos deuses, e se você conhecer os sinais saberá o que os deuses querem. As varetas de runas dão a mesma mensagem, mas eu notei uma coisa. — Ele parou e eu tive de instigá-lo, e ele suspirou como se soubesse que não deveria falar mais. Mas falou. — Os sinais são mais bem lidos por um homem inteligente, e Storri é inteligente. Ouso dizer que não sou idiota.

Realmente não entendi o que ele estava dizendo.

— Mas Storri está sempre certo?

— Storri é cauteloso. Não corre riscos, e Ubba, mesmo sem saber, gosta disso.

— Mas as varetas são mensagens dos deuses?

— O vento é uma mensagem dos deuses, assim como o voo de um pássaro, a queda de uma pena, a subida de um peixe, a forma de uma nuvem, o grito de uma raposa, tudo isso são mensagens, mas no fim, Uhtred, os deuses falam apenas em um lugar. — Ele bateu na cabeça. — Aqui.

Eu ainda não entendia e fiquei obscuramente desapontado.

Uma infância pagã

— Eu poderia ler as varetas?

— Claro, mas seria sensato esperar até ser mais velho. Quantos anos você tem agora?

— Onze — falei, tentado a dizer 12.

— Talvez seja melhor esperar um ou dois anos antes de ler as varetas. Espere até ter idade para casar. Daqui a cinco ou seis anos?

Parecia uma proposta improvável, porque na época eu não tinha interesse em garotas, mas isso mudaria logo.

— Thyra, talvez? — sugeriu Ravn.

— Thyra! — Eu pensava na filha de Ragnar como companheira de jogos, não como esposa. De fato, a simples ideia me fez rir.

Ravn sorriu de minha diversão.

— Diga, Uhtred, por que nós o deixamos viver?

— Não sei.

— Quando Ragnar o capturou, achou que poderia cobrar resgate, mas decidiu mantê-lo. Achei que ele era idiota, mas Ragnar estava certo.

— Fico feliz — respondi a sério.

— Porque precisamos dos ingleses — continuou Ravn. — Somos poucos, os ingleses são muitos, e apesar disso vamos tomar as terras deles, mas só podemos fazer isso com a ajuda de ingleses. Um homem não pode viver numa casa sempre sitiada. Precisa de paz para plantar e criar gado, e nós precisamos de você. Quando os homens virem que o *earl* Uhtred está do nosso lado, não lutarão contra nós. E você deve se casar com uma garota dinamarquesa para que, quando seus filhos crescerem, sejam dinamarqueses e ingleses e não vejam diferença. — Ele fez uma pausa, contemplando aquele futuro distante, depois deu um risinho. — Só garanta que eles não sejam cristãos, Uhtred.

— Eles vão cultuar Odin — respondi, de novo a sério.

— O cristianismo é uma religião débil, credo de mulher — disse Ravn com selvageria. — Não enobrece os homens, transforma-os em vermes. Estou ouvindo pássaros.

— Dois corvos voando para o norte.

— Uma verdadeira mensagem! — disse ele deliciado. — Huginn e Muminn estão indo para Odin.

Huginn e Muminn eram os corvos gêmeos que se empoleiravam nos ombros do deus, onde sussurravam em seus ouvidos. Faziam por Odin o que eu fazia por Ravn, olhavam e lhe diziam o que viam. Ele os mandava voar por todo o mundo e trazer notícias, e as notícias que levavam naquele dia era que a fumaça no acampamento mércio estava menos densa. Menos fogueiras foram acesas à noite. Homens abandonavam aquele exército.

— Tempo de colheita — disse Ravn enojado.

— Isso importa?

— Eles chamam seu exército de *fyrd* — explicou, esquecendo por um momento que eu era inglês — e todo homem capaz deve servir no *fyrd*, mas quando as plantas amadurecem eles temem a fome no inverno, por isso vão para casa cortar o centeio e a cevada.

— Que depois nós tomamos?

Ele riu.

— Você está aprendendo, Uhtred.

No entanto, os mércios e os saxões do oeste ainda esperavam fazer com que passássemos fome e, mesmo perdendo homens a cada dia, não desistiram até que Ivar encheu uma carroça com comida. Empilhou na carroça queijos, peixe defumado, pão recém-assado, porco salgado e um tonel de cerveja e, ao alvorecer, uma dúzia de homens a arrastou para o acampamento inglês. Eles pararam logo antes do alcance das flechas e gritaram para as sentinelas inimigas que a comida era um presente de Ivar, o Sem-ossos, ao rei Burghred.

No dia seguinte um cavaleiro mércio veio em direção à cidade trazendo um galho cheio de folhas, como sinal de trégua. O inglês queria falar.

— O que significa — disse-me Ravn — que vencemos.

— É?

— Quando um inimigo quer conversar significa que não quer lutar. Por isso vencemos.

E estava certo.

Uma infância pagã

TRÊS

No dia seguinte fizemos um pavilhão no vale entre a cidade e o acampamento inglês, estendendo duas velas de navios entre mastros de madeira, a coisa toda sustentada por cordas de couro de foca presas em grampos, e ali os ingleses puseram três cadeiras de encosto alto para o rei Burghred, o rei Æthelred e o príncipe Alfredo, e cobriram as cadeiras com ricos tecidos vermelhos. Ivar e Ubba sentaram-se em banquetas de ordenhar.

Cada lado trouxe trinta ou quarenta homens para testemunhar as discussões, que começaram com um acordo de que todas as armas seriam empilhadas vinte passos atrás das delegações. Ajudei a carregar espadas, machados, escudos e lanças, depois voltei para escutar.

Beocca estava lá, e me viu. Sorriu. Eu sorri de volta. Ele estava de pé, logo atrás do jovem que eu achava ser Alfredo, porque, apesar de tê-lo ouvido à noite, não o tinha visto com clareza. Só ele, entre os três líderes ingleses, não estava coroado com uma tira de ouro, mas prendendo a capa tinha um grande broche com pedras preciosas, que Ivar olhou cheio de cobiça. Enquanto Alfredo ocupava sua cadeira, vi que o príncipe era magro, com pernas compridas, inquieto, pálido e alto. O rosto era comprido, o nariz comprido, a barba curta, as bochechas fundas e a boca franzida. O cabelo era de um castanho comum, os olhos preocupados, a testa vincada, as mãos agitadas e o rosto sério. Tinha apenas 19 anos, fiquei sabendo mais tarde, mas parecia dez anos mais velho. Seu irmão, o rei Æthelred, era muito mais velho, com mais de trinta anos, e também tinha rosto comprido, mas era mais corpulento e de aparência ainda mais ansiosa, ao passo que Burghred, rei de Mércia, era um sujeito atarracado, com barba cerrada, barriga enorme e meio careca.

Alfredo disse algo a Beocca, que pegou um pedaço de pergaminho, uma pena e entregou ao príncipe. Então Beocca estendeu um pequeno frasco de tinta para que Alfredo pudesse mergulhar a pena e escrever.

— O que ele está fazendo? — perguntou Ivar.

— Está fazendo anotações sobre nossas conversas — respondeu o intérprete inglês.

— Anotações?

— Para que exista um registro, claro.

— Ele perdeu a memória? — perguntou Ivar, enquanto Ubba pegava uma faca muito pequena e começava a limpar as unhas. Ragnar fingiu escrever na mão, o que divertiu os dinamarqueses.

— Vocês são Ivar e Ubba? — perguntou Alfredo por meio do intérprete.

— Sim — respondeu nosso tradutor. A pena de Alfredo rabiscou, enquanto seu irmão e o cunhado, ambos reis, pareciam contentes em deixar o jovem príncipe interrogar os dinamarqueses.

— São filhos de Lothbrok? — perguntou Alfredo.

— Sim — respondeu o intérprete.

— E têm um irmão? Halfdan?

— Diga ao desgraçado para enfiar esses escritos no rabo — rosnou Ivar — e para enfiar a pena depois, e a tinta, até ele cagar penas pretas.

— Meu senhor disse que não estamos aqui para falar de família — disse o intérprete suavemente —, e sim para decidir o destino de vocês.

— E o de vocês — disse Burghred pela primeira vez.

— Nosso destino? — retrucou Ivar, fazendo o rei mércio se encolher com a força do olhar de caveira. — Nosso destino é molhar os campos de Mércia com seu sangue, adubar o solo com sua carne, pavimentá-lo com seus ossos e livrá-la de seu fedor imundo.

A discussão continuou assim por um longo tempo, ambos os lados ameaçando, nenhum cedendo, mas os ingleses é que tinham convocado a reunião e eram eles que queriam fazer a paz, portanto os termos foram lentamente martelados. Demorou dois dias, e a maioria de nós que escutávamos ficamos entediados e nos deitamos no capim, ao sol. Ambos os lados comiam no campo, e foi durante uma dessas refeições que Beocca veio cautelosamente para o lado dinamarquês e me cumprimentou com discrição.

— Está ficando alto, Uhtred — disse ele.

— É bom ver o senhor, padre — respondi obedientemente. Ragnar estava olhando, mas sem qualquer sinal de preocupação no rosto.

— Então ainda é prisioneiro?

— Sou — menti.

Ele olhou para meus dois braceletes de prata que, sendo grandes demais para mim, chacoalhavam no pulso.

— Prisioneiro privilegiado — disse cautelosamente.

— Eles sabem que sou um *ealdorman*.

— E é mesmo, Deus sabe, ainda que seu tio negue.

— Não tenho nenhuma notícia dele — falei, sincero.

Beocca deu de ombros.

— Ele continua com Bebbanburg. Casou-se com a mulher de seu pai e agora ela está grávida.

— Gytha! — Fiquei surpreso. — Grávida?

— Eles querem um filho. E se tiverem... — Beocca não terminou o pensamento, mas não precisava. Eu era o *ealdorman* e Ælfric tinha usurpado meu lugar, no entanto eu ainda era seu herdeiro, e seria até ele ter um filho. — A criança deve nascer em breve. Mas você não precisa se preocupar. — Beocca sorriu e se inclinou para mim, para falar num sussurro conspiratório. — Eu trouxe os pergaminhos.

Olhei-o com total incompreensão.

— Trouxe os pergaminhos?

— O testamento do seu pai! As escrituras das terras. — Beocca ficou chocado por eu não entender momentaneamente o que ele havia feito. — Tenho a prova de que você é o *ealdorman*!

— Eu sou o *ealdorman* — falei, como se as provas não importassem. — E sempre serei.

— Não se Ælfric conseguir o que quer. E se tiver um filho vai querer que o garoto herde tudo.

— Os filhos de Gytha sempre morrem.

Uma infância pagã

— Você deve rezar para que toda criança viva — disse Beocca, irritado. — Mas você ainda é o *ealdorman*. Eu devo isso ao seu pai, que Deus tenha sua alma.

— Então o senhor abandonou meu tio?

— Sim! — disse ele, ansioso, claramente orgulhoso por ter fugido de Bebbanburg. — Sou inglês — continuou, os olhos vesgos piscando ao sol —, por isso vim para o sul, encontrar ingleses dispostos a lutar contra os pagãos, ingleses capazes de fazer a vontade de Deus, e os encontrei em Wessex. São bons homens, homens dedicados a Deus, homens firmes!

— Ælfric não luta contra os dinamarqueses? — Eu sabia que não lutava, mas queria ouvir a confirmação.

— Seu tio não quer problema, e assim os pagãos prosperam na Nortúmbria, e a luz de Nosso Senhor Jesus Cristo enfraquece a cada dia. — Ele juntou as mãos como se rezasse, a mão esquerda paralisada tremendo de encontro à direita, suja de tinta. — E não é somente Ælfric que sucumbe. Ricsig, de Dunholm, dá festas para eles, Egbert senta-se no trono deles, e por essa traição certamente há choro no céu. Isso deve acabar, Uhtred, e fui para Wessex porque o rei é um homem religioso e sabe que somente com a ajuda de Deus podemos derrotar os pagãos. Verei se Wessex está disposto a pagar o seu resgate. — Essa última frase me pegou de surpresa, de modo que, em vez de parecer satisfeito, fiquei perplexo, e Beocca franziu a testa. — Não ouviu?

— O senhor quer pagar meu resgate?

— Claro! Você é nobre, Uhtred, e deve ser resgatado! Alfredo pode ser generoso com esse tipo de coisa.

— Eu gostaria — falei, sabendo que era o que deveria dizer.

— Você deveria conhecer Alfredo — disse ele com entusiasmo. — Você vai gostar dele!

Eu não tinha vontade de conhecer Alfredo, principalmente depois de tê-lo ouvido se lamentar a respeito de uma serviçal com quem ele havia fornicado, mas Beocca insistiu, por isso fui até Ragnar e pedi permissão. Ragnar achou divertido.

— Por que o desgraçado magricelo quer que você conheça Alfredo? — perguntou, olhando para Beocca.

106
O último reino

— Ele quer que paguem meu resgate. Acha que Alfredo talvez pague.

— Pagar um bom dinheiro por você! — Ragnar riu. — Vá — falou descuidadamente. — É sempre bom ver o inimigo de perto.

Alfredo estava com o irmão, a alguma distância dali, e Beocca falou comigo enquanto me levava para o grupo real.

— Alfredo é o principal auxiliar do irmão — explicou. — O rei Æthelred é um bom homem, mas nervoso. Ele tem filhos, claro, mas os dois são muito jovens... — Sua voz se esvaiu.

— Portanto se ele morrer o filho mais novo se torna rei?

— Não, não! — Beocca pareceu chocado. — Æthelwold é novo demais. Não é mais velho do que você!

— Mas ele é o filho do rei — insisti.

— Quando Alfredo era pequeno — Beocca se inclinou e baixou a voz, mas não reduziu a intensidade —, o pai dele o levou a Roma. Para ver o papa! E o papa, Uhtred, o investiu como futuro rei! — Ele me encarou como se tivesse provado o argumento.

— Mas ele não é o herdeiro — falei, perplexo.

— O papa o tornou herdeiro! — sibilou Beocca.

Mais tarde, muito mais tarde, conheci um príncipe que estivera no séquito do antigo rei, e ele disse que Alfredo jamais foi investido como futuro rei, em vez disso recebera alguma homenagem romana insignificante. Mas até o dia de sua morte Alfredo insistiu em que o papa havia lhe conferido a sucessão, e assim justificava a usurpação do trono que, por direito, deveria ter ido para o filho mais velho de Æthelred.

— Mas se Æthelwold crescer... — comecei.

— Então, claro, ele pode se tornar rei — interrompeu Beocca, impaciente —, mas, se o pai morrer antes de Æthelwold crescer, Alfredo será rei.

— Então Alfredo terá de matá-lo — falei. — E o irmão também.

Beocca me olhou num espanto chocado.

— Por que diz isso?

— Ele tem de matá-lo, exatamente como meu tio queria me matar.

— Ele realmente queria matá-lo. Provavelmente ainda quer! — Beocca fez o sinal da cruz. — Mas Alfredo não é Ælfric! Não, não. Alfredo tratará os

107

Uma infância pagã

sobrinhos com piedade cristã, claro que sim, e este é outro motivo para ele se tornar rei. Ele é um bom cristão, Uhtred, como rezo para que você seja, e é a vontade de Deus que Alfredo se torne rei. O papa provou isso! E temos de obedecer à vontade de Deus. Só através da obediência a Deus podemos ter esperança de derrotar os dinamarqueses.

— Só pela obediência? — perguntei. Eu achava que as espadas poderiam ajudar.

— Só pela obediência. E pela fé. Deus nos dará a vitória se O adorarmos de todo o coração, se corrigirmos nossos atos e Lhe dermos a glória. E Alfredo fará isso! Com ele à nossa frente as próprias hostes celestiais virão ajudar. Æthelwold não pode fazer isso. É uma criança preguiçosa, arrogante, cansativa. — Beocca segurou minha mão e me puxou através do séquito de nobres saxões do oeste e mercianos. — E lembre-se de se ajoelhar diante dele, garoto, ele é um príncipe. — Beocca me guiou até onde Alfredo estava sentado e me ajoelhei obedientemente, enquanto o padre me apresentava. — Este é o garoto de quem falei, senhor. É o *ealdorman* Uhtred da Nortúmbria, prisioneiro dos dinamarqueses desde que Eoferwic caiu, mas é um bom garoto.

Alfredo me lançou um olhar intenso que, para ser honesto, me deixou desconfortável. Com o tempo eu descobriria que ele era um homem inteligente, muito inteligente, e pensava duas vezes mais rápido do que a maioria dos outros. E também era sério, tão sério que entendia tudo, menos as piadas. Alfredo considerava tudo de modo pesado, até um garoto pequeno, e sua inspeção foi longa e intensa, como se tentasse medir as profundezas de minha alma implume.

— Você é um bom garoto? — perguntou finalmente.

— Tento ser, senhor.

— Olhe para mim — ordenou ele, porque eu tinha baixado os olhos. Sorriu quando o encarei. Não existia sinal da doença da qual havia reclamado quando o entreouvi, e fiquei imaginando se, afinal de contas, ele não estaria bêbado naquela noite. Isso teria explicado suas palavras patéticas, mas agora ele era todo seriedade. — Como você tenta ser bom?

— Tento resistir às tentações, senhor — respondi, lembrando-me das palavras de Beocca a ele atrás da tenda.

— Isso é bom. Muito bom, e resiste?

— Nem sempre. — Então hesitei, tentado a fazer uma travessura, e, como sempre, cedi à tentação. — Mas tento, senhor — falei sério —, e digo a mim mesmo que deveria agradecer a Deus por me tentar, e O louvo quando Ele me dá forças para resistir à tentação.

Beocca e Alfredo me olharam como se asas de anjo tivessem brotado em mim. Eu só estava repetindo o absurdo que tinha ouvido Beocca dizer a Alfredo no escuro, mas eles acharam que isso revelava minha grande santidade. E eu os encorajei tentando parecer humilde, inocente e devoto.

— Você é um sinal de Deus, Uhtred — disse Alfredo com fervor. — Você reza?

— Todo dia, senhor — respondi, e não acrescentei que essas orações eram destinadas a Odin.

— E o que é isso no seu pescoço? Um crucifixo? — Ele tinha visto a tira de couro e, quando não respondi, inclinou-se e puxou o martelo de Tor que estivera escondido sob a camisa. — Santo Deus — disse ele, e fez o sinal da cruz. — E você também usa isso — acrescentou, fazendo uma careta para meus dois braceletes gravados com runas dinamarquesas. Devo ter parecido um verdadeiro pagãozinho.

— Eles me obrigam, senhor — respondi, e senti o impulso dele para arrancar o símbolo pagão da tira de couro. — E me batem se eu não usar — acrescentei rapidamente.

— Eles costumam bater em você?

— O tempo todo, senhor.

Alfredo balançou a cabeça, triste, depois deixou o martelo cair.

— Uma imagem pagã deve ser um fardo pesado para um menino.

— Eu esperava, senhor — interveio Beocca —, que nós pudéssemos pagar o resgate dele.

— Nós? — perguntou Alfredo. — Pagar o resgate dele?

— Ele é o verdadeiro *ealdorman* de Bebbanburg — explicou Beocca —, ainda que seu tio tenha usurpado o título, mas o tio não luta contra os dinamarqueses.

Alfredo me olhou, pensando, depois franziu a testa.

Uma infância pagã

— Você sabe ler, Uhtred?

— Ele começou as lições — respondeu Beocca por mim. — Eu lhe ensinei, senhor, mas, com toda a honestidade, o garoto era um aluno relutante. Não era bom com as letras, infelizmente. Seus espinhos são espetados e os freixos finos demais.

Eu disse que Alfredo não entendia piadas, mas adorou essa, mesmo sendo sem graça como leite aguado e rançosa como queijo velho. Mas era amada por todos que ensinavam a ler, tanto Beocca quanto Alfredo riram como se a pilhéria fosse nova como orvalho ao amanhecer. O espinho, ð, e o freixo, æ, eram duas letras de nosso alfabeto.

— Seus espinhos são espetados — ecoou Alfredo, quase incoerente de tanto rir — e os freixos, finos demais. Seus zz não zumbem e seus *vv* são... — ele parou, subitamente embaraçado. Ia dizer que meus *vv* eram vesgos, depois se lembrou de Beocca e pareceu contrito. — Meu caro Beocca.

— Sem ofensa, meu senhor, sem ofensa. — Beocca ainda estava feliz, tão feliz como quando mergulhava em algum texto tedioso sobre como são Cuthbert batizava papagaios-do-mar ou pregava o evangelho às focas. Tinha tentado fazer com que eu lesse essas coisas, mas nunca fui além das palavras mais curtas.

— Você tem sorte de ter começado os estudos cedo — disse Alfredo, recuperando a seriedade. — Eu só tive chance de ler quando tinha 12 anos! — Seu tom sugeria que eu deveria ficar surpreso e chocado com a notícia, por isso, obedientemente, fiquei pasmo. — Isso foi um erro lamentável da parte de meu pai e minha madrasta — continuou Alfredo, sério. — Eles deveriam ter feito com que eu começasse muito antes.

— Agora o senhor lê tão bem quanto qualquer erudito, senhor — disse Beocca.

— Eu tento — retrucou Alfredo com modéstia, mas estava claramente deliciado com o elogio.

— E em latim também! — disse Beocca. — E o latim dele é muito melhor do que o meu!

— Acho que é verdade — concordou Alfredo, dando um sorriso ao padre.

— E escreve com ótima letra. Uma letra clara, ótima!

— Assim como você deverá escrever — disse-me Alfredo. — E para isso, jovem Uhtred, deveremos realmente oferecer resgate por você. E se Deus nos ajudar nisso, você servirá em minha casa, e a primeira coisa que fará é se tornar mestre em leitura e escrita. Você gostará disso!

— Gostarei, senhor — respondi, querendo que soasse como pergunta, mas saiu como uma concordância opaca.

— Você aprenderá a ler bem — prometeu Alfredo. — E aprenderá a rezar bem, e aprenderá a ser um bom cristão, e quando tiver idade poderá decidir o que quer ser!

— Quero servi-lo, senhor — menti, pensando que ele era um fracote pálido, chato, dominado pelos padres.

— Isso é louvável. E como acha que me servirá?

— Como soldado, senhor, para lutar contra os dinamarqueses.

— Se Deus desejar — disse ele, evidentemente desapontado com a resposta. — E Deus sabe que precisamos de soldados, mas rezo diariamente para que os dinamarqueses passem a conhecer Cristo, descubram seus pecados e sejam levados a acabar com seus atos malignos. A resposta é a oração — disse com veemência. — Oração, jejum e obediência, e se Deus atender às nossas preces, Uhtred, não precisaremos de soldados. Mas um reino sempre precisa de bons sacerdotes. Eu queria esse cargo para mim, mas Deus determinou outra coisa. Não há vocação maior do que o serviço sacerdotal. Posso ser um príncipe, mas aos olhos de Deus sou um verme, enquanto Beocca é uma joia sem preço!

— Sim, senhor — falei, por falta do que dizer. Beocca tentou parecer modesto.

Alfredo se inclinou para a frente, escondeu o martelo de Tor embaixo da minha blusa, depois colocou a mão na minha cabeça.

— A bênção de Deus está sobre você, criança, e que o rosto dele brilhe sobre você, libertando-o da servidão e trazendo-o para a luz abençoada da liberdade.

— Amém — respondi.

Eles me deixaram ir embora e voltei para Ragnar.

Uma infância pagã

— Bata em mim — falei.
— O quê?
— Me dê um cascudo na cabeça.

Ele ergueu os olhos e viu que Alfredo ainda estava me olhando, por isso me deu um cascudo mais forte do que eu esperava. Caí, rindo.

— Então, por que eu acabo de fazer isso? — perguntou Ragnar.

— Porque eu disse que você era cruel comigo e me batia constantemente. — Sabia que isso iria divertir Ragnar, e divertiu. Ele me bateu de novo, só para dar sorte. — Então, o que os desgraçados querem?

— Pagar o meu resgate, para me ensinar a ler e escrever e depois me transformar em padre.

— Padre? Como aquele desgraçado magricelo de cabelo ruivo?

— Exatamente.

Ragnar riu.

— Talvez eu deva cobrar seu resgate. Seria uma punição por contar mentiras sobre mim.

— Por favor, não faça isso — falei com fervor, e nesse momento me perguntei por que em algum momento tinha querido voltar para o lado inglês. Trocar a liberdade de Ragnar pela devoção séria de Alfredo parecia um destino miserável. Além disso eu estava aprendendo a desprezar os ingleses. Eles não lutavam, rezavam em vez de afiar as espadas. E não era de espantar que os dinamarqueses estivessem tomando suas terras.

Alfredo realmente se ofereceu para pagar meu resgate, mas não aceitou o preço de Ragnar, que era ridiculamente alto, mas não tão alto quanto o que Ivar e Ubba arrancaram de Burghred.

Mércia seria engolido. Burghred não tinha fogo em seu barrigão, não tinha desejo de continuar lutando contra os dinamarqueses, que ficavam mais fortes à medida que os ingleses enfraqueciam. Talvez tivesse se enganado com todos aqueles escudos nos muros de Snotengaham, mas deve ter decidido que não era capaz de vencer os dinamarqueses, e em vez disso se rendeu. Não foram apenas nossas forças em Snotengaham que o persuadiram a fazer isso. Outros dinamarqueses atacavam a fronteira com a Nortúmbria, assolando terras mércias, queimando igrejas, matando monges e freiras, e agora estavam perto do exército de Burghred e viviam assediando seus grupos que buscavam comida. E assim, com medo da derrota interminável, Burghred concordou debilmente com cada exigência ultrajante, e em troca teve permissão de continuar como rei de Mércia, mas só isso. Os dinamarqueses tomariam suas fortalezas e poriam homens nelas, e eram livres para tomar propriedades mércias como desejassem, e o *fyrd* — o exército temporário — de Burghred lutaria pelos dinamarqueses se eles exigissem. Além disso, Burghred pagaria um enorme preço em prata por esse privilégio de perder seu reino ao mesmo tempo que mantinha o trono. Æthelred e Alfredo, não tendo papel a representar nas discussões e vendo que seu aliado desmoronara como uma bexiga furada, partiram no segundo dia, indo para o sul com o que restava de seu exército, e assim Mércia caiu.

Primeiro a Nortúmbria, depois Mércia. Em apenas dois anos, metade da Inglaterra tinha sumido, e os dinamarqueses só estavam começando.

Devastamos a terra de novo. Bandos de dinamarqueses iam a cavalo para todas as partes de Mércia e trucidavam quem resistisse, pegavam o que queriam e depois ocupavam as principais fortalezas antes de mandar mensagens à Dinamarca para que mais navios viessem. Mais navios, mais homens, mais famílias e mais dinamarqueses para preencher a grande terra que havia caído em seu colo.

Eu tinha começado a pensar que nunca lutaria pela Inglaterra, porque, quando tivesse idade para lutar, não haveria Inglaterra. Por isso decidi que seria dinamarquês. Claro que estava confuso, mas não passava muito tempo preocupado com minha confusão. Em vez disso, à medida que me aproximava dos 12 anos, comecei minha educação de verdade. Era obrigado a ficar de pé durante horas segurando uma espada e um escudo com as mãos estendidas à frente do corpo até os braços doerem, aprendia os golpes da espada, tinha de treinar para atirar lanças e recebi um porco para matar com uma lança de guerra. Aprendi a me defender com um escudo, a baixá-lo para impedir uma estocada abaixo da borda e a empurrar a pesada bossa de ferro do escudo no rosto do inimigo para esmagar seu nariz e cegá-lo com lágrimas. Aprendi a puxar um remo. Cresci, ganhei músculos, comecei a falar com voz de homem e levei um tapa da minha primeira garota. Eu parecia um dinamarquês. Os estranhos ainda achavam que eu era filho de Ragnar, porque tinha o mesmo cabelo claro que usava comprido e amarrado com uma tira de couro na nuca, e Ragnar ficava satisfeito quando isso acontecia, mesmo deixando claro que eu não substituiria Ragnar, o Jovem, ou Rorik.

— Se Rorik viver — dizia ele com tristeza, porque Rorik ainda era frágil. — Você terá de lutar por sua herança.

Assim aprendi a lutar e, naquele inverno, a matar.

Voltamos à Nortúmbria. Ragnar gostava de lá e, mesmo podendo ter tomado terras melhores em Mércia, gostava das colinas e dos vales profundos do norte, das florestas sombrias onde, enquanto as primeiras geadas encrespavam as manhãs, me levou para caçar. Uns vinte homens e um número duas vezes maior de cães atravessavam as florestas, tentando acuar um javali. Fiquei com Ragnar, nós dois armados com pesadas lanças de caçar javali.

— Um javali pode matá-lo, Uhtred — alertou ele. — Pode rasgá-lo da virilha até o pescoço, a não ser que você crave a lança no lugar certo.

A lança, eu sabia, deveria ser enfiada no peito da fera ou, se você tivesse sorte, garganta abaixo. Eu sabia que não era capaz de matar um javali, mas se um surgisse teria de tentar. Um javali adulto pode ter o dobro do peso de um homem, e eu não tinha força para empurrar um deles, mas Ragnar estava decidido a me dar a primeira tentativa e ficaria perto para ajudar. E foi assim que aconteceu. Desde então matei centenas de javalis, mas sempre vou me lembrar daquela primeira fera; os olhos pequenos, a fúria absoluta, a determinação, o fedor, os pelos eriçados, sujos de lama, e o som doce da lança entrando fundo no peito, e fui lançado para trás como se tivesse sido escoiceado pelo cavalo de oito patas de Odin. Ragnar cravou sua lança no couro duro, e o animal guinchou e rugiu, com as pernas se sacudindo, os cães que o perseguiam uivaram, e eu encontrei meus pés, trinquei os dentes e pus o peso na lança, sentindo a vida do javali pulsando no cabo de freixo. Ragnar me deu uma presa daquela carcaça e eu a pendurei junto ao martelo de Tor. Nos dias seguintes não queria nada além de caçar, no entanto não tinha permissão de perseguir javalis a não ser que Ragnar estivesse junto. Mas, quando Rorik estava bem, nós dois pegávamos os arcos e íamos à floresta atrás de cervos.

Foi numa dessas expedições, lá em cima na borda da floresta, logo abaixo da charneca pintalgada pela neve derretendo, que uma flecha quase tirou minha vida. Rorik e eu estávamos nos esgueirando pelo mato baixo e a flecha não me acertou por centímetros, zumbindo perto da cabeça e se cravando numa árvore de bordo. Virei-me, pondo uma flecha em meu arco, mas não vi ninguém. Depois ouvimos pés correndo morro abaixo, entre as árvores, e fomos atrás, mas quem quer que tivesse atirado correu depressa demais para nós.

— Foi um acidente — disse Ragnar. — Ele viu movimento, achou que você fosse um cervo e disparou. — Em seguida olhou para a flecha que tínhamos recuperado, mas ela não tinha qualquer marca de propriedade. Era apenas uma haste de bétula com pena de ganso e ponta de ferro. — Um acidente — decretou.

Mais tarde, naquele inverno, nós nos mudamos de volta para Eoferwic e passamos dias consertando os barcos. Aprendi a rachar troncos de carvalho usando cunha e marreta, abrindo as pranchas compridas e claras usadas para remendar os cascos apodrecidos. A primavera trouxe mais navios, mais homens, e com eles veio Halfdan, o irmão mais novo de Ivar e Ubba. Desembarcou rugindo de energia, alto, com barba grande e olhos carrancudos. Abraçou Ragnar, deu-me uma pancada no ombro, um soco na cabeça de Rorik, xingou que mataria todos os cristãos da Inglaterra e foi ver os irmãos. Os três planejavam uma nova guerra que, segundo prometiam, arrancaria os tesouros de Ânglia Oriental. E, à medida que os dias iam esquentando, nos preparamos para ela.

Metade do exército marcharia por terra. A outra metade, que incluía os homens de Ragnar, iria por mar. Assim, eu estava ansioso por minha primeira viagem de verdade, mas antes de partirmos Kjartan veio ver Ragnar, e a reboque estava seu filho Sven, com um buraco vermelho no lugar do olho que faltava no rosto furioso. Kjartan se ajoelhou diante de Ragnar e baixou a cabeça.

— Eu gostaria de ir com o senhor — disse ele.

Kjartan havia cometido um erro ao deixar que Sven o acompanhasse, porque Ragnar, geralmente tão generoso, lançou um olhar cruel ao garoto. Eu o chamo de garoto, mas na verdade Sven já era quase um homem, e prometia ser dos grandes, com peito largo, alto e forte.

— Você gostaria de ir comigo — ecoou Ragnar em tom chapado.

— Imploro, senhor — disse Kjartan, e deve ter exigido um grande esforço dizer essas palavras, porque Kjartan era um homem orgulhoso, mas em Eoferwic não tinha encontrado saques, não tinha ganhado braceletes e não fizera reputação.

— Meus navios estão cheios — disse Ragnar com frieza e se virou. Vi o olhar de ódio no rosto de Kjartan.

— Por que ele não vai com outro? — perguntei a Ravn.

— Porque todo mundo sabe que ele ofendeu Ragnar, por isso dar-lhe um lugar nos remos é se arriscar à aversão de meu filho. — Ravn deu de ombros. — Kjartan deveria voltar à Dinamarca. Se um homem perdeu a confiança de seu senhor, perdeu tudo.

Mas Kjartan e seu filho caolho ficaram em Eoferwic, e nós navegamos, primeiro seguindo a corrente de volta pelo Ouse, e saímos no Humber, onde passamos a noite. Na manhã seguinte tiramos os escudos das laterais dos navios, depois esperamos até a maré erguer os cascos e podermos remar para o leste, entrando nos primeiros grandes mares.

Eu já estivera no mar aberto em Bebbanburg, indo com pescadores recolher redes perto das ilhas Farne, mas esta era uma sensação diferente. O *Víbora do vento* cavalgava aquelas ondas como um pássaro, em vez de se chocar contra elas como um nadador. Remamos saindo do rio, depois aproveitamos um vento noroeste para içar a grande vela. Os remos foram tirados dos buracos e guardados a bordo, os buracos foram tapados com rolhas de madeira, enquanto a vela estalava, embarrigava, prendia o vento e nos empurrava para o sul. Havia 89 navios no total, uma frota de matadores com cabeças de dragão, e um disputava corrida com o outro, gritando insultos sempre que eram mais velozes. Ragnar se apoiava no leme, o cabelo voando ao vento e no rosto um sorriso tão largo quanto o oceano. As cordas de couro de foca estalavam, o barco parecia saltar sobre as ondas, roçar os topos e deslizar nos borrifos que desciam pelos costados. A princípio fiquei em pânico, porque o *Víbora do vento* se curvava naquele vento, quase deixando o costado abaixo do grande mar verde, mas depois não vi medo no rosto dos outros homens e aprendi a desfrutar da corrida louca, gritando de prazer quando a proa se chocava contra uma onda alta e a água verde voava como uma chuva de flechas sobre o convés.

— Adoro isso! — gritou Ragnar para mim. — No Valhalla espero encontrar um navio, um mar e um vento!

A costa ficava sempre à vista, uma linha verde e baixa à nossa direita, algumas vezes cortada por dunas, mas jamais por árvores ou colinas, e, à medida que o sol afundava, viramos para aquela terra, e Ragnar ordenou que a vela fosse enrolada e os remos postos para fora.

Remamos até uma terra de água, um lugar de pântanos e juncos, gritos de pássaros e garças pernaltas, armadilhas de enguias e valas, canais rasos e lagos compridos, e me lembrei de meu pai dizendo que os homens de Ânglia Oriental eram sapos. Estávamos na beira do país deles, no lugar onde Mércia terminava e Ânglia Oriental começava num emaranhado de água, lama e planícies salgadas.

— Eles chamam isso de Gewæsc — disse Ragnar.

— Você já esteve aqui?

— Há dois anos. Um bom lugar para se atacar, Uhtred, mas a água é traiçoeira. Rasa demais.

O Gewæsc era muito raso, e Weland estava na proa do *Víbora do vento*, avaliando a profundidade com um pedaço de ferro amarrado numa corda. Os remos só baixavam se Weland dissesse que havia água suficiente, por isso nos esgueirávamos para o oeste entrando na luz agonizante, seguidos pelo resto da frota. Agora as sombras eram compridas, o sol vermelho penetrava nas mandíbulas abertas das cabeças de dragão, serpente e águia nas proas dos navios. Os remos trabalhavam devagar, as lâminas pingando enquanto se adiantavam para o próximo mergulho, e o rastro de nossa embarcação se abria em longas e lentas ondulações, tocadas de vermelho pelo fogo agonizante do sol.

Lançamos âncora naquela noite e dormimos a bordo dos navios. Ao amanhecer Ragnar mandou Rorik e eu subirmos no mastro. O navio de Ubba estava perto, e ele também mandou homens subirem até o cata-vento pintado, na ponta do mastro.

— O que vocês veem? — gritou Ragnar para nós.

— Três homens a cavalo — respondeu Rorik, apontando para o sul. — Vigiando-nos.

— E um povoado — acrescentei, também apontando para o sul.

Para os homens em terra éramos algo saído de seus piores temores. Só podiam ver uma floresta de mastros e as selvagens feras esculpidas nas altas proas e popas de nossos navios. Éramos um exército, trazido por nossos barcos-dragões, e eles sabiam o que viria. Enquanto eu olhava, os três cavaleiros se viraram e galoparam em direção ao sul.

Fomos em frente. Agora o navio de Ubba liderava, seguindo um canal raso e sinuoso. Pude ver o feiticeiro de Ubba, Storri, de pé na proa, e achei que ele havia lançado as runas e previsto o sucesso.

— Hoje — disse-me Ragnar com ar lupino — você vai aprender o jeito viking.

Ser um viking era participar de ataques-surpresa, e Ragnar não conduzia um ataque-surpresa com navio havia muitos anos. Em vez disso tinha se tornado um invasor, um colonizador, mas a frota de Ubba viera devastar o litoral e atrair o exército de Ânglia Oriental em direção ao mar, enquanto seu irmão, Ivar, guiava o exército terrestre para o sul, vindo de Mércia. E assim, naquele início de verão, aprendi os modos vikings. Levamos os navios em direção ao litoral, onde Ubba achou um trecho de terra com um istmo estreito que poderia ser defendido facilmente. Assim que nossos navios foram levados à praia em segurança, escavamos uma fortificação de terra atravessando o istmo. Então grandes grupos de homens desapareceram no campo, voltando na manhã seguinte com cavalos capturados, e os cavalos foram usados para montar outro bando de guerra que seguiu pelo interior enquanto Ragnar liderava seus homens a pé ao longo do litoral emaranhado.

Chegamos a uma aldeia — nunca soube qual era o nome — e a queimamos até os alicerces. Não havia ninguém. Queimamos fazendas, uma igreja e fomos em frente, seguindo uma estrada que se afastava da costa, e ao entardecer vimos um povoado maior e nos escondemos num bosque, não acendemos fogueiras e atacamos ao alvorecer.

Saímos da meia-luz gritando. Éramos um pesadelo na manhã; homens vestidos de couro, com capacetes de ferro, homens com escudos redondos pintados, homens com machados, espadas e lanças. As pessoas daquele lugar não tinham armas nem armaduras, e talvez nem mesmo soubessem que havia dinamarqueses em seu país, porque não estavam preparados para nós. Morreram. Alguns homens corajosos tentaram montar uma defesa perto da igreja, mas Ragnar liderou um ataque contra eles, que foram trucidados ali mesmo. Ragnar empurrou a porta da igreja e descobriu que a pequena construção estava cheia de mulheres e crianças. O padre estava diante do altar e xingou Ragnar em latim, enquanto o dinamarquês andava pela pequena nave. E o padre continuava xingando quando Ragnar o estripou.

Pegamos na igreja um crucifixo de bronze, um prato de prata amassado e algumas moedas. Encontramos uma dúzia de boas panelas de cozinhar nas casas e algumas tosquiadeiras, foices e espetos de ferro. Capturamos vacas, cabras, ovelhas, bois, oito cavalos e 16 mulheres jovens. Uma mulher gritou dizendo que não podia deixar o filho, e eu vi Weland atravessar o menino com uma lança e depois jogar o cadáver ensanguentado nos braços da mulher. Ragnar mandou-a embora, não porque sentisse pena, mas porque uma pessoa era sempre poupada para levar a notícia do horror aos outros lugares. O povo devia temer os dinamarqueses, dizia Ragnar, e então estaria pronto para se render. Ele me deu um pedaço de madeira pegando fogo, que havia tirado de um incêndio.

— Queime a palha, Uhtred — ordenou, por isso fui de casa em casa pondo fogo na palha de junco. Queimei a igreja, e quando me aproximava da última casa um homem saiu correndo pela porta com uma lança para pegar enguias, com três pontas, e investiu contra mim. Desviei-me de lado, evitando o golpe mais por sorte do que por avaliação, e joguei o pau em chamas no rosto do sujeito. Isso o fez se abaixar enquanto eu recuava, e Ragnar me jogou uma lança, uma pesada lança de guerra feita mais para estocar do que para atirar. A arma deslizou no chão diante de mim e, enquanto a pegava, entendi que ele estava me deixando lutar. Ragnar não me deixaria morrer, porque tinha

Uma infância pagã

dois de seus arqueiros a postos com flechas nas cordas, mas não interferiu enquanto o homem corria para mim dando outra estocada.

Aparei o golpe, mandando a enferrujada lança de enguia para o lado e recuando de novo para ganhar espaço. O homem tinha o dobro do meu tamanho e mais do que o dobro do peso. Estava me xingando, chamando de bastardo do diabo, verme do inferno. Correu para mim de novo e eu fiz o que tinha aprendido caçando o javali. Desviei para a esquerda, esperei até ele baixar a lança, voltei para a direita e ataquei.

Não foi um golpe limpo e eu não tinha a força para mandá-lo para trás, mas a ponta da lança furou sua barriga e então o peso dele me puxou para trás enquanto ele meio rosnava e meio ofegava. Caí e ele caiu em cima de mim, forçado de lado porque a lança estava em suas entranhas, e tentou agarrar minha garganta, mas eu me retorci saindo de baixo dele, peguei sua lança de enguia e cravei em sua garganta. Formaram-se riachos de sangue na terra, gotas espirravam no ar, ele estava se sacudindo e engasgando, sangue borbulhando na garganta rasgada, e tentei puxar a lança de enguia de volta, mas as farpas nas pontas ficaram presas em sua goela, por isso arranquei a lança de guerra de sua barriga, tentei fazê-lo parar de se sacudir cravando-a fundo no peito, mas só raspei nas costelas. Ele estava fazendo um barulho terrível, e acho que fiquei em pânico. Não percebi que Ragnar e seus homens estavam quase impotentes de tanto gargalhar, olhando minha tentativa de matar o homem de Ânglia Oriental. No fim consegui, ou então ele simplesmente sangrou até a morte, mas então eu o havia furado, cortado e rasgado até parecer que uma matilha de lobos o atacara.

Mas ganhei um terceiro bracelete, e havia guerreiros adultos no bando de Ragnar que só usavam três. Rorik ficou com ciúme, mas era mais novo, e seu pai o consolou dizendo que sua hora chegaria.

— Como foi a sensação? — perguntou Ragnar.

— Boa — respondi, e que Deus me ajude, era mesmo.

Foi então que vi Brida pela primeira vez. Era da minha idade, tinha cabelos pretos, magra como um graveto, com grandes olhos escuros e um espírito selvagem como um falcão na primavera. Estava entre as mulheres capturadas e, enquanto os dinamarqueses começaram a dividir as cativas, uma mulher mais velha empurrou a menina como se a entregasse aos vikings. Brida pegou um pedaço de pau, virou-se contra a mulher e bateu nela, impelindo-a para trás, gritando que ela era uma vaca de cara azeda, um pedaço de cartilagem ressecada, e a velha tropeçou e caiu num arbusto de espinheiro onde Brida continuou espancando-a. Ragnar estava rindo, mas por fim puxou a menina e, como adorava todo mundo que tivesse espírito, deu-a a mim.

— Mantenha a garota em segurança — disse ele — e queime aquela última casa.

Foi o que fiz.

E aprendi outra coisa.

Inicie seus matadores ainda novos, antes que a consciência deles cresça. Inicie-os novos e eles serão letais.

Levamos o saque de volta aos navios e naquela noite, enquanto bebia cerveja, pensei em mim como um dinamarquês. Não inglês, não mais. Eu era dinamarquês e tivera uma infância perfeita, pelo menos para as ideias de um garoto. Tinha sido criado entre homens, era livre, vivia solto, não era restringido por nenhuma lei, não era incomodado por padres, era encorajado à violência e raramente estava sozinho.

E era isso, o fato de raramente estar sozinho, que me mantinha vivo

Cada ataque-surpresa rendia mais cavalos, e mais cavalos significava que mais homens podiam ir mais longe no campo e devastar mais lugares, roubar mais prata e fazer mais prisioneiros. Agora tínhamos batedores vigiando a aproximação do exército do rei Edmundo. Ele governava Ânglia Oriental e, a não ser que quisesse desmoronar tão debilmente quanto Burghred de Mércia, precisava mandar homens contra nós para preservar seu reino, por isso olhávamos as estradas e esperávamos.

Brida ficava perto de mim. Ragnar tinha passado a gostar muito dela, provavelmente porque o desafiava e porque só ela não chorou ao ser capturada. Era órfã e tinha morado na casa da tia, a mulher a quem havia espancado e que odiava, e dentro de alguns dias Brida estava mais feliz entre os dinamarqueses do que jamais se sentira entre seu próprio povo. Agora estava escravi-

Uma infância pagã

zada, uma mulher escravizada que deveria ficar no acampamento e cozinhar, mas uma manhã, quando saímos ao ataque, ela veio correndo e pulou atrás da minha sela. Ragnar achou isso divertido e a deixou ir junto.

Naquele dia fomos mais para o sul, saindo das terras planas onde os pântanos se estendiam, entrando em colinas baixas e cobertas de florestas entre as quais ficavam ricas fazendas e um mosteiro mais rico ainda. Brida riu quando Ragnar matou o abade, e depois, enquanto os dinamarqueses recolhiam o saque, segurou minha mão e me guiou por uma encosta baixa até uma fazenda que já fora saqueada pelos homens de Ragnar. A fazenda pertencia ao mosteiro, e Brida conhecia o lugar porque sua tia ia lá rezar com frequência.

— Ela queria filhos — disse Brida — e só tinha a mim. — Em seguida apontou para a fazenda e esperou minha reação.

Disse que era uma fazenda romana, mas, como eu, tinha pouca ideia de quem eram realmente os romanos, só que tinham vivido na Inglaterra e ido embora. Eu tinha visto muitos prédios deles antes, havia alguns em Eoferwic, mas eram construções que haviam desmoronado, depois haviam sido remendadas com barro e ganhado novos tetos de palha, ao passo que esta fazenda parecia ter acabado de ser abandonada.

Era um lugar espantoso. As paredes eram de pedra cortadas com perfeição, quadradas e bem presas com argamassa, e o teto era de telhas com padrões decorativos e bem encaixadas. Dentro do portão havia um pátio rodeado por um caminho com colunas, e no maior cômodo vi uma imagem incrível no piso, feita de milhares de pedrinhas coloridas. Fiquei boquiaberto diante dos peixes que saltavam, puxando uma carruagem na qual havia um homem barbudo segurando uma lança de enguia igual à que eu tinha enfrentado no povoado de Brida. Lebres rodeavam a imagem, perseguindo umas às outras em meio a guirlandas de folhas. Houvera outras imagens pintadas nas paredes, mas tinham se desbotado ou sido descoloridas pela água que havia vazado do teto antigo.

— Era a casa do abade — disse Brida, e me levou a um pequeno cômodo onde havia um catre, ao lado do qual um serviçal do abade jazia morto numa poça de sangue. — Ele me trouxe aqui — disse ela.

— O abade?

— E me mandou tirar a roupa.

— O abade? — perguntei de novo.

— Eu fugi — disse ela num tom muito casual — e minha tia me bateu. Disse que eu deveria ter agradado a ele e que ele iria nos recompensar.

Caminhamos pela casa e senti espanto por não sermos mais capazes de construir assim. Sabíamos cravar postes no chão, fazer traves, caibros e cobrir com palha de centeio ou junco, mas os postes apodreciam, a palha mofava, e as casas ficavam bambas. No verão nossas casas eram escuras como o inverno, e o ano todo ficavam cheias de fumaça sufocante, e no inverno fediam a animais. No entanto esta casa era clara e limpa, e duvidei de que alguma vaca já tivesse feito cocô no homem daquela carruagem puxada por peixes. Era um pensamento inquietante, que de algum modo estávamos recuando para as trevas enfumaçadas e que nunca mais o homem faria algo tão perfeito quanto aquela pequena construção.

— Os romanos eram cristãos? — perguntei a Brida.

— Não sei. Por quê?

— Nada — falei, mas estivera pensando que os deuses recompensam aqueles a quem amam, e seria bom saber que deuses tinham cuidado dos romanos. Esperava que eles tivessem adorado Odin, mas atualmente eu sabia que eram cristãos porque o papa morava em Roma, e Beocca tinha me ensinado que o papa era o chefe de todos os cristãos, e que era um homem muito santo. O nome dele, lembrei, era Nicolau. Brida não poderia se importar menos com os deuses dos romanos, em vez disso se ajoelhou para explorar um buraco no chão, que parecia levar apenas a um porão tão raso no qual ninguém poderia sequer entrar. — Talvez elfos morassem aqui — sugeri.

— Os elfos moram na floresta — insistiu ela. Decidiu que o abade podia ter escondido tesouros no espaço e pegou minha espada emprestada, para alargar o buraco. Não era uma espada de verdade, mas um mero *sax*, uma faca bem comprida, mas Ragnar é que tinha me dado, e eu o usava com orgulho.

— Não quebre a lâmina — falei, e ela fez uma careta para mim, depois começou a cutucar a argamassa na beira do buraco, enquanto eu voltava ao pátio para olhar o laguinho elevado que agora estava verde e gosmento, mas de algum modo soube que um dia aquilo estivera cheio de água limpa. Uma rã se arrastou para a pequena ilha de pedras no centro e de novo me lembrei do veredicto de meu pai sobre os homens de Ânglia Oriental: meros sapos.

Weland passou pelo portão. Parou do lado de dentro e lambeu os lábios, a língua estremecendo, depois deu um meio sorriso.

— Perdeu seu *sax*, Uhtred?

— Não.

— Ragnar me mandou. Estamos indo.

Assenti, não falei nada, mas soube que Ragnar teria tocado uma trompa se estivéssemos realmente saindo.

— Portanto venha, garoto — disse ele.

Assenti de novo e continuei sem dizer nada.

Seus olhos escuros observaram as janelas vazias do prédio, depois se voltaram para o lago.

— Isso é uma rã ou um sapo? — perguntou.

— Uma rã.

— Em Frankia dizem que é possível comer rãs. — Ele foi até o lago e eu me movi para ficar do lado mais distante, mantendo a estrutura de pedra elevada entre nós. — Já comeu rã, Uhtred?

— Não.

— Gostaria de comer?

— Não.

Ele pôs a mão numa bolsa de couro que pendia do cinto da espada, preso sobre uma cota de malha rasgada. Agora tinha dinheiro, dois braceletes, botas de verdade, um elmo de ferro, uma espada longa e a cota de malha que precisava ser remendada, mas era uma proteção muito melhor do que os trapos que usava quando chegara à casa de Ragnar.

— Dou esta moeda se você pegar uma rã — disse ele, lançando uma moeda de prata no ar.

— Não quero pegar uma rã — respondi, carrancudo.

— Eu quero — disse ele, rindo, e desembainhou a espada, a lâmina sibilando na goela de madeira da bainha, e entrou no lago, cuja água não chegava ao topo das botas. A rã saltou para longe, caindo na gosma verde, e Weland não estava olhando para ela, e sim para mim, e eu soube que ele ia me matar, mas por algum motivo não conseguia me mexer. Estava perplexo, no entanto não estava surpreso. Nunca tinha gostado dele, nunca havia confiado nele e sabia que ele fora mandado para me matar e só fracassara porque eu sempre estava acompanhado. Até esse momento, quando deixei Brida me levar para longe do bando de Ragnar. Agora Weland tinha sua chance. Ele sorriu para mim, chegou ao centro do lago, veio mais perto, levantou a espada e eu finalmente encontrei meus pés e corri de volta para o caminho com colunas. Não queria entrar na casa porque Brida estava lá, e sabia que ele iria matá-la se a encontrasse. Ele pulou do lago e me perseguiu, e corri pelo caminho, querendo chegar ao portão, mas ele sabia que era isso que eu desejava e fez questão de se manter entre mim e a fuga. Suas botas deixavam pegadas úmidas no piso romano.

— Qual é o problema, Uhtred? Tem medo de rãs?

— O que você quer? — perguntei.

— Agora não está tão metido, não é, *ealdorman*? — Ele veio na minha direção, a espada saltando de um lado para o outro. — Seu tio manda lembranças e confia em que você queimará no inferno enquanto ele vive em Bebbanburg.

— Você veio de... — comecei, mas era óbvio que Weland servia a Ælfric, por isso não me incomodei em terminar a pergunta. Em vez disso fui recuando.

— A recompensa por sua morte será o peso do filho recém-nascido dele em prata. A criança já deve ter nascido. E seu tio está impaciente esperando sua morte. Quase consegui rastrear você naquela noite do lado de fora de Snotengaham e quase o acertei com uma flecha no inverno passado, mas você se desviou. Desta vez, não. Mas será rápido, garoto. Seu tio mandou que fosse rápido, portanto ajoelhe-se, é só se ajoelhar. — Ele girava a espada para a esquerda e para a direita, o pulso num movimento de chicote, de modo que a arma sibilava. — Ainda não dei nome a ela. Talvez depois disso ela seja conhecida como Matadora de Órfãos.

Saltei para a direita, fui para a esquerda, mas ele era rápido como um arminho e me bloqueou, e eu soube que estava acuado. Ele também soube e sorriu.

— Vai ser rápido — disse. — Prometo.

125

Uma infância pagã

Então a primeira telha acertou seu elmo. Não pode ter doído muito, mas o golpe inesperado o lançou para trás e o deixou confuso, e a segunda telha acertou a cintura, e a terceira, o ombro. Brida gritou do telhado:

— Volte pela casa!

Corri, com a espada deixando de me acertar por centímetros. Passei pela porta, passei por cima da carruagem puxada por peixes, passei por uma segunda porta, vi uma janela aberta e mergulhei por ela. Brida pulou do telhado e juntos corremos para a floresta próxima.

Weland me seguiu, mas abandonou a perseguição quando desaparecemos entre as árvores. Em vez disso foi para o sul, sozinho, fugindo do que sabia que Ragnar faria, e por algum motivo eu estava banhado em lágrimas quando encontrei Ragnar de novo. Por que estava chorando? Não sabia, a não ser que fosse pela confirmação de que Bebbanburg se fora, que meu amado refúgio estava ocupado por um inimigo, um inimigo que agora já devia ter um filho.

Brida recebeu um bracelete e Ragnar deixou claro que, se algum homem a tocasse, ele, Ragnar, castraria pessoalmente o sujeito com um machado e uma cunha de rachar tábuas. Ela foi para casa montada no cavalo de Weland.

E no dia seguinte o inimigo veio.

Ravn tinha navegado conosco, cego como era, e fui encarregado de ser seus olhos, por isso descrevi como o exército de Ânglia Oriental estava se formando numa longa encosta de terra seca ao sul de nosso acampamento.

— Quantos estandartes? — perguntou ele.

— Vinte e três — respondi depois de uma pausa para contar.

— Mostrando o quê?

— Principalmente cruzes e alguns santos.

— O rei Edmundo é um homem muito devoto — disse Ravn. — Ele chegou a tentar me convencer a virar cristão. — Ravn deu um risinho diante da lembrança. Estávamos sentados na proa de um dos navios encalhados, Ravn numa cadeira, Brida e eu aos seus pés, e os gêmeos mércios, Ceolnoth e

Ceolberht, do outro lado. Eram filhos do bispo Æthelbrid de Snotengaham e eram reféns, mesmo que seu pai tenha recebido bem o exército dinamarquês. Mas, como disse Ravn, tomar os filhos do bispo como reféns manteria o sujeito na honestidade. Havia dezenas de outros reféns assim, de Mércia e da Nortúmbria, todos filhos de homens importantes e todos sob sentença de morte caso seus pais causassem problema. Havia outros ingleses no exército, servindo como soldados e, se não fosse pela língua que falavam, não seriam distinguíveis dos dinamarqueses. A maioria era de fora da lei ou homens sem senhor, mas todos eram lutadores selvagens, exatamente o tipo de homem de que os ingleses precisavam para enfrentar o inimigo, mas agora eles lutavam pelos dinamarqueses contra o rei Edmundo. — E ele é um idiota — disse Ravn, cheio de escárnio.

— Idiota? — perguntei.

— Nos deu abrigo durante o inverno antes de atacarmos Eoferwic, e nós tivemos de prometer que não mataríamos nenhum de seus homens de igreja. — Ele deu um riso baixinho. — Que condição boba! Se o deus dele tivesse alguma utilidade nós não poderíamos tê-los matado mesmo.

— Por que ele deu abrigo a vocês?

— Porque era mais fácil do que lutar contra nós. — Ravn estava falando em inglês porque as outras três crianças não entendiam dinamarquês, ainda que Brida estivesse aprendendo depressa. A garota possuía uma mente de raposa, rápida e matreira. Ravn sorriu. — O bobo rei Edmundo acreditou que iríamos embora na primavera e não voltaríamos, no entanto aqui estamos.

— Ele não deveria ter feito isso — disse um dos gêmeos. Eu não era capaz de dizer qual era qual, mas ficava incomodado porque eram ferozes patriotas mércios, apesar da mudança de aliança por parte do pai. Tinham dez anos e viviam me censurando por gostar dos dinamarqueses.

— Claro que ele não deveria ter feito isso — concordou Ravn afavelmente.

— Deveria ter atacado vocês! — exclamou Ceolnoth ou Ceolberht.

— E teria perdido — disse Ravn. — Nós fizemos um acampamento, protegemos com muros e ficamos lá. E ele pagou em dinheiro para não causarmos problema.

Uma infância pagã

— Eu vi o rei Edmundo uma vez — interveio Brida.

— Onde foi isso, criança? — perguntou Ravn.

— Ele foi ao mosteiro rezar e deu um peido quando se ajoelhou.

— Sem dúvida o deus deles apreciou o tributo — disse Ravn em tom superior, franzindo a testa porque agora os gêmeos estavam fazendo barulhos de peido.

— Os romanos eram cristãos? — perguntei, lembrando-me de minha curiosidade na fazenda romana.

— Nem sempre — respondeu Ravn. — Eles já tiveram seus deuses, mas desistiram deles para virar cristãos, e depois disso só conheceram a derrota. Onde estão nossos homens?

— Ainda no pântano — disse eu.

Ubba queria ficar no acampamento para forçar o exército de Edmundo a atacar ao longo do estreito istmo e morrer em nossa pequena fortificação, mas em vez disso os ingleses permaneceram ao sul das traiçoeiras terras baixas e estavam nos convidando a atacá-los. Ubba sentiu-se tentado. Tinha feito Storri jogar as varetas de runas e, segundo os boatos, o resultado fora incerto, e isso alimentou a cautela de Ubba. Ele era um lutador temível, mas sempre cauteloso quando se tratava de entrar numa luta, mas as varetas de runas não tinham previsto desastre, por isso ele havia levado o exército para o pântano, onde agora estava nos trechos de caminhos secos que podia encontrar e de onde duas trilhas levavam à encosta baixa. O estandarte de Ubba, o famoso corvo no tecido triangular, estava a meio caminho entre as duas trilhas, ambas fortemente guardadas por paredes de escudos de Ânglia Oriental, e qualquer ataque em qualquer trilha significaria que alguns de nossos homens teriam de atacar um monte deles, e Ubba devia estar em dúvida, porque hesitava. Descrevi tudo isso a Ravn.

— Não é bom perder homens — disse ele. — Mesmo se ganharmos.

— Mas e se matarmos muitos deles?

— Eles têm mais homens, nós temos poucos. Se matarmos mil deles ainda haverá outros mil amanhã, mas se perdermos cem homens deveremos esperar mais navios para substituí-los.

— Mais navios estão vindo — disse Brida.

— Duvido que venha mais algum este ano — contrapôs Ravn.

— Não — insistiu ela —, agora. — Em seguida apontou e eu vi quatro navios abrindo caminho pelo emaranhado de ilhas baixas e riachos rasos.

— Conte — disse Ravn com urgência.

— Quatro navios vindos do oeste — respondi.

— Do oeste? Não do leste?

— Do oeste — insisti, o que significava que não vinham do mar, e sim de um dos quatro rios que desaguavam no Gewæsc.

— E as proas? — perguntou Ravn.

— Não têm animais nas proas — respondi. — Só postes de madeira simples.

— Remos?

— Dez de um lado, acho, talvez 11. Mas há muito mais homens do que remadores.

— Navios ingleses! — Ravn parecia espantado, porque além de pequenos barcos de pesca e alguns cargueiros atarracados os ingleses tinham poucos navios, no entanto aqueles quatro eram navios de guerra, longos e esguios como os dinamarqueses, e se esgueiravam pelos labirintos aquáticos para atacar a frota encalhada de Ubba. Eu podia ver fumaça saindo do navio da frente e soube que eles deviam ter um braseiro a bordo, portanto estavam planejando queimar os barcos dinamarqueses e assim colocar Ubba numa armadilha.

Mas Ubba também os tinha visto, e o exército dinamarquês vinha retornando para o acampamento. O primeiro navio inglês começou a atirar flechas incendiárias contra o barco dinamarquês mais próximo. Mesmo havendo uma guarda nos barcos, ela era composta pelos doentes e aleijados, que não tinham força suficiente para defendê-los de um ataque vindo do mar.

— Garotos! — gritou um dos guardas.

— Vão! — disse-nos Ravn. E Brida, que se considerava tão boa quanto qualquer garoto, foi com os gêmeos e comigo. Pulamos na praia e corremos ao longo da beira d'água até onde a fumaça se adensava sobre o barco dinamarquês encalhado. Agora dois navios ingleses atiravam flechas incendiárias enquanto os últimos dois atacantes tentavam passar pelos companheiros para alcançar nossas outras embarcações.

Uma infância pagã

Nosso trabalho era apagar o fogo enquanto os guardas atiravam lanças contra as tripulações inglesas. Usei um escudo para pegar areia e joguei no fogo. Os navios ingleses estavam próximos e só dava para ver que eram feitos de madeira nova e grosseira. Uma lança caiu perto de mim. Peguei-a e atirei de volta, mas sem força, porque ela bateu num remo e caiu no mar. Os gêmeos não estavam tentando apagar o fogo, e eu bati num deles e ameacei bater com ainda mais força se eles não se empenhassem, mas tínhamos chegado tarde demais para salvar o primeiro navio dinamarquês, que estava em chamas, por isso o abandonamos e tentamos resgatar o seguinte, mas uma quantidade de flechas incendiárias bateu contra os bancos dos remadores, outra acertou a vela enrolada, e dois dos garotos estavam mortos à beira d'água. Então o principal navio inglês se virou para a praia, a proa cheia de homens com lanças, machados e espadas.

— Edmundo! — gritavam. — Edmundo!

A proa fez um barulho áspero na praia, e os guerreiros pularam para começar a trucidar a guarda dos navios dinamarqueses. Os grandes machados subiam e desciam, e o sangue espirrava na praia ou era levado pelas pequenas ondas que lavavam a areia. Peguei a mão de Brida e a puxei para longe, atravessando um riacho raso onde minúsculos peixes prateados se espalharam em desespero.

— Temos de salvar Ravn — falei.

Ela estava rindo. Brida sempre gostava do caos.

Três navios ingleses também tinham encalhado e suas tripulações estavam em terra, acabando com os guardas dinamarqueses. O último navio deslizou sobre a maré que baixava, atirando flechas incendiárias, mas então os homens de Ubba estavam de volta ao acampamento e avançaram sobre os ingleses com um rugido. Alguns tinham ficado com a bandeira do corvo na fortificação de terra para garantir que as forças do rei Edmundo não viessem em bando sobre o istmo para tomar o acampamento, mas o resto veio gritando vingativo. Os dinamarqueses adoram seus navios. Dizem que um navio é como uma mulher ou uma espada, afiado e belo, digno de se morrer por ele, e certamente digno de se lutar por ele, e os homens de Ânglia Oriental, que tinham se saído tão bem, agora haviam cometido um erro, porque a maré estava baixando e eles não podiam empurrar seus barcos para as pequenas ondas. Alguns dinamarqueses protegeram seus barcos não danificados com uma chuva de machados, lanças e flechas contra a tripulação do único barco inimigo que flutuava, ao passo que o resto atacava os ingleses em terra.

    Foi uma chacina. Esse era o trabalho dinamarquês. Uma luta para os *skalds* celebrarem. O sangue era denso na linha d'água, sangue borbulhando com a subida e a descida das pequenas ondas, homens gritando e caindo, e a toda volta a fumaça dos barcos incendiados subia em redemoinhos, de modo que o sol nevoento estava vermelho acima de uma areia que ia ficando vermelha, e nessa fumaça a fúria dos dinamarqueses era terrível. Foi então que vi Ubba lutar pela primeira vez e fiquei maravilhado, porque ele era um portador da morte, um guerreiro terrível, um amante da espada. Não lutava numa parede de escudos, corria contra os inimigos, o escudo batendo de um lado enquanto o machado de guerra entregava a morte do outro, e parecia ser indestrutível, porque, num momento, estava rodeado por lutadores ingleses, mas ouvia-se um grito de ódio, um entrechoque de lâminas saía e Ubba surgia do emaranhado de homens com a lâmina vermelha, sangue na barba, pisoteando os inimigos, jogando-os na maré cheia de sangue e procurando mais homens para matar. Ragnar juntou-se a ele e seus homens foram atrás, colhendo o inimigo junto ao mar, gritando de ódio contra os homens que tinham queimado seus navios, e quando os gritos e a matança acabaram contamos 68 corpos ingleses. Alguns não pudemos contar porque tinham fugido para o mar e se afogaram, arrastados pelo peso das armas e armaduras. O único navio de Ânglia Oriental a escapar foi um navio de agonizantes, com os flancos de madeira nova cheios de sangue escorrendo. Os dinamarqueses vitoriosos dançaram sobre os cadáveres, depois fizeram uma pilha de armas capturadas. Havia trinta dinamarqueses mortos, e esses homens foram queimados num navio meio incendiado. Outras seis embarcações dinamarquesas tinham sido destruídas, mas Ubba capturou os três navios ingleses encalhados, que Ragnar declarou que eram umas merdas.

    — É espantoso imaginar que flutuam — disse ele, chutando uma tábua mal-calafetada.

Uma infância pagã

No entanto os homens de Ânglia Oriental haviam se saído bem, pensei. Tinham cometido erros, mas haviam ferido o orgulho dinamarquês queimando navios-dragões, e se o rei Edmundo tivesse atacado o muro de terra que protegia o acampamento poderia ter transformado a matança num massacre de dinamarqueses, mas não atacou. Em vez disso marchou para longe enquanto seus marinheiros morriam sob a fumaça.

Pensou que estava enfrentando o exército dinamarquês junto ao mar, mas descobriu que o verdadeiro ataque vinha por terra. Tinha acabado de saber que Ivar, o Sem-ossos, vinha invadindo suas terras.

E Ubba estava furioso. Os poucos prisioneiros ingleses foram sacrificados a Odin e seus gritos eram um chamado ao deus, dizendo que precisávamos de sua ajuda. E na manhã seguinte, deixando os barcos queimados como esqueletos pretos e fumegantes na praia, remamos com a frota de dragões para o oeste.

Quatro

O REI EDMUNDO DE ÂNGLIA ORIENTAL agora é lembrado como santo, como uma daquelas almas abençoadas que vivem para sempre à sombra de Deus. Pelo menos é o que os padres me dizem. No céu, segundo eles, os santos ocupam um local privilegiado, vivendo na alta plataforma do grande castelo de Deus, onde passam o tempo cantando louvores a Deus. Para sempre. Simplesmente cantando. Beocca sempre me disse que seria uma existência de êxtase, mas me parece muito chata. Os dinamarqueses acham que seus guerreiros mortos são levados ao Valhalla, o castelo de cadáveres de Odin, onde passam os dias lutando e as noites festejando e fornicando, e não ouso dizer aos padres que esse parece ser um modo muito melhor de passar a outra vida do que cantando ao som de harpas douradas. Uma vez perguntei a um bispo se havia alguma mulher no céu.

— Claro que há, meu senhor — respondeu ele, feliz por eu estar me interessando pela doutrina. — Muitos dos santos mais abençoados são mulheres.

— Quero dizer mulheres que possam fornicar, bispo.

Ele disse que rezaria por mim. Talvez tenha rezado.

Não sei se o rei Edmundo era santo. Era um idiota, disso tenho certeza. Tinha dado refúgio aos dinamarqueses antes de eles atacarem Eoferwic, e mais do que refúgio. Tinha-lhes pagado em moedas, oferecido comida e fornecido cavalos para seu exército, tudo em troca de promessas de que deixariam Ânglia Oriental na primavera e não fariam mal a um único homem da igreja Os dinamarqueses mantiveram as promessas, mas agora, dois anos depois e muito mais fortes, estavam de volta, e o rei Edmundo tinha decidido lutar. Tinha visto o que acontecera em Mércia e na Nortúmbria e devia saber que seu reino sofreria o mesmo destino, por isso juntou seu *fyrd*, rezou ao seu deus e marchou para a batalha. Primeiro nos enfrentou junto ao mar, depois, ao saber que Ivar estava marchando ao redor das grandes vastidões pantanosas a oeste do Gewæsc, virou-se para enfrentá-lo. Ubba levou nossa frota subindo pelo Gewæsc, e entramos num dos rios até o canal ficar tão estreito que os remos não podiam ser usados. Então os homens rebocaram os barcos, vadeando em água pela cintura até não podermos ir mais longe, e ali deixamos os navios sob guarda enquanto o resto seguia caminhos encharcados através de pântanos intermináveis. Até que, finalmente, chegamos a terreno mais elevado. Ninguém sabia onde estávamos, só que se fôssemos para o sul teríamos de alcançar a estrada ao longo da qual Edmundo havia marchado para enfrentar Ivar. Bastaria cortar essa estrada e o prenderíamos entre nossas forças e o exército de Ivar.

Exatamente o que aconteceu. Ivar lutou contra ele, parede de escudos contra parede de escudos, e não soubemos disso até que os primeiros fugitivos de Ânglia Oriental começaram a vir para o leste, encontrando outra parede de escudos à sua espera. Eles preferiram se espalhar em vez de lutar conosco. Nós avançamos e, com os poucos prisioneiros que fizemos, descobrimos que Ivar os havia derrotado facilmente. Isso foi confirmado no dia seguinte, quando os primeiros cavaleiros das forças de Ivar nos alcançaram.

O rei Edmundo fugiu para o sul. Ânglia Oriental era um reino grande, ele poderia facilmente ter encontrado refúgio numa fortaleza, ou então poderia ter ido para Wessex, mas em vez disso pôs a fé em Deus e buscou abrigo num pequeno mosteiro em Dic. O mosteiro ficava perdido nas terras pantanosas e talvez ele acreditasse que nunca seria encontrado ali. Ou então, como ouvi dizer, talvez um dos monges tenha lhe prometido que Deus envolveria o mosteiro numa névoa perpétua em que os pagãos se perderiam, mas a névoa não veio. No lugar dela, chegaram os dinamarqueses.

Ivar, Ubba e seu irmão Halfan cavalgaram até Dic, levando metade do exército, enquanto a outra metade começava a pacificar Ânglia Oriental, o que significava estuprar, queimar e matar até que o povo se submetesse, o que a maioria fez com bastante rapidez. Resumindo, Ânglia Oriental caiu tão facilmente quanto Mércia, e a única má notícia para os dinamarqueses foi que houvera inquietação na Nortúmbria. Boatos falavam de algum tipo de revolta, dinamarqueses tinham sido mortos, e Ivar queria que o levante fosse esmagado, mas não ousava deixar Ânglia Oriental tão pouco tempo depois de capturá-la, por isso, em Dic ele fez uma proposta ao rei Edmundo, deixando-o como rei, assim como Burghred ainda governava Mércia.

A reunião aconteceu na igreja do mosteiro, que era um salão surpreendentemente grande, feito de madeira e palha, mas com grandes painéis de couro pendurados nas paredes. Os painéis eram pintados com cenas espalhafatosas. Uma das pinturas mostrava pessoas nuas caindo no inferno, onde uma serpente gigantesca com presas enormes as engolia.

— Estripadora de Cadáveres — disse Ragnar estremecendo.

— Estripadora de Cadáveres?

— Uma serpente que espera no Niflheim — explicou ele, tocando seu amuleto do martelo. Niflheim, eu sabia, era uma espécie de inferno nórdico, mas, diferentemente do inferno cristão, Niflheim era gelado. — A Estripadora de Cadáveres se alimenta dos mortos — continuou Ragnar —, mas também come a árvore da vida. Ela quer matar todo o mundo e dar fim ao tempo.

Ele tocou seu martelo de novo.

Outro painel, atrás do altar, mostrava Cristo na cruz, e ao lado havia um terceiro painel de couro pintado que fascinou Ivar. Um homem, nu a não ser por um pano na cintura, fora amarrado a uma estaca e estava sendo usado como alvo para arqueiros. Pelo menos umas vinte flechas tinham furado sua carne branca, mas ele ainda tinha uma expressão santa e um sorriso secreto, como se, apesar dos tormentos, estivesse se divertindo.

— Quem é esse? — quis saber Ivar.

— O abençoado São Sebastião. — O rei Edmundo estava sentado diante do altar, e seu intérprete deu a resposta. Ivar, com os olhos de caveira olhando a pintura, quis saber toda a história, e Edmundo contou como o abençoado São Sebastião, um soldado romano, se recusou a renunciar à sua fé, por isso o imperador mandou que ele fosse morto a flechadas. — No entanto ele viveu!

Uma infância pagã

— disse Edmundo ansioso. — Viveu porque foi protegido por Deus, e Deus seja louvado por essa misericórdia.

— Ele viveu? — perguntou Ivar cheio de suspeitas.

— Por isso o imperador mandou matá-lo a porretadas — disse o intérprete, terminando a história.

— Então ele não viveu?

— Ele foi para o céu — disse o rei Edmundo. — Portanto viveu.

Ubba interveio, querendo que o conceito de céu fosse explicado, e Edmundo esboçou rapidamente as delícias do lugar, mas Ubba cuspiu cheio de desprezo quando percebeu que o céu cristão era o Valhalla sem nenhuma das diversões.

— E os cristãos querem ir para o céu? — perguntou incrédulo.

— Claro — respondeu o intérprete.

Ubba deu um risinho. Ele e seus dois irmãos estavam acompanhados pelo número máximo de guerreiros dinamarqueses que puderam se enfiar na igreja, enquanto o rei Edmundo tinha um séquito de dois padres e seis monges que ficaram ouvindo enquanto Ivar propunha seu acordo. O rei Edmundo poderia viver, poderia governar Ânglia Oriental, mas as principais fortalezas seriam ocupadas por dinamarqueses, e os dinamarqueses receberiam todas as terras que quisessem, a não ser as terras reais. Edmundo deveria fornecer cavalos para o exército dinamarquês, moedas e comida para os guerreiros dinamarqueses. E o que restasse de seu *fyrd* marcharia sob ordens dinamarquesas. Edmundo não tinha filhos, mas seus principais homens, os que haviam sobrevivido, tinham filhos que poderiam se tornar reféns para garantir que os homens de Ânglia Oriental mantivessem os termos propostos por Ivar.

— E se eu disser não? — perguntou Edmundo.

Ivar achou aquilo divertido.

— Nós tomamos a terra assim mesmo.

O rei consultou seus padres e monges. Edmundo era um homem alto e magro, careca como um ovo, mas tinha apenas trinta anos. Possuía olhos protuberantes, boca franzida e uma perpétua careta de seriedade. Usava túnica branca que o fazia parecer também um padre.

— E a igreja de Deus? — perguntou finalmente a Ivar.

— O que é que tem?

— Seus homens profanaram os altares de Deus, mataram seus servos, violaram sua imagem e roubaram seu tributo! — Agora o rei estava com raiva. Uma de suas mãos estava apertando o braço da cadeira posta diante do altar, e a outra era um punho que batia no ritmo das acusações.

— Seu deus não pode cuidar de si mesmo? — perguntou Ubba.

— Nosso Deus é poderoso — declarou Edmundo. — É o criador do mundo, no entanto permite a existência do mal para nos testar.

— Amém — murmurou um dos padres enquanto o intérprete de Ivar traduzia as palavras.

— Ele trouxe vocês! — cuspiu o rei — Pagãos do norte! Jeremias previu isso!

— Jeremias? — perguntou Ivar, agora totalmente perdido.

Um dos monges tinha um livro, o primeiro que eu via em muitos anos, e desembrulhou a capa de couro, folheou as páginas rígidas e o deu ao rei, que enfiou a mão num bolso e pegou um pequeno ponteiro de marfim, usando-o para indicar as palavras que queria.

— *Quia malum ego* — trovejou ele, com o ponteiro claro movendo-se pelas linhas — *adduco ab aquilone et contritionem magnam!*

Parou aí, olhando furioso para Ivar. Alguns dinamarqueses, impressionados com a força das palavras do rei, mesmo que nenhum deles entendesse nem uma sequer, tocaram seus amuletos de martelo. Os padres ao redor de Edmundo nos olharam cheios de reprovação. Um pardal voou através de uma janela alta e se empoleirou por um momento num braço da alta cruz de madeira no centro do altar.

O rosto pavoroso de Ivar não demonstrou qualquer reação às palavras de Jeremias, e finalmente o intérprete de Ânglia Oriental, que era um dos padres, percebeu que a leitura passional do rei não tinha significado nada para nenhum de nós.

— Pois eu trarei o mal do norte — traduziu ele — e grande destruição.

— Está no livro! — exclamou Edmundo em tom feroz, devolvendo o volume ao monge.

— Você pode ficar com sua igreja — disse Ivar descuidadamente.

Uma infância pagã

— Não basta — respondeu Edmundo. Em seguida se levantou para dar mais forças às novas palavras. — Eu vou governar aqui e suportarei sua presença se for necessário, e lhes darei cavalos, comida, moedas e reféns, mas apenas se você, e todos os seus homens, se submeterem a Deus. Vocês devem ser batizados!

O intérprete dinamarquês não soube como traduzir essa palavra, nem o do rei, e finalmente Ubba me olhou pedindo ajuda.

— Vocês terão de ficar num barril de água — falei, lembrando-me de como Beocca tinha me batizado depois da morte do meu irmão —, e eles jogam mais água em cima de vocês.

— Eles querem me lavar? — perguntou Ubba, perplexo.

Dei de ombros.

— É isso que eles fazem, senhor.

— Vocês se tornarão cristãos! — disse Edmundo, depois me lançou um olhar irritado. — Nós podemos batizar no rio, garoto. Não são necessários barris.

— Eles querem lavar vocês no rio — expliquei a Ivar e Ubba, e os dinamarqueses gargalharam.

Ivar pensou nisso. Ficar num rio por alguns minutos não era uma coisa tão ruim, em especial se isso significasse que ele poderia voltar correndo e esmagar qualquer problema que afligisse Nortúmbria.

— Eu posso continuar cultuando Odin depois de ter me lavado? — perguntou.

— Claro que não! — respondeu Edmundo furioso. — Existe apenas um Deus!

— Há muitos deuses — reagiu Ivar rispidamente. — Muitos! Todo mundo sabe disso.

— Há apenas um Deus, e vocês devem servir a ele.

— Mas nós estamos ganhando — explicou Ivar com paciência, quase como se falasse com uma criança —, o que significa que nossos deuses estão vencendo seu deus único.

O rei estremeceu diante dessa heresia medonha.

— Seus deuses são falsos, são excrementos do demônio, são coisas malignas que trarão trevas ao mundo, ao passo que nosso Deus é grandioso, é todo-poderoso, é magnífico.

— Mostre — disse Ivar.

Essa palavra produziu um profundo silêncio. O rei, seus padres e monges olharam Ivar numa perplexidade evidente.

— Prove — insistiu Ivar, e seus dinamarqueses murmuraram o apoio à ideia.

O rei Edmundo piscou, evidentemente sem inspiração, depois teve uma ideia súbita e apontou para o painel de couro em que estava pintada a experiência de São Sebastião como alvo de arqueiros.

— Nosso Deus poupou o abençoado São Sebastião da morte por flechas! O que é prova suficiente, não é?

— Mas mesmo assim ele morreu — observou Ivar.

— Só porque essa foi a vontade de Deus.

Ivar pensou nisso.

— Então seu deus protegeria vocês das minhas flechas? — perguntou.

— Se for a vontade dele, sim.

— Então vamos tentar. Vamos atirar flechas em você, e, se você sobreviver, todos seremos lavados.

Edmundo encarou o dinamarquês, imaginando se ele estaria falando sério, depois ficou nervoso ao ver que Ivar não estava brincando. O rei abriu a boca, descobriu que não tinha o que dizer e fechou-a de novo, depois um de seus monges tonsurados murmurou-lhe algo. Devia estar tentando persuadir o rei de que Deus sugeria esse sofrimento para ampliar sua igreja, e que um milagre aconteceria, os dinamarqueses virariam cristãos, todos seríamos amigos e terminaríamos cantando juntos na alta plataforma do céu. O rei não pareceu totalmente convencido pelo argumento, se era de fato isso que o monge havia proposto, mas os dinamarqueses queriam tentar o milagre agora, e não estava mais nas mãos de Edmundo aceitar ou recusar a tentativa.

Uma dúzia de homens empurrou os monges e padres de lado enquanto outros saíam para pegar arcos e flechas. O rei, acuado em sua defesa de Deus, estava ajoelhado no altar, rezando com mais intensidade do que qualquer pessoa já havia rezado. Os dinamarqueses riam. Eu estava gostando daquilo. Acho que esperava ver um milagre, não porque fosse cristão, mas porque simplesmente queria ver um milagre. Beocca me falava frequentemente sobre milagres, enfatizando que eles eram a verdadeira prova das verdades cristãs, mas eu nunca tinha visto um. Ninguém jamais havia andado sobre as águas em Bebbanburg, nenhum leproso havia se curado lá, e nenhum anjo havia preenchido nosso céu noturno com glória chamejante, mas agora talvez eu visse o poder de Deus que sempre me fora apregoado por Beocca. Brida só queria ver Edmundo morto.

— Está pronto? — perguntou Ivar ao rei.

Edmundo olhou para seus padres e monges e eu me perguntei se ele sugeriria que um deles ocupasse seu lugar no teste do poder de Deus. Depois franziu a testa e olhou de volta para Ivar.

— Aceitarei sua proposta — disse ele.

— De atirarmos flechas em você?

— De que eu permaneça como rei aqui.

— Mas você quer me lavar primeiro.

— Podemos dispensar isso — disse Edmundo.

— Não — respondeu Ivar. — Você afirmou que seu deus é todo-poderoso, que é o único deus, por isso quero que prove. Se você estiver certo, todos nós tomaremos banho. Estamos combinados? — Esta pergunta foi feita aos dinamarqueses, que rugiram aprovando.

— Eu, não — disse Ravn. — Eu não serei lavado.

— Todos seremos lavados — rosnou Ivar, e eu percebi que ele sentia interesse verdadeiro no resultado do teste, mais interesse do que em fazer uma paz rápida e conveniente com Edmundo. Todos os homens precisam do apoio de seu deus, e Ivar estava tentando descobrir se, em todos aqueles anos, estivera cultuando no templo errado. — Você está usando armadura? — perguntou a Edmundo.

— Não.

— É melhor garantir — interveio Ubba, e olhou para a pintura fatal. — Tirem a roupa dele — ordenou.

O rei e os homens da igreja protestaram, mas os dinamarqueses não podiam ser contestados, e o rei Edmundo ficou nu em pelo. Brida adorou aquilo.

— É pequenininho — disse ela.

Edmundo, agora motivo de risos, fez o máximo para parecer digno. Os padres e monges estavam de joelhos, rezando, enquanto seis arqueiros se posicionavam a uma dúzia de passos de Edmundo.

— Vamos descobrir se o deus inglês é tão poderoso quanto os deuses dinamarqueses — disse-nos Ivar, acabando com os risos. — Se for, e se o rei viver, vamos nos tornar cristãos, todos nós!

— Eu, não — insistiu Ravn de novo, mas baixinho, para que Ivar não escutasse. — Conte o que acontecer, Uhtred.

Logo eu estava contando. Seis flechas acertaram o rei, que gritou, sangue se derramou no altar, ele caiu, retorceu-se como um salmão fisgado, e mais seis flechas o acertaram. Edmundo estremeceu mais um pouco e os arqueiros continuaram atirando, se bem que a mira era ruim pois quase desmoronavam de tanto rir, e continuaram atirando até que o rei estava tão cheio de hastes emplumadas quanto um porco-espinho com seus espinhos. E estava bem morto. Ficou coberto de sangue, a pele branca manchada de vermelho, a boca aberta, morto. Seu deus lhe havia falhado miseravelmente. Hoje em dia, claro, essa história jamais é contada. Em vez disso as crianças aprendem como o bravo Santo Edmundo enfrentou os dinamarqueses, exigiu sua conversão e foi assassinado. Portanto agora ele é um mártir e santo, gorjeando feliz no céu, mas a verdade é que foi um idiota levado ao martírio pela própria conversa.

Os padres e monges uivavam, por isso Ivar ordenou que também fossem mortos, depois decretou que o *earl* Godrim, um de seus chefes, governaria Ânglia Oriental e que Halfdan devastaria o país para esmagar as últimas fagulhas de resistência. Godrim e Halfdan ficariam com um terço do exército para manter Ânglia Oriental quieta, e o resto de nós voltaria para subjugar a inquietação na Nortúmbria.

Portanto agora Ânglia Oriental havia acabado.

E Wessex era o último reino da Inglaterra.

Voltamos à Nortúmbria, meio remando e meio velejando no *Víbora do Vento*, subindo a costa suave, depois remando contra a corrente dos rios, viajando pelo Humber, depois o Ouse, até surgirem os muros de Eoferwic, e ali pusemos o navio em terra seca para não apodrecer durante o inverno. Ivar e Ubba voltaram conosco, de modo que toda uma frota deslizava pelo rio, remos mergulhando, proas sem feras, com galhos de carvalho verde para mostrar que voltávamos vitoriosos. Trouxemos muitos tesouros. Os dinamarqueses davam grande importância aos tesouros. Seus homens seguiam os líderes porque sabiam que seriam recompensados com prata, e na tomada de três dos quatro reinos ingleses os dinamarqueses tinham juntado uma fortuna que foi dividida entre os homens. E alguns, uns poucos, decidiram levar o dinheiro de volta para a Dinamarca. A maioria ficou, porque o reino mais rico permanecia sem ser derrotado, e os homens sabiam que todos se tornariam ricos como deuses assim que Wessex caísse.

Ivar e Ubba chegaram a Eoferwic esperando encrenca. Tinham posto os escudos nos flancos dos navios, mas qualquer inquietação que tivesse perturbado a Nortúmbria não havia afetado a cidade, e o rei Egbert, que governava segundo a vontade dos dinamarqueses, negou, carrancudo, que houvesse qualquer levante. O arcebispo Wulfhere disse o mesmo.

— Sempre há banditismo — declarou altivo. — E talvez vocês tenham ouvido boatos sobre isso, não é?

— Ou talvez vocês sejam surdos — rosnou Ivar, e ele estava certo em abrigar suspeitas porque, assim que se soube da volta do exército, chegaram mensageiros do *ealdorman* Ricsig de Dunholm. Dunholm era uma grande fortaleza num alto penhasco quase totalmente rodeado pelo rio Wiire, e o penhasco e o rio tornavam Dunholm quase tão forte quanto Bebbanburg. Ela era governada por Ricsig, que jamais havia erguido a espada contra os dinamarqueses. Quando atacamos Eoferwic e meu pai foi morto, Ricsig tinha dito que estava doente e seus homens ficaram em casa, mas agora mandou servos contarem a Ivar que um bando de dinamarqueses estivera fazendo matanças em Gyruum. Esse era o local de um famoso mosteiro onde um homem chamado Bede escreveu uma história da igreja inglesa, que Beocca sempre havia elogiado para mim, dizendo que quando eu aprendesse a ler direito poderia ter o prazer de lê-la. Ainda não fiz isso, mas estive em Gyruum e vi onde o livro foi escrito, porque Ragnar recebeu o pedido de levar seus homens lá e descobrir o que havia acontecido.

Parecia que seis dinamarqueses, todos sem senhores, tinham ido a Gyruum e exigido ver o tesouro do mosteiro. Quando os monges afirmaram não ter um tostão, os seis começaram a matar, mas os monges tinham lutado e, como eram mais de vinte e foram ajudados por alguns homens da cidade, conseguiram matar os seis dinamarqueses que então foram espetados em postes e deixados para apodrecer junto à margem. Até então, como admitiu Ragnar, a culpa era dos dinamarqueses, mas os monges, encorajados por essa matança, tinham marchado para oeste, subindo o rio Tine, e atacaram um povoado dinamarquês onde havia apenas uns poucos homens, velhos demais ou doentes demais para viajar ao sul com o exército. Lá estupraram e mataram pelo menos vinte mulheres e crianças, proclamando que esta era uma guerra santa. Mais homens tinham se unido ao exército improvisado, mas o *ealdorman* Ricsig, temendo a vingança dos dinamarqueses, havia mandado suas tropas para dispersá-los. Capturou um bom número de rebeldes, inclusive uma dúzia de monges, que agora estavam presos em sua fortaleza acima do rio em Dunholm.

Tudo isso ficamos sabendo pelos mensageiros de Ricsig, depois com pessoas que tinham sobrevivido ao massacre, e uma delas era uma garota da mesma idade da filha de Ragnar. A menina disse que os monges a haviam estuprado, um de cada vez, e depois a batizaram à força. Disse que também havia freiras presentes, mulheres que instigavam os homens e depois tomaram parte na matança.

— Ninhos de víboras — disse Ragnar. Eu nunca o tinha visto com tanta raiva, nem mesmo quando Sven se mostrou a Thyra. Desenterramos alguns mortos dinamarqueses e todos estavam nus e cobertos de sangue. Todos tinham sido torturados.

Um padre foi encontrado e obrigado a dizer o nome dos principais mosteiros e conventos da Nortúmbria. Gyruum era um deles, claro. Logo do outro lado do rio havia um grande convento e, ao sul, onde o Wiire encontra o mar, havia um segundo mosteiro. A casa em Streonshall ficava perto de Eoferwic e tinha muitas freiras, ao passo que perto de Bebbanburg, na ilha que Beocca sempre me dissera ser sagrada, ficava o mosteiro de Lindisfarena. Havia

Uma infância pagã

muitos outros, mas Ragnar se contentou com os principais e mandou homens a Ivar e Ubba sugerindo que as freiras de Streonshall fossem dispersadas, e que qualquer uma que tivesse se juntado à revolta deveria ser morta, depois partiu para Gyruum. Todos os monges foram mortos, os prédios que não eram feitos de pedras foram queimados, os tesouros, já que eles realmente possuíam prata e ouro escondidos embaixo da igreja, foram tomados. Lembro-me de que descobrimos uma grande pilha de escritos, folhas e mais folhas de pergaminhos, todas cobertas com letras pretas espremidas, e não faço ideia do que eram, e agora nunca saberei, porque todos foram queimados. E assim que Gyruum não existia mais, fomos para o sul, ao mosteiro na foz do Wiire, e fizemos o mesmo lá. Depois atravessamos o Tine e obliteramos o convento na margem norte. As freiras de lá, lideradas pela abadessa, arranharam deliberadamente os próprios rostos. Sabiam que estávamos chegando e assim, para impedir o estupro, cortaram as bochechas e as testas, e nos receberam ensanguentadas, gritando e feias. Não sei por que não fugiram, mas em vez disso nos esperaram, xingaram-nos, rezaram pela vingança dos céus contra nós e morreram.

Nunca contei a Alfredo que tomei parte naquela famosa destruição das casas do norte. A história ainda é contada como prova da ferocidade e falsidade dos dinamarqueses. De fato, toda criança inglesa ouve a história sobre as freiras que cortaram o rosto até os ossos para ficarem feias demais e não serem estupradas, mas isso não funcionou, assim como as preces do rei Edmundo não o salvaram das flechas. Lembro-me de ter ouvido numa Páscoa um sermão sobre as freiras, e tive de fazer força para não interromper e dizer que não havia acontecido como a descrição do padre. O padre afirmou que os dinamarqueses tinham prometido que nenhum monge ou freira seria ferido na Nortúmbria, e isso não era verdade, afirmou que não havia motivo para os massacres, o que era igualmente falso, e depois contou uma história maravilhosa sobre como as freiras tinham rezado e Deus tinha posto uma cortina invisível no portão do convento, e os dinamarqueses empurravam a cortina e não podiam rasgá-la. E fiquei me perguntando por que, se as freiras tinham esse escudo invisível, elas haviam se incomodado em se cortar. Mas elas deviam saber como a história terminaria, porque supostamente os dinamarqueses

O último reino

pegaram umas vinte crianças pequenas no povoado próximo e ameaçaram cortar a garganta delas se a cortina não fosse retirada, e foi.

Nada disso aconteceu. Nós chegamos, elas gritaram, as jovens foram estupradas e depois elas morreram. Mas não todas, apesar das histórias. Pelo menos duas eram bonitas e não estavam arranhadas. As duas ficaram com os homens de Ragnar, e uma delas deu à luz uma criança que se tornou um famoso guerreiro dinamarquês. Mas afinal os padres nunca foram muito conhecidos por dizer a verdade, e eu fiquei quieto, o que foi bom. Na verdade nós nunca matávamos todo mundo, porque Ravn sempre enfatizava que deveríamos deixar uma pessoa para contar a história, de modo que a notícia do horror se espalhasse.

Assim que o convento foi queimado fomos a Dunholm, onde Ragnar agradeceu ao *ealdorman* Ricsig, mas Ricsig ficou claramente chocado com a vingança dos dinamarqueses.

— Nem todo monge e toda freira tomou parte na matança — observou reprovando.

— Todos eles são malignos — insistiu Ragnar.

— As casas deles são locais de oração e contemplação, locais de aprendizagem.

— Diga: de que adiantam essas orações, essa contemplação e essa aprendizagem? — quis saber Ragnar. — A contemplação enche uma rede de pesca? A aprendizagem constrói uma casa ou ara um campo?

Ricsig não tinha resposta, nem o bispo de Dunholm, um homem tímido que não protestou contra a matança, nem mesmo quando Ricsig humildemente entregou seus prisioneiros que foram mortos de vários modos imaginativos. Ragnar tinha se convencido de que os mosteiros e conventos cristãos eram fontes do mal, locais onde ritos sinistros eram realizados para encorajar as pessoas a atacar os dinamarqueses, e não via sentido em deixar que esses lugares existissem. Mas o mosteiro mais famoso de todos era o de Lindisfarena, a casa onde vivera São Cuthbert, a casa que fora saqueada pela primeira vez pelos dinamarqueses havia duas gerações. Esse ataque é que fora pressagiado por dragões no céu, redemoinhos agitando o mar e tempestades de raios devastando os morros, mas não vi essas maravilhas enquanto marchávamos para o norte.

Estava empolgado. Íamos para perto de Bebbanburg e eu me perguntava se meu tio, o falso *ealdorman* Ælfric, ousaria sair de sua fortaleza para proteger os monges de Lindisfarena que sempre haviam procurado nossa família em nome da segurança. Todos íamos a cavalo, três tripulações de navios, mais de cem homens, porque era tarde no ano e os dinamarqueses não gostavam de sair com os navios em tempo ruim. Rodeamos Bebbanburg, subindo as colinas, captando vislumbres ocasionais dos muros de madeira da fortaleza entre as árvores. Eu olhava para ela, vendo o mar agitado mais além, sonhando.

Atravessamos as planícies costeiras e chegamos a uma praia arenosa onde uma trilha levava a Lindisfarena, mas na maré alta a trilha estava inundada e tivemos de esperar. Podíamos ver os monges nos olhando do outro lado.

— O resto dos desgraçados deve estar enterrando os tesouros — disse Ragnar, sério.

— Se restar algum — falei.

— Quando estive lá pela última vez — interveio Ravn —, pegamos um baú de ouro! Ouro puro!

— Um baú grande? — perguntou Brida. Ela estava montada atrás de Ravn, servindo como seus olhos naquele dia. Brida ia a toda parte conosco, agora falava bem o dinamarquês. E os homens, que a adoravam, consideravam que ela trazia sorte.

— Grande como o seu peito — disse Ravn.

— Então não tinha muito ouro — respondeu Brida, desapontada.

— Ouro e prata — lembrou Ravn. — E algumas presas de morsa. Onde será que conseguiram isso?

O mar cedeu, as ondas agitadas recuaram pelas areias compridas e cavalgamos pelos baixios, passando pelos juncos que marcavam o caminho, e os monges fugiram. Pequenas tiras de fumaça marcavam o local onde as plantações pintalgavam a ilha, e eu não tinha dúvida de que aquelas pessoas estavam enterrando qualquer coisa que possuíssem.

— Algum monge desses conhece você? — perguntou Ragnar.

— Provavelmente.

— Isso o preocupa?

Preocupava, mas eu disse que não e toquei o martelo de Tor. Em algum lugar de meus pensamentos havia um fio de preocupação de que Deus, o deus cristão, estivesse me olhando. Beocca sempre dizia que tudo que fazíamos era visto e registrado, e eu precisava me lembrar de que o deus cristão estava fracassando e que Odin, Tor e os deuses dinamarqueses estavam vencendo a guerra no céu. A morte de Edmundo tinha provado isso, portanto me consolei achando que estava em segurança.

O mosteiro ficava no sul da ilha, de onde eu podia ver Bebbanburg em seu penhasco. Os monges viviam em várias construções de madeira cobertas de palha de centeio e musgo, e tinham construído uma pequena igreja de pedra. O abade, um homem chamado Egfrith, veio nos receber segurando uma cruz de madeira. Ele falava dinamarquês, o que era incomum, e não demonstrou medo.

— Vocês são bem-vindos em nossa pequena ilha — cumprimentou, entusiasmado — e precisam saber que tenho um de seus compatriotas em nossa enfermaria.

Ragnar pousou as mãos no arção da sela, coberto com pele de carneiro.
— De que isso me serve? — perguntou.
— É uma demonstração de nossas intenções pacíficas, senhor — disse Egfrith. Ele era idoso, grisalho, magro e não tinha a maior parte dos dentes, de modo que as palavras saíam sibilando e distorcidas. — Somos uma casa humilde, cuidamos dos doentes, ajudamos os pobres e servimos a Deus. — Ele olhou a fileira de dinamarqueses, homens sérios, com elmos, escudos pendendo ao lado do joelho esquerdo, espadas, machados e lanças a postos. Naquele dia o céu estava baixo, pesado e carrancudo, e uma chuva fraca escurecia o capim. Dois monges saíram da igreja carregando uma caixa de madeira que puseram atrás de Egfrith, depois recuaram. — Este é todo o tesouro que possuímos — disse Egfrith — e podem ficar com ele.

Ragnar balançou a cabeça para mim e eu apeei, passei pelo abade e abri a caixa, descobrindo que estava cheia de moedas de prata, a maioria quebrada, e todas opacas por serem de má qualidade. Dei de ombros para Ragnar, sugerindo que era uma recompensa pobre.

— Você é Uhtred! — disse Egfrith. Ele estivera me olhando.

Uma infância pagã

— E daí? — respondi beligerante.

— Ouvi dizer que estava morto, senhor, e louvo a Deus por não estar.

— Ouviu dizer que eu estava morto?

— Que um dinamarquês o matou.

Estávamos falando em inglês, e Ragnar quis saber o que era dito, por isso traduzi.

— O dinamarquês se chamava Weland? — perguntou Ragnar a Egfrith.

— Ele se chama assim.

— Chama?

— Weland é o homem que está aqui, recuperando-se dos ferimentos, senhor. — Egfrith me olhou de novo como se não pudesse acreditar que eu estava vivo.

— E os ferimentos dele? — perguntou Ragnar.

— Ele foi atacado por um homem da fortaleza, senhor. De Bebbanburg.

Ragnar, claro, quis saber toda a história. Parece que Weland tinha voltado a Bebbanburg, onde afirmou que havia me matado, por isso recebeu sua recompensa em moedas de prata e foi escoltado para fora da fortaleza por meia dúzia de homens, dentre os quais estava Ealdwulf, o ferreiro que me contava histórias junto à forja. Ealdwulf atacou Weland, cravando um machado em seu ombro antes que os outros o arrastassem para longe. Weland fora trazido para cá, enquanto Ealdwulf, se ainda vivia, estava de volta a Bebbanburg.

Se o abade Egfrith achava que Weland era sua salvaguarda, havia calculado mal. Ragnar fez uma careta para ele.

— Você deu abrigo a Weland mesmo achando que ele havia matado Uhtred? — perguntou.

— Esta é uma casa de Deus — respondeu Egfrith. — Por isso damos abrigo a todos.

— Inclusive assassinos? — Ragnar levou a mão atrás da cabeça e desamarrou a tira de couro que prendia seu cabelo. — Então diga, monge, quantos homens seus foram para o sul ajudar os colegas e assassinar dinamarqueses?

Egfrith hesitou, o que era resposta suficiente, então Ragnar desembainhou a espada e o abade encontrou a voz.

— Alguns, senhor — admitiu. — Não pude impedir.

— Não pôde impedir? — Ragnar balançou a cabeça fazendo o cabelo úmido e solto cair em volta do rosto. — No entanto comanda este lugar?

— Sou o abade, sim.

— Então poderia tê-los impedido. — Agora Ragnar estava furioso e suspeitei que estivesse se lembrando dos corpos que tínhamos desenterrado perto de Gyruum, as garotinhas dinamarquesas ainda com sangue nas coxas. — Mate-os — disse aos seus homens.

Não tomei parte nessa matança. Fiquei perto da praia ouvindo os pássaros gritarem, olhei para Bebbanburg e ouvi as lâminas fazendo o trabalho. E Brida veio ficar perto de mim, pegou minha mão e olhou para o sul por sobre o cinza pintalgado de branco, em direção à grande fortaleza no penhasco.

— Aquela é sua casa? — perguntou.

— Aquela é minha casa.

— Ele o chamou de senhor.

— Eu sou um senhor.

Ela se encostou em mim.

— Você acha que o deus cristão está nos olhando?

— Não — respondi, imaginando como ela sabia que eu estivera pensando exatamente nisso.

— Ele nunca foi nosso deus — disse ela com ferocidade. — Nós adorávamos Woden, Tor, Eostre e todos os outros deuses e deusas, então os cristãos vieram e nós esquecemos nossos deuses. E agora os dinamarqueses vieram para nos levar de volta a eles. — Ela parou abruptamente.

— Ravn disse isso a você?

— Ele me contou um pouco, mas o resto eu deduzi. Há uma guerra entre os deuses, Uhtred, uma guerra entre o deus cristão e os nossos deuses, e quando há guerra em Asgard os deuses nos fazem lutar por eles na Terra.

— E estamos vencendo?

A resposta dela foi apontar para os monges mortos, espalhados no capim molhado, as batinas ensanguentadas. E, agora que a matança havia acabado, Ragnar arrastou Weland para fora da cama de enfermo. O sujeito estava claramente morrendo, porque tremia e o ferimento fedia, mas tinha consciência do que acontecia com ele. Sua recompensa por me matar fora um pesado saco de boas moedas de prata que pesavam tanto quanto um bebê recém-nascido, encontramos tal recompensa embaixo da cama e a acrescentamos ao pequeno butim do mosteiro a ser dividido entre nossos homens.

O próprio Weland ficou deitado no capim ensanguentado, olhando de mim para Ragnar.

— Quer matá-lo? — perguntou Ragnar a mim.

— Quero — respondi, porque nenhuma outra resposta era esperada. Então me lembrei do início de minha narrativa, do dia em que vi Ragnar dançando perto deste litoral e como, na manhã seguinte, ele havia trazido a cabeça de meu irmão a Bebbanburg. — Quero cortar a cabeça dele.

Weland tentou falar, mas só conseguiu dar um gemido gutural. Seus olhos estavam na espada de Ragnar.

Ragnar me ofereceu a arma.

— É bem afiada — disse ele —, mas você vai ficar surpreso com a força necessária. Um machado seria melhor.

Agora Weland me olhou. Seus dentes chacoalhavam e ele tremia. Eu o odiava. Tinha desgostado dele desde o início, mas agora o odiava, no entanto ainda estava estranhamente nervoso por matá-lo, mesmo ele já estando meio morto. Aprendi que uma coisa é matar em batalha, mandar a alma de um homem corajoso para o castelo de cadáveres dos deuses. Outra muito diferente é tirar a vida de um homem impotente, e ele devia ter sentido minha hesitação, porque conseguiu fazer um pedido lamentável pela vida.

— Eu servirei a você.

— Faça o desgraçado sofrer — respondeu Ragnar por mim. — Mande-o para a deusa dos cadáveres, mas faça-o sofrer, para que ela saiba que ele está indo.

Não creio que ele tenha sofrido muito. Já estava tão débil que até meus golpes ridículos o mandaram rapidamente para a inconsciência, mas mesmo assim demorei muito para matá-lo. Tive de retalhá-lo. Sempre me surpreendi com o esforço necessário para matar um homem. Os *skalds* fazem parecer fácil, mas raramente é. Somos criaturas teimosas, grudamo-nos à vida e somos muito difíceis de matar, mas a alma de Weland finalmente foi para seu destino enquanto eu picava, serrava, golpeava e por fim consegui cortar sua cabeça sangrenta. A boca estava torcida num ricto de agonia, e isso serviu um pouco de consolo.

Agora pedi mais favores a Ragnar, sabendo que ele me daria. Peguei algumas das piores moedas do butim, fui a um dos prédios maiores do mosteiro e encontrei o lugar de escrita, onde os monges copiavam livros. Eles costumavam pintar letras lindas nos livros. Antes que minha vida mudasse em Eoferwic, eu costumava ir até lá com Beocca, e algumas vezes os monges me deixavam rabiscar pedaços de pergaminho com suas cores maravilhosas.

Agora eu queria as cores. Estavam em tigelas, a maioria em forma de pó, algumas misturadas com goma, e precisava de um pedaço de pano que encontrei na igreja; um quadrado de linho branco que fora usado para cobrir os sacramentos. De volta ao local de escrita desenhei uma cabeça de lobo com carvão no pano branco, depois encontrei um pouco de tinta preta e comecei a cobrir o contorno. Brida me ajudou e se mostrou muito melhor do que eu em fazer imagens, e deu um olho vermelho e uma língua vermelha ao lobo, e misturou a tinta preta com branca e azul, de algum modo sugerindo pelos. E assim que o estandarte estava pronto nós o amarramos no cajado da cruz do abade morto. Ragnar estava revirando a pequena coleção de livros sagrados do mosteiro, arrancando as placas de metal cravejado de joias que decoravam as capas. Assim que pegou todas as placas e assim que meu estandarte estava pronto, queimamos todas as construções de madeira.

A chuva parou quando saímos. Fomos rapidamente pelo caminho, viramos para o sul, e Ragnar, a meu pedido, seguiu pela trilha costeira até chegarmos ao lugar onde a estrada cruzava as areias de Bebbanburg.

Paramos ali e eu desamarrei meu cabelo, para ficar solto. Dei o estandarte a Brida, que montaria o cavalo de Ravn enquanto o velho esperaria com o filho. E então, com uma espada emprestada na cintura, cavalguei para casa.

Brida foi comigo como porta-estandarte, e nós dois seguimos a meio trote pela trilha. O mar quebrava branco à minha direita e deslizava nas areias à esquerda. Eu podia ver homens nos muros e em cima do Portão de Baixo, vigiando, e instiguei o cavalo, fazendo-o galopar. Brida me acompanhou, com o estandarte voando no alto, e eu parei o cavalo onde o caminho virava para o norte indo até o portão. Agora podia ver meu tio. Ele estava lá, Ælfric, o Traiçoeiro, de rosto fino, cabelo escuro, me olhando do Portão de Baixo. Encarei-o para que ele soubesse quem eu era, e então joguei a cabeça cortada de Weland no chão, onde a cabeça do meu irmão fora um dia jogada. Depois joguei as moedas de prata.

Joguei trinta moedas. O preço de Judas. Lembrava-me dessa história de igreja. Era uma das poucas de que eu gostava.

Havia arqueiros na amurada, mas nenhum deles ameaçou disparar. Fiz o sinal do mal para meu tio, os chifres do diabo com os dois dedos de fora, depois cuspi para ele, virei-me e fui embora. Agora ele sabia que eu estava vivo, sabia que eu era seu inimigo e sabia que eu iria matá-lo como um cão, se tivesse chance.

— Uhtred! — gritou Brida. Ela estivera olhando para trás e eu girei na sela para ver que um guerreiro tinha pulado por cima do muro, caído pesadamente, mas agora corria para nós. Era um homem grande, barbudo, e pensei que jamais poderia lutar com um sujeito daqueles. Então vi os arqueiros soltarem suas flechas que bateram no chão ao redor do homem. Agora vi que era Ealdwulf, o ferreiro.

— Senhor Uhtred! — gritou Ealdwulf. — Senhor Uhtred! — Virei o cavalo e fui até ele, abrigando-o das flechas com o corpo do animal, mas nenhuma chegou perto. E, pensando naquele dia distante, suspeitei que os arqueiros estavam errando de propósito. — O senhor vive! — Ealdwulf riu de orelha a orelha.

— Vivo.

— Então vou com o senhor — disse ele com firmeza.

— Mas e sua mulher, seu filho?

— Minha mulher morreu no ano passado, senhor, e meu filho se afogou pescando.

— Sinto muito — falei. Uma flecha atravessou o capim na duna, mas a metros de distância.

— Woden dá e Woden tira — disse Ealdwulf. — E ele me deu de volta meu senhor. — O ferreiro viu o martelo de Tor no meu pescoço e, como era pagão, sorriu.

E tive meu primeiro seguidor. O ferreiro Ealdwulf.

— O seu tio é um homem sinistro — disse Ealdwulf enquanto viajávamos para o sul. — Miserável como uma merda. Nem o filho novo o anima.

— Ele tem um filho?

— Ælfric, o Jovem, é como se chama, e é uma coisinha ossuda e pequena. Saudável como ele só. Mas Gytha está doente. Não vai durar muito. E o senhor? O senhor parece bem.

— Estou bem.

— Está com 12 anos?

— Treze.

— É um homem, então. Esta é sua mulher? — Ele cumprimentou Brida com a cabeça.

— Minha amiga.

— Ela não tem carne, portanto é melhor como amiga. — O ferreiro era um homem grande, de quase quarenta anos, mãos, antebraços e rosto com cicatrizes pretas de incontáveis pequenas queimaduras da forja. Caminhava ao lado do meu cavalo, o passo aparentemente sem esforço, apesar dos anos avançados. — Então fale desses dinamarqueses — disse ele, lançando um olhar duvidoso aos guerreiros de Ragnar.

— São liderados pelo *earl* Ragnar, o homem que matou meu irmão. É um bom homem.

— Foi ele que matou seu irmão? — Ealdwulf pareceu chocado.

— O destino é tudo — falei, o que poderia ser verdade, mas também evitava que tivesse de dar uma resposta mais longa.

— Você gosta dele?

— Ragnar é como um pai para mim. Você vai gostar dele.

— Mas é dinamarquês, não é, senhor? Eles podem adorar os deuses certos — disse Ealdwulf de má vontade —, mas mesmo assim eu gostaria que fossem embora.

— Por quê?

— Por quê? — Ealdwulf pareceu chocado com a pergunta. — Porque esta terra não é deles, senhor, por isso. Quero andar sem ter medo. Não quero tocar a testa para um homem só porque ele tem uma espada. Há uma lei para eles e outra para nós.

— Não há lei para eles — disse eu.

Uma infância pagã

— Se um dinamarquês matar um homem da Nortúmbria — reagiu Ealdwulf indignado —, o que se pode fazer? Não há *wergild*, nenhum *reeve* para verificar, nenhum senhor para buscar justiça.

Era verdade. *Wergild* era o preço de sangue pago pela vida de um homem, e toda pessoa tinha um *wergild*. O de um homem era maior do que o de uma mulher, a não ser que ela fosse uma mulher importante, e o de um guerreiro era melhor do que o de um agricultor, mas o preço sempre existia, e um assassino podia escapar da pena de morte se a família do assassinado aceitasse o *wergild*. O *reeve* era o homem que aplicava a lei, prestando contas ao seu *ealdorman*, mas todo esse cuidadoso sistema de justiça tinha desaparecido desde a chegada dos dinamarqueses. Agora não havia lei, a não ser o que os dinamarqueses diziam que era lei: o que eles queriam que fosse. Eu sabia que adorava esse caos, mas, afinal de contas, eu era privilegiado. Era um homem de Ragnar e Ragnar me protegia, mas sem Ragnar eu não seria melhor do que um fora da lei ou alguém escravizado.

— Seu tio não protesta — continuou Ealdwulf —, mas Beocca protestava. Lembra-se dele? Um padre ruivo com mão encolhida e olhos vesgos?

— Encontrei-o no ano passado.

— É mesmo? Onde?

— Ele estava com Alfredo de Wessex.

— Wessex! — disse Ealdwulf, surpreso. — É um longo caminho. Mas Beocca era um bom homem, apesar de ser padre. Fugiu porque não suportava os dinamarqueses. Seu tio ficou furioso. Disse que Beocca merecia ser morto.

Sem dúvida, pensei, porque Beocca tinha levado os pergaminhos que provavam que eu era o *ealdorman* de direito.

— Meu tio queria que eu fosse morto também — disse eu. —, e nunca lhe agradeci por ter atacado Weland.

— Seu tio me daria aos dinamarqueses por isso, mas nenhum dinamarquês me reclamou.

— Você está com os dinamarqueses agora — disse eu. — E é melhor você se acostumar com isso.

Ealdwulf pensou por um momento.

— Por que não ir para Wessex? — sugeriu.

— Porque os saxões do oeste querem me transformar em padre, e eu quero ser guerreiro.

— Então vá para Mércia.

— Lá é governado pelos dinamarqueses.

— Mas seu tio mora lá.

— Meu tio?

— O irmão da sua mãe! — Ealdwulf ficou pasmo porque eu não conhecia minha própria família. — Ele é o *ealdorman* Æthelwulf, se ainda estiver vivo.

— Meu pai nunca falava de minha mãe.

— Porque ele a amava. Ela era uma beldade, uma peça de ouro, e morreu dando à luz você.

— Æthelwulf — falei.

— Se estiver vivo.

Mas por que procurar Æthelwulf se eu tinha Ragnar? Æthelwulf era da família, claro, mas eu não o conhecia e duvidava de que ele ao menos se lembrasse de minha existência, e não tinha vontade de encontrá-lo. E tinha menos vontade ainda de aprender a ler e escrever em Wessex, por isso ficaria com Ragnar. Falei isso a Ealdwulf.

— Ele está me ensinando a lutar.

— Aprendendo com o melhor, não é? — disse Ealdwulf de má vontade. — É assim que a gente se torna um bom ferreiro. Aprendendo com os melhores.

Ealdwulf era um bom ferreiro e, mesmo contra a vontade, passou a gostar de Ragnar, porque Ragnar era generoso e apreciava um bom trabalho. Uma oficina de ferreiro foi acrescentada à nossa casa perto de Synningthwait, e Ragnar pagou boa prata por uma forja, uma bigorna e os grandes martelos, pinças e limas de que Ealdwulf precisava. Já era o fim do inverno antes que tudo estivesse pronto, e então foi comprado minério em Eoferwic e nosso vale ecoou com o barulho de ferro contra ferro, e mesmo nos dias mais frios a oficina era quente e os homens se juntavam lá para trocar histórias ou propor charadas. Ealdwulf era ótimo em charadas, e eu as traduzia enquanto ele deixava pasmos os dinamarqueses de Ragnar. A maioria de suas charadas era sobre homens e mulheres e o que eles faziam juntos, e essas eram bem fáceis de se adivinhar, mas eu gostava das complicadas. Meu pai e minha mãe me consideraram morto, era como começava uma charada, então uma parente leal me embrulhou e me protegeu, e eu matei todos os filhos dela, mas mesmo assim ela me amou e me alimentou até eu crescer mais alto do que as casas dos homens, por isso deixei-a. Essa eu não consegui adivinhar, e nenhum dinamarquês também conseguiu, mas Ealdwulf se recusou a dizer a resposta mesmo quando implorei, e só quando contei a charada a Brida fiquei sabendo a resposta.

— É um cuco, claro — disse ela instantaneamente. E estava certa, claro.

Na primavera a forja precisou ser maior, e durante todo aquele inverno Ealdwulf fez metal para espadas, lanças, machados e pás. Uma vez perguntei se ele se incomodava por trabalhar para os dinamarqueses, e ele apenas deu de ombros.

— Trabalhei para eles em Bebbanburg porque seu tio obedecia a eles.

— Mas não há dinamarqueses em Bebbanburg, não é?

— Nenhum, mas eles fazem visitas e são bem-vindos. Seu tio paga tributos. — Ele parou de repente, interrompido por um grito que eu pensei que era de pura fúria.

Saí correndo da oficina e vi Ragnar parado diante da casa enquanto, aproximando-se pelo caminho, havia uma turba liderada por um guerreiro montado. E que guerreiro! Tinha cota de malha, um belo elmo pendurado na sela, escudo pintado de cores fortes, espada longa e braços cheios de argolas. Era um rapaz de cabelos claros e compridos e densa barba dourada. E rugiu de volta para Ragnar como um cervo pegando a fêmea. Então Ragnar correu para ele e meio pensei que o rapaz desembainharia a espada e instigaria o cavalo, mas em vez disso ele apeou, correu morro acima e, quando os dois se encontraram, abraçaram-se e bateram com força nas costas um do outro. E quando Ragnar se virou para nós estava com um sorriso que iluminaria a cripta mais escura do inferno.

— Meu filho! — gritou ele para mim. — Meu filho!

Era Ragnar, o Jovem, vindo da Irlanda com uma tripulação de navio. E mesmo não me conhecendo me abraçou, levantando-me do chão, girou sua irmã, deu um tapa em Rorik, beijou sua mãe, gritou com os serviçais, distribuiu cordões de prata como presente e fez carinho nos cachorros. Um festim foi ordenado, e naquela noite ele nos deu as notícias, dizendo que agora comandava seu próprio navio, que tinha vindo passar só alguns meses e que Ivar o queria de volta na Irlanda na primavera. Era parecido demais com o pai, e gostei dele imediatamente. E a casa estava sempre alegre com a presença de Ragnar, o Jovem. Alguns de seus homens se alojaram conosco, e naquele outono eles cortaram árvores e acrescentaram um salão de verdade à casa, um castelo digno de um *earl*, com grandes traves, uma alta empena em que foi pregado um crânio de javali.

— Você teve sorte — disse-me ele um dia. Estávamos cobrindo o teto novo, colocando a densa palha de cevada e penteando-a até ficar achatada.

— Sorte?

— Por meu pai não matá-lo em Eoferwic.

— Tive sorte — concordei.

— Mas meu pai sempre foi um bom juiz de homens — disse ele, passando-me um pote de cerveja. Em seguida se empoleirou na cumeeira do teto e olhou para o vale. — Ele gosta disto aqui.

— É um bom lugar. E a Irlanda?

Ele riu.

— Pântanos e pedras, Uhtred, e os *skraelings* são malignos. — Os *skraelings* eram os nativos. — Mas lutam bem! E há prata lá, e quanto mais eles lutam, mais prata conseguimos. Você vai beber essa cerveja toda ou vai sobrar um pouco para mim?

Devolvi o pote e fiquei olhando a cerveja escorrer pela barba enquanto ele bebia até o final.

— Gosto bastante da Irlanda — disse ele quando terminou. — Mas não vou ficar. Vou voltar para cá. Encontrar terra em Wessex. Ter uma família. Engordar.

— Por que não volta agora?

— Porque Ivar me quer lá, e Ivar é um bom senhor.

Uma infância pagã

— Ele me amedronta.

— Um bom senhor deve amedrontar.

— Seu pai, não.

— Não amedronta você, mas e os homens que ele mata? Você quereria enfrentar Ragnar, o Intrépido, numa parede de escudos?

— Não.

— Então ele amedronta — disse Ragnar, o Jovem, rindo. — Vá tomar Wessex e encontre a terra que me tornará gordo.

Terminamos o teto de palha e então tive de ir para a floresta porque Ealdwulf tinha um apetite insaciável por carvão, a única substância que queima quente o bastante para derreter ferro. Ele havia mostrado a uma dúzia dos homens de Ragnar como produzi-lo, mas Brida e eu éramos seus melhores trabalhadores e passávamos muito tempo entre as árvores. Os montes de carvão precisavam de atenção constante e, enquanto cada um deles queimava por pelo menos três dias, Brida e eu costumávamos passar a noite inteira ao lado de uma das pilhas, vigiando o surgimento de um fio de fumaça que surgisse das samambaias e da turfa que cobriam a madeira queimando. Essa fumaça indicava que o fogo dentro estava quente demais e tínhamos de subir em cima da pilha quente e cobrir a rachadura com terra, e assim esfriar o fogo dentro da pilha.

Queimávamos amieiros quando encontrávamos, já que era a madeira preferida por Ealdwulf, e a arte da coisa era deixar os toros pretos mas não permitir que irrompessem em chamas. Para cada quatro toros que colocávamos numa pilha pegávamos um de volta, e o resto se desvanecia deixando para trás o carvão leve, muito preto e sujo. Demorava uma semana para fazer a pilha. O amieiro era cuidadosamente empilhado num buraco raso, e no centro da pilha era deixado um buraco, que enchíamos com carvão da queima anterior. Então colocávamos uma camada de samambaias por cima de tudo, cobríamos com turfa grossa e, quando estava pronto, púnhamos fogo pelo buraco central. Quando tínhamos certeza de que o carvão estava aceso, cobríamos o buraco bem apertado. Agora o fogo silencioso e escuro precisava ser controlado. Abríamos fendas na base da pilha para deixar que um pouco de ar entrasse, mas se o vento mudasse, as fendas para o ar tinham de ser fechadas e outras precisavam ser feitas. Era um trabalho tedioso, e o apetite de Ealdwulf por carvão parecia ilimitado, mas eu gostava. Ficar a noite inteira no escuro, perto da pilha quente, era ser um *sceadugengan*, e além disso estava com Brida, e tínhamos nos tornado mais do que amigos.

Ela perdeu seu primeiro bebê ao lado da pilha de fazer carvão. Nem sabia que estava grávida, mas uma noite foi atacada por cãibras e dores que pareciam golpes de lança. Eu quis chamar Sigrid, mas Brida não deixou. Disse que sabia o que estava acontecendo, mas fiquei morrendo de medo ao ver sua agonia e estremeci durante toda a noite, até que, logo antes do alvorecer, ela deu à luz um minúsculo menino morto. Nós o enterramos junto com a placenta, e Brida voltou cambaleando até a casa, onde Sigrid ficou alarmada com sua aparência, deu-lhe um caldo de alho-poró e miolo de ovelha e a fez ficar em casa. Sigrid devia ter suspeitado e disse a Ragnar que estava na hora de Brida se casar. Brida certamente tinha idade, 13 anos, e havia uma dúzia de jovens guerreiros dinamarqueses em Synninghtwait que precisavam de mulher, mas Ragnar declarou que Brida trazia sorte aos seus homens e queria que ela cavalgasse conosco quando atacássemos Wessex.

— E quando será? — perguntou Sigrid.

— No ano que vem, ou no outro. Não mais do que isso.

— E então?

— Então não haverá mais Inglaterra. Ela será toda nossa.

O último dos quatro reinos teria caído e a Inglaterra seria Dinamarca, e todos seríamos dinamarqueses, escravizados ou mortos.

Comemoramos a festa de Yule, e Ragnar, o Jovem, ganhou todas as competições em Synninghtwait, lançou pedras mais longe do que todo mundo, derrubou homens nas lutas e até deixou seu pai desmaiado de tanto beber. Em seguida vieram os meses escuros, o longo inverno, e na primavera, quando os vendavais diminuíram, Ragnar, o Jovem, teve de partir e fizemos uma festa melancólica na véspera, e na manhã seguinte ele levou seus homens para longe do castelo, descendo a trilha sob uma garoa cinzenta. Ragnar ficou olhando o filho até ele chegar ao vale, e quando se virou de novo para o castelo recém-construído tinha lágrimas nos olhos.

— Ele é um bom homem — disse-me.

Uma infância pagã

— Eu gostei dele — respondi com sinceridade, e gostei mesmo, e muitos anos depois, quando o encontrei de novo, ainda gostava dele.

Havia uma sensação de vazio depois da partida de Ragnar, o Jovem, mas eu me lembro com carinho daquela primavera e do verão, porque foi naqueles dias longos que Ealdwulf me fez uma espada.

— Espero que seja melhor do que a última — falei de modo ingrato.

— A última?

— A que levei quando atacamos Eoferwic.

— Aquela coisa! Não era minha. Seu pai comprou em Berewic e eu lhe disse que era uma bosta, mas era apenas uma espada curta. Boa para matar patos, talvez, mas não para lutar. O que aconteceu com ela?

— Dobrou-se — falei, lembrando-me de Ragnar gargalhando diante da arma débil.

— Ferro mole, garoto, ferro mole.

Havia dois tipos de ferro, segundo ele, o mole e o duro. O duro fazia o melhor gume, mas era quebradiço, e uma espada feita desse ferro se partiria ao primeiro golpe brutal, ao passo que uma espada feita do metal mais mole se dobraria, como tinha acontecido com a minha.

— Portanto o que fazemos é usar os dois — disse ele, e eu fiquei olhando enquanto ele fazia sete hastes de ferro. Três eram de ferro duro, e ele não tinha muita certeza de como tinha feito o ferro duro, só que o metal incandescente precisava ser enfiado no carvão aceso, e se fosse feito da maneira certa o metal esfriado seria duro e não se dobraria. As outras quatro hastes eram mais compridas, muito mais compridas, e não eram expostas ao carvão pelo mesmo tempo. Essas quatro ele torceu até que cada uma tivesse virado uma espiral. Ainda eram hastes retas, mas muito bem torcidas até terem a mesma extensão das hastes de ferro duro.

— Por que faz isso? — perguntei.

— Você verá — disse ele misteriosamente. — Você verá.

Terminou com sete hastes, cada qual tão grossa quanto meu polegar. Três eram do metal duro, que Ragnar chamava de aço, e as quatro hastes mais macias foram muito bem torcidas em suas espirais apertadas. Uma das hastes duras era mais comprida e ligeiramente mais grossa do que as outras, e essa

O último reino

era a espinha da espada. O tamanho extra era o espigão em que o cabo seria mais tarde rebitado. Ealdwulf começou martelando a haste até ficar chata, de modo a parecer uma espada muito fina e fraca, depois pôs as quatro hastes retorcidas, duas de cada lado, de modo a envolvê-la. Depois soldou as duas últimas hastes de aço no lado de fora, para se tornar os gumes da espada. Aquilo ficou grotesco, um feixe de hastes descombinadas, mas era então que começava o trabalho de verdade, o trabalho de esquentar e martelar, o metal luzindo vermelho, o martelo girando, fagulhas voando na forja escura, o sibilar do metal quente mergulhando na água, a paciência enquanto a lâmina que emergia era resfriada numa gamela cheia de aparas de freixo. Demorou dias, mas enquanto as marteladas, o resfriamento e o aquecimento continuavam eu vi como as quatro hastes de ferro retorcido, que agora estavam fundidas no aço mais duro, tinham sido alisadas em padrões maravilhosos, repetitivos padrões encaracolados que formavam mechas lisas e enevoadas na lâmina. Sob algumas luzes não dava para ver os padrões, mas ao crepúsculo, ou quando, no inverno, a gente bafejava na lâmina, eles apareciam. Bafo de serpente, era como Brida chamava os padrões, e decidi dar esse nome à espada: Bafo de Serpente. Ealdwulf terminou a lâmina martelando reentrâncias que seguiam pelo centro, de cada lado. Disse que elas ajudavam a espada a não ficar presa na carne do inimigo.

— Canais de sangue — grunhiu ele.

O cabo era feito de ferro, bem como a pesada cruzeta, e ambos eram simples, sem enfeites e grandes. Quando tudo isso estava pronto, esculpi dois pedaços de freixo para fazer o punho. Queria que a espada fosse decorada com prata ou bronze dourado, mas Ealdwulf se recusou.

— É uma ferramenta, senhor — disse ele. — Apenas uma ferramenta. Algo para tornar seu trabalho mais fácil, e não é melhor do que um martelo. — Em seguida ergueu a lâmina para captar a luz do sol. — E um dia — continuou inclinando-se para mim — o senhor matará dinamarqueses com ela.

Bafo de Serpente era pesada, pesada demais para um garoto de 14 anos, mas eu cresceria com ela. Sua ponta se afilava mais do que era do agrado de Ragnar, mas isso a tornava bem equilibrada, porque significava não haver muito peso na extremidade externa da lâmina. Ragnar gostava de peso ali, porque o

Uma infância pagã

ajudava a quebrar escudos inimigos, mas eu preferia a agilidade de Bafo de Serpente, dada pela habilidade de Ealdwulf, e essa habilidade significava que ela jamais se dobrou nem rachou, nunca, já que ainda a tenho. O punho de freixo foi substituído, os gumes foram cegados por lâminas inimigas, e agora ela é mais fina porque foi afiada com muita frequência, mas ainda é bela, e algumas vezes bafejo em seus flancos para ver os padrões emergindo na lâmina, os redemoinhos e fiapos retorcidos, o azul e o prata surgindo no metal como mágica, e me lembro daquela primavera e daquele verão nas florestas da Nortúmbria, e penso em Brida olhando seu reflexo na lâmina recém-terminada.

E existe magia em Bafo de Serpente. Ealdwulf tinha seus próprios feitiços que não quis me contar, os feitiços do ferreiro, e Brida levou a espada para a floresta durante uma noite inteira, e jamais me contou o que fez com ela, e esses eram os feitiços de uma mulher. E quando fizemos o sacrifício no buraco da matança e matamos um homem, um cavalo, um carneiro, um touro e um pato, pedi a Ragnar para usar Bafo de Serpente no homem condenado, para que Odin soubesse que ela existia e cuidasse bem dela. Esses são os feitiços de um pagão e de um guerreiro.

E penso que Odin realmente a viu, porque ela matou mais homens do que consigo lembrar.

O verão terminou antes que Bafo de Serpente ficasse pronta. E então, antes que o outono trouxesse suas tempestades que agitam o mar, fomos para o sul. Era hora de apagar a Inglaterra, por isso navegamos em direção a Wessex.

Cinco

Nós nos reunimos em Eoferwic, onde o patético rei Egbert foi obrigado a inspecionar os dinamarqueses e lhes desejar boa sorte. Ele cavalgou até a margem do rio onde os barcos esperavam, e as tripulações hirsutas se enfileiravam na margem olhando-o cheias de escárnio, sabendo que ele não era um rei de verdade, e atrás dele cavalgavam Kjartan e Sven, agora um homem, que faziam parte de seus guarda-costas. Mas eu supunha que o trabalho deles era tanto manter Egbert prisioneiro quanto mantê-lo vivo. Sven usava uma faixa sobre o olho que faltava, e ele e seu pai pareciam muito mais prósperos. Kjartan usava cota de malha e tinha um gigantesco machado de guerra pendurado no ombro, enquanto Sven tinha uma espada longa, uma cota de pele de raposa e dois braceletes.

— Eles tomaram parte no massacre de Streonshall — disse-me Ragnar. Era o grande convento perto de Eoferwic, e ficou evidente que os homens que tinham se vingado das freiras haviam feito um bom saque.

Kjartan, com uma dúzia de braceletes, olhou nos olhos de Ragnar.

— Eu ainda o serviria — disse ele, mas sem a humildade da última vez em que tinha pedido.

— Tenho um novo comandante — respondeu Ragnar, e não disse mais nada. Kjartan e Sven se afastaram, mas Sven me fez o sinal do mal com a mão esquerda.

O novo comandante se chamava Toki, apelido de Thorbjorn, era um marinheiro esplêndido e guerreiro melhor ainda, que contava histórias de ter remado com os *svear* indo a terras estranhas onde não cresciam árvores a não ser faias, e onde o inverno cobria a terra durante meses. Disse que as pessoas de lá comiam os próprios filhos pequenos, adoravam gigantes e tinham um terceiro olho na nuca. E alguns de nós acreditávamos em suas histórias.

Remamos para o sul na última das marés de verão, grudando-nos à costa como sempre fazíamos e passando as noites em terra, no litoral estéril de Ânglia Oriental. Íamos na direção do rio Temes que, segundo Ragnar, nos levaria para o interior até a fronteira norte de Wessex.

Agora Ragnar comandava a frota. Ivar, o Sem-ossos, tinha voltado às terras que conquistara na Irlanda, levando um presente em ouro de Ragnar para o filho mais velho, enquanto Ubba devastava Darialda, a terra ao norte da Nortúmbria.

— Há pouca coisa a conseguir lá — disse Ragnar com escárnio, mas Ubba, como Ivar, tinha juntado tantos tesouros nas invasões à Nortúmbria, Mércia e Ânglia Oriental que não se incomodava em pegar mais em Wessex. Porém, como vou contar na hora certa, Ubba mudaria de ideia mais tarde e viria para o sul.

Mas por enquanto Ivar e Ubba estavam ausentes, de modo que o ataque principal a Wessex seria comandado por Halfdan, o terceiro irmão, que estava marchando com seu exército terrestre para fora de Ânglia Oriental e iria nos encontrar em algum ponto do Temes. Ragnar não estava feliz com a mudança de comando. Halfdan, murmurou ele, era um idiota impetuoso, cabeça-quente demais, mas animou-se ao se lembrar das minhas histórias sobre Alfredo, confirmando que Wessex era liderado por um homem que punha as esperanças no deus cristão que, como fora demonstrado, não possuía nenhum poder. Nós tínhamos Odin, tínhamos Tor, tínhamos nossos navios, éramos guerreiros.

Depois de quatro dias, chegamos ao Temes, remando contra suas fortes correntezas enquanto o rio se estreitava lentamente sobre nós. Na manhã em que chegamos ao rio, apenas a margem norte, território de Ânglia Oriental, era visível. Mas ao meio-dia a margem sul, que antes era o reino de Kent e agora fazia parte de Wessex, era uma linha fraca no horizonte. À tarde as margens estavam separadas por oitocentos metros, mas havia pouco a ver porque o rio corria através de pântanos planos e sem graça. Usávamos a maré quando podíamos, deixávamos as mãos em bolhas quando não podíamos, e assim prosseguimos rio acima, até que, pela primeira vez, cheguei a Lundene.

Eu achava que Eoferwic era uma cidade, mas Eoferwic era um povoado, em comparação a Lundene. Este era um local vasto, denso de fumaça dos fogos de cozinhar e construído onde Mércia, Ânglia Oriental e Wessex se uniam. Burghred, de Mércia, era o senhor de Lundene, portanto a cidade era agora terra dinamarquesa, e ninguém se opôs quando chegamos à ponte espantosa que se estendia até longe, atravessando o largo Temes.

Lundene. Passei a amar esse local. Não como amo Bebbanburg, mas em Lundene havia uma vida que não encontrei em nenhum outro lugar, porque a cidade não era como nenhum outro lugar. Uma vez Alfredo me contou que todas as maldades sob o sol eram praticadas ali, e fico feliz em dizer que ele estava certo. Alfredo rezava pelo lugar, eu me divertia nele e ainda posso me lembrar de ter ficado boquiaberto diante das duas colinas da cidade enquanto o navio de Ragnar se esforçava contra a corrente para chegar perto da ponte. Era um dia cinzento e uma chuva maligna batia no rio, mas para mim a cidade parecia luzir com uma luz de feitiçaria.

Na verdade eram duas cidades construídas em duas colinas. A primeira, a leste, era a antiga cidade feita pelos romanos, e era ali que a ponte começava e atravessava o rio amplo até os pântanos da margem sul. Essa primeira cidade era um local de construções de pedra e tinha muralha de pedras, uma muralha de verdade, e não de terra e madeira, e sim de alvenaria, alta e larga, cercada por um fosso. O fosso tinha se enchido de entulho e a muralha estava quebrada em alguns lugares, em que fora remendada com madeira, mas o mesmo havia acontecido na cidade propriamente dita, onde os gigantescos prédios romanos eram ladeados por cabanas de madeira em que viviam alguns mércios, mas a maioria relutava em fazer suas casas na velha cidade. Um de seus reis tinha construído um palácio dentro da muralha de pedra. E uma grande igreja, com a metade inferior de alvenaria e as partes superiores de madeira, fora construída em cima da colina, mas a maioria das pessoas, como se temessem os fantasmas romanos, viviam fora dos muros, numa cidade nova feita de madeira e palha que se estendia para o oeste.

A antiga cidade já tivera molhes e cais, mas há muito eles haviam apodrecido, de modo que a margem a leste da ponte era um local traiçoeiro com troncos podres e píeres partidos que golpeavam o rio como dentes quebrados.

Uma infância pagã

A nova cidade, como a antiga, ficava na margem norte do rio, mas era construída numa colina baixa a oeste, a oitocentos metros da antiga, rio acima, e tinha uma única praia que subia até as casas ao longo da estrada marginal. Nunca vi uma praia tão imunda, tão fedorenta de carcaças e merda, tão coberta de lixo, tão estranha, com as costelas gosmentas de navios abandonados e ruidosa com os gritos das gaivotas, mas era para lá que nossos barcos tinham de ir, e isso significava que primeiro precisaríamos passar pela ponte.

Só os deuses sabem como os romanos haviam construído uma coisa daquelas. Era possível andar de um lado a outro de Eoferwic e não ter caminhado o equivalente a toda a extensão da ponte de Lundene, mas naquele ano de 871 a ponte estava quebrada e não era mais possível caminhar por toda a sua extensão. Dois arcos no centro tinham desmoronado havia muito, mas os antigos pilares romanos que tinham sustentado a estrada desaparecida continuavam lá, e o rio espumava traiçoeiro quando suas águas passavam rápidas pelos pilares quebrados. Para fazer a ponte, os romanos tinham cravado pilares no leito do Temes, depois fizeram o mesmo no emaranhado de pântanos fétidos na margem sul, e os pilares ficavam tão perto uns dos outros que a água se juntava do lado mais distante e depois caía através das aberturas num jorro brilhante. Para chegar à praia suja perto da cidade nova precisávamos passar por uma das duas aberturas, mas nenhuma das duas tinha largura suficiente para deixar passar um navio com os remos estendidos.

— Será interessante — disse Ragnar secamente.

— Podemos fazer? — perguntei.

— Eles fizeram — respondeu ele, apontando para navios ancorados rio acima, do outro lado da ponte. — Portanto podemos. — Tínhamos ancorado esperando a chegada do resto da frota. — Os francos vêm fazendo pontes assim em todos os seus rios. Sabe por quê?

— Para atravessar? — Parecia uma resposta óbvia.

— Para impedir que nós naveguemos rio acima — disse Ragnar. — Se eu governasse Lundene consertaria essa ponte, portanto vamos agradecer porque os ingleses não se incomodaram com isso.

Vencemos a abertura da ponte esperando a chegada do coração da maré montante. A maré corre mais forte na metade do tempo entre a vazante e a montante, e isso trouxe um jorro de água que diminuiu a corrente que cascateava entre os pilares. Nesse curto tempo pudemos passar sete ou oito navios, e isso foi feito remando-se a toda velocidade em direção à abertura e, no último minuto, levantando os remos para não bater nos pilares. O ímpeto do navio o fazia atravessar. Nem todos os navios conseguiram na primeira tentativa. Eu vi dois deslizarem para trás, bater contra um pilar com o estalo de tábuas se partindo, depois voltar rio abaixo com as tripulações xingando, mas o *Víbora do Vento* conseguiu, quase parando logo depois da ponte, mas conseguimos colocar os remos da frente na água, fizemos força e, centímetro a centímetro, nos esgueiramos para longe da abertura que sugava. Depois homens de dois navios ancorados rio acima conseguiram nos lançar cordas e nos puxaram para longe da ponte, até que de repente estávamos em águas mansas e pudemos remar para a praia.

Na margem sul, para além dos pântanos escuros, onde árvores cresciam em morros baixos, cavaleiros nos observavam. Eram saxões do oeste e deviam estar contando os navios para avaliar o tamanho do Grande Exército. Era como Halfdan o chamava, o Grande Exército dos Dinamarqueses, que viera tomar toda a Inglaterra, mas até agora éramos qualquer coisa, menos grandes. Iríamos esperar em Lundene para que mais navios chegassem e mais homens marchassem pelas compridas estradas romanas vindas do norte. Wessex podia esperar um tempo enquanto os dinamarqueses se reuniam.

Enquanto esperávamos, Brida, Rorik e eu exploramos Lundene. Rorik estivera doente outra vez, e Sigrid havia relutado em deixá-lo viajar com o pai, mas Rorik implorou. Ragnar garantiu a ela que a viagem por mar curaria todas as doenças do garoto, e, portanto, estávamos aqui. Ele estava pálido, mas não doente, e se mostrava tão empolgado quanto eu para ver a cidade. Ragnar fez com que eu deixasse meus braceletes e Bafo de Serpente porque, segundo disse, a cidade estava cheia de ladrões. Caminhamos primeiro pela parte nova, passando por becos fedorentos onde as casas eram cheias de homens que trabalhavam couro, batiam o bronze e forjavam ferro. Mulheres sentavam-se diante de teares, um rebanho de ovelhas estava sendo abatido num pátio e havia lojas vendendo cerâmica, sal, enguias vivas, pão, roupas, armas, qualquer coisa imaginável. Sinos de igreja faziam um clamor horrendo em todas

Uma infância pagã

as horas de rezar ou sempre que um cadáver era levado para ser enterrado nos cemitérios da cidade. Matilhas de cães percorriam as ruas, milhafres vermelhos faziam ninhos em toda parte, e a fumaça pairava como névoa sobre a palha dos tetos que tinha ficado de um preto opaco. Vi uma carroça tão cheia de junco para telhados a ponto de ficar escondida sob a carga que balançava roçando o chão e batendo nas construções de cada lado da rua, enquanto dois sujeitos escravizados guiavam e chicoteavam os bois ensanguentados. Homens gritavam com eles dizendo que a carga era grande demais, mas eles continuaram chicoteando. Então uma briga irrompeu quando a carroça arrancou um grande pedaço da cobertura podre de uma casa. Havia mendigos em toda parte; crianças cegas, mulheres sem pernas, um homem com uma úlcera na bochecha minando água. Havia pessoas falando línguas que eu nunca tinha ouvido, pessoas com roupas estranhas que tinham vindo do outro lado do mar. E na cidade velha, que exploramos no dia seguinte, vi dois homens com pele cor de castanhas. Mais tarde Ravn me disse que eles vinham de Blaland, mas não tinha certeza de onde ficava isso. Eles usavam mantos grossos, tinham espadas curvas e falavam com um vendedor de escravos cujo prédio estava cheio de ingleses que seriam embarcados para a misteriosa Blaland. O vendedor gritou conosco:

— Vocês três pertencem a alguém?

Só estava meio brincando.

— Ao *earl* Ragnar, que adoraria fazer uma visita a você — disse Brida.

— Deem meus respeitos ao seu senhor — disse o vendedor, depois cuspiu e ficou olhando enquanto nos afastávamos.

Os prédios da cidade antiga eram extraordinários. Eram obra romana, altos e fortes, e, mesmo que suas paredes estivessem quebradas e os tetos tivessem caído, ainda espantavam. Alguns tinham três ou até quatro andares, e nós nos perseguíamos subindo e descendo as escadas abandonadas. Poucos ingleses moravam aqui, mas agora muitos dinamarqueses ocupavam as casas à medida que o exército se reunia. Brida disse que pessoas sensatas não viveriam numa cidade romana por causa dos fantasmas que assombravam os prédios antigos, e talvez estivesse certa, mas eu nunca tinha visto fantasmas em Eoferwic. No entanto sua menção a espectros nos deixou assustados enquanto olhávamos por uma escada que descia até um escuro porão cheio de colunas.

Ficamos em Lundene durante semanas, e mesmo quando o exército de Halfdan nos alcançou não fomos para o oeste. Bandos montados partiram para conseguir comida, mas o Grande Exército ainda se reunia, e alguns homens resmungavam que estávamos esperando demais, que os saxões do oeste estavam ganhando um tempo precioso para se preparar, mas Halfdan insistiu na demora. Algumas vezes os saxões do oeste chegavam perto da cidade, e em duas ocasiões houve lutas entre nossos cavaleiros e os deles, mas depois de um tempo, à medida que o Yule se aproximava, os saxões do oeste devem ter decidido que não faríamos nada até o fim do inverno e suas patrulhas pararam de se aproximar da cidade.

— Não estamos esperando a primavera — disse-me Ragnar. — E sim o auge do inverno.

— Por quê?

— Porque nenhum exército marcha no inverno — disse com ar lupino. — Portanto todos os saxões do oeste estarão em casa, sentados ao redor das fogueiras e rezando ao seu deus fracote. Na primavera, Uhtred, toda a Inglaterra será nossa.

Todos trabalhamos naquele início de inverno. Eu carregava lenha, e, quando não estava carregando toras das colinas cobertas de árvores ao norte da cidade, estava aprendendo a usar a espada. Ragnar tinha pedido a Toki, seu novo comandante, para ser meu professor, e ele era bom. Observou-me ensaiar os cortes básicos, depois mandou esquecê-los.

— Numa parede de escudos — disse ele — o que vence é a selvageria. A habilidade ajuda, e é bom ser inteligente, mas a selvageria vence. Pegue um desses — ele estendeu um *sax* de lâmina grossa, muito mais grossa que a do meu antigo. Eu desprezava o *sax* porque era muito mais curto do que Bafo de Serpente, e muito menos bonito, mas Toki usava um ao lado de sua espada de verdade, e me convenceu de que na parede de escudos a lâmina curta e forte era melhor. — Você não tem espaço para girar a espada na parede de escudos, mas pode estocar, e uma lâmina curta usa menos espaço numa luta apertada. Agache-se, dê uma estocada e levante a lâmina até a virilha deles. — Toki fez Brida segurar um escudo e fingir que era o inimigo, e então, comigo à esquerda, deu um golpe por cima e ela instintivamente levantou o escudo. — Para!

Uma infância pagã

— disse, e ela se imobilizou. — Está vendo? — disse-me, apontando para o escudo levantado. — Seu parceiro faz o inimigo levantar o escudo e você pode cortar a virilha dele.

Toki me ensinou uma dúzia de outros movimentos e eu treinei porque gostava, e quanto mais treinava, mais músculos ganhava e mais hábil me tornava.

Em geral treinávamos na arena romana. Era como Toki chamava o lugar, a arena, mas nem ele nem eu fazíamos ideia do significado da palavra. Mas era um local de coisas extraordinárias, espantosas. Imagine um espaço aberto tão grande quanto um campo, rodeado por um grande círculo de pedra em degraus, onde agora crescia mato na argamassa meio desmoronada. Os mércios, como fiquei sabendo mais tarde, tinham feito suas assembleias populares aqui, mas Toki disse que os romanos o usavam para demonstrações de lutas em que homens morriam. Talvez essa fosse outra de suas histórias fantásticas, mas a arena era gigantesca, inimaginavelmente enorme, uma coisa misteriosa, obra de gigantes, tornando-nos anões, tão grande que todo o Grande Exército poderia ter se reunido lá dentro e ainda haveria espaço para mais dois exércitos, do mesmo tamanho, nos assentos em degraus.

A época do Yule chegou, a festa do inverno aconteceu, o exército vomitou nas ruas e ainda assim não marchamos. Mas pouco depois os líderes do Grande Exército se reuniram no palácio perto da arena. Brida e eu, como sempre, recebemos a tarefa de ser os olhos de Ravn. E ele, como sempre, nos dizia o que estávamos vendo.

A reunião aconteceu na igreja do palácio, uma construção romana com teto em forma de meio barril em que tinham pintado a lua e as estrelas, mas a tinta azul e dourada estava se descascando e desbotava. Uma grande fogueira fora acesa no centro da igreja e enchia o teto alto com fumaça em redemoinhos. Halfdan presidiu a reunião do altar, e ao redor dele estavam os principais *earls*. Um era um homem feio com rosto rombudo, grande barba castanha e um dedo faltando na mão esquerda.

— É Bagseg — disse-nos Ravn. — Ele se diz rei, mas não é melhor do que ninguém. — Parecia que Bagseg tinha vindo da Dinamarca no verão, trazendo 18 navios e quase seiscentos homens. Perto dele estava um homem alto e soturno de cabelos brancos e um rosto que vivia se retorcendo. — É o *earl* Sidroc — informou Ravn. — E o filho deve estar com ele, não é?

— Um homem magro com nariz pingando — disse Brida.

— O *earl* Sidroc, o Jovem. Ele vive fungando. Meu filho está lá?

— Sim — disse eu —, perto de um homem muito gordo que fica sussurrando para ele e rindo.

— Harald! — exclamou Ravn. — Eu estava pensando se ele apareceria. É outro rei.

— Verdade? — perguntou Brida.

— Bem, ele se diz rei. E certamente governa alguns campos lamacentos e um rebanho de porcos fedorentos.

Todos aqueles homens tinham vindo da Dinamarca, e havia outros. O *earl* Fraena havia trazido homens da Irlanda, e o *earl* Osbern fornecera a guarnição para Lundene enquanto o exército se reunia. E juntos esses reis e *earls* tinham reunido bem mais de dois mil homens.

Osbern e Sidroc propuseram atravessar o rio e atacar diretamente ao sul. Isso, segundo eles, cortaria Wessex ao meio. E a parte leste, que antes havia sido o reino de Kent, poderia ser tomada rapidamente.

— Deve haver muitos tesouros em Contwaraburg — insistiu Sidroc. — É o templo central da religião deles.

— E enquanto marchamos contra o templo deles — disse Ragnar —, eles virão por trás de nós. O poder deles não está no leste, e sim no oeste. Se derrotarmos o oeste, todo Wessex cairá. Podemos tomar Contwaraburg assim que tivermos derrotado o oeste.

Essa era a discussão. Tomar a parte mais fácil de Wessex ou atacar suas principais fortalezas que ficavam no oeste, e foi pedido que dois mercadores falassem. Ambos eram dinamarqueses que tinham comerciado em Readingum havia apenas duas semanas. Readingum ficava alguns quilômetros rio acima e nos limites de Wessex, e eles diziam ter ouvido falar que o rei Æthelred e seu irmão, Alfredo, estavam reunindo as forças dos condados do oeste, e os dois mercadores achavam que o exército inimigo teria pelo menos três mil homens.

— Dos quais apenas trezentos serão lutadores de verdade — exclamou Halfdan sarcasticamente, e foi recompensado pelo som de homens batendo

Uma infância pagã

as espadas e lanças contra os escudos. Foi enquanto esse ruído ecoava sob o teto em barril da igreja que um novo grupo de guerreiros entrou, liderados por um homem muito alto e muito corpulento vestido com túnica preta. Ele parecia formidável, barbeado, furioso e muito rico, já que sua capa preta tinha um enorme broche de âmbar montado em ouro, os braços estavam pesados de argolas de ouro e ele usava um martelo de ouro numa grossa corrente, também de ouro, ao pescoço. Os guerreiros abriram caminho para ele e o silêncio se espalhou enquanto o sujeito andava pela igreja até que o humor, que fora de comemoração, de repente ficou cauteloso.

— Quem é? — sussurrou Ravn para mim.

— Muito alto — respondi —, muitos braceletes.

— Mal-humorado — completou Brida —, vestido de preto.

— Ah! O *earl* Guthrum — disse Ravn.

— Guthrum?

— Guthrum, o Sem-sorte — respondeu Ravn.

— Com todos aqueles braceletes?

— Você poderia dar o mundo a Guthrum — explicou Ravn —, e mesmo assim ele acreditaria que foi trapaceado.

— Ele tem um osso pendurado no cabelo — disse Brida.

— Você deve perguntar a ele sobre isso — respondeu Ravn, evidentemente achando divertido, mas não quis falar mais sobre o osso, que era uma costela e tinha ouro na ponta.

Fiquei sabendo que Guthrum, o Sem-sorte, era um *earl* da Dinamarca que passara o inverno em Beamfleot, local que ficava a uma boa distância a leste de Lundene, no lado norte do estuário do Temes. Assim que cumprimentou os homens reunidos no altar, ele anunciou que tinha trazido 14 navios rio acima. Ninguém aplaudiu. Guthrum, que tinha o rosto mais triste e azedo que eu já vira, olhou para a assembleia como alguém que estivesse sendo julgado e esperasse um veredicto ruim.

Ragnar quebrou o silêncio desconfortável.

— Nós tínhamos decidido ir para o oeste. — Essa decisão não fora tomada, mas ninguém contradisse Ragnar. — Os navios que já passaram pela ponte levarão suas tripulações rio acima, e o resto do exército marchará a pé, a cavalo.

— Meus navios devem subir o rio — disse Guthrum.

— Eles passaram pela ponte?

— Mesmo assim eles irão rio acima — insistiu Guthrum, deixando claro que seus navios estavam abaixo da ponte.

— Seria melhor se fôssemos amanhã — disse Ragnar.

Nos últimos dias todo o Grande Exército tinha se reunido em Lundene, marchando a partir dos povoados a leste e norte, onde alguns haviam se alojado, e quanto mais esperássemos, mais do precioso suprimento de comida seria consumido.

— Meus navios subirão o rio — disse Guthrum peremptoriamente.

— Ele está preocupado com a hipótese de não poder carregar os saques a cavalo — sussurrou Ravn para mim. Quer os navios para poder enchê-los com tesouros.

— Por que deixá-lo ir? — perguntei. Estava claro que ninguém gostava do *earl* Guthrum, e sua chegada pareceu tão inoportuna quanto inconveniente, mas Ravn simplesmente desconsiderou a pergunta. Guthrum, acreditava-se, estava ali e, se estava ali, deveria participar. Isso ainda me parece incompreensível, assim como eu ainda não entendia por que Ivar e Ubba não estavam se juntando ao ataque contra Wessex. Era verdade que os dois eram ricos e não precisavam de mais riquezas, mas durante anos tinham falado em conquistar os saxões do oeste e agora ambos haviam simplesmente dado as costas. Guthrum também não precisava de terras e riquezas, mas achava que precisava, por isso veio. Esse era o estilo dinamarquês. Os homens participavam de uma campanha se quisessem, ou então ficavam em casa, e não havia uma autoridade única entre eles. Halfdan era o líder ostensivo do Grande Exército, mas não amedrontava os homens como seus dois irmãos mais velhos, por isso não podia fazer nada sem a concordância dos outros chefes. Um exército, como aprendi com o tempo, precisa de cabeça. Precisa de um homem para liderá-lo, mas dê dois líderes a um exército e você dividirá sua força ao meio.

Demorou dois dias para que os navios de Guthrum passassem pela ponte. Eram lindos, maiores do que a maioria das embarcações dinamarquesas, e cada um tinha a proa e a popa decoradas com cabeças de serpente pintadas. Todos os seus homens, e eles eram muitos, usavam preto. Até os escudos

Uma infância pagã

eram pintados de preto, e mesmo eu achando que Guthrum devia ser um dos homens mais sofridos que eu já vira, precisava confessar que suas tropas eram impressionantes. Podíamos ter perdido dois dias, mas tínhamos ganhado os guerreiros negros.

E o que havia a temer? O Grande Exército tinha se reunido, era o meio do inverno, quando ninguém lutava, portanto o inimigo não deveria estar nos esperando, e esse inimigo era liderado por um rei e um príncipe mais interessados em rezar do que em lutar. Todo o reino de Wessex estava diante de nós, e a fama dizia que Wessex era um dos países mais ricos do mundo, rivalizando com os tesouros de Frankia, e habitado por monges e freiras cujas casas eram atulhadas de ouro, transbordando de prata e prontas para a chacina. Todos seríamos ricos.

Então fomos à guerra.

Navios no Temes invernal. Navios passando por juncos quebradiços, salgueiros sem folhas e amieiros nus. As pás molhadas dos remos brilhando ao sol pálido. As proas de nossos navios estavam com suas feras para subjugar os espíritos da terra que invadíamos, e era uma terra boa, com campos ricos, mas todos estavam desertos. Havia quase um ar de celebração naquela viagem breve, uma celebração que não era estragada pelos navios escuros de Guthrum. Homens caminhavam sobre os remos, o mesmo feito que eu tinha visto Ragnar executando naquele dia distante em que seus três navios tinham aparecido perto de Bebbanburg. Eu mesmo tentei e provoquei uma agitação enorme quando caí. Parecia fácil correr ao longo dos remos, saltando de um ao outro, mas um remador só precisaria torcer o remo para o sujeito escorregar, e a água do rio estava tremendamente fria, por isso Ragnar me fez despir as roupas molhadas e usar sua capa de pele de urso até me esquentar. Homens cantavam, os navios faziam força contra a corrente, os morros distantes ao norte e ao sul lentamente se fechavam sobre as margens, e à medida que a noite chegava vimos os primeiros cavaleiros no horizonte sul. Vigiando-nos.

Chegamos a Readingum ao crepúsculo. Cada um dos três navios de Ragnar estava cheio de pás, muitas delas forjadas por Ealdwulf, e nossa primeira tarefa foi começar a fazer uma muralha. À medida que mais navios chegavam, mais homens ajudavam, e ao anoitecer nosso acampamento estava protegido por um muro de terra comprido e irregular, que de jeito nenhum seria obstáculo para uma força agressora, porque era apenas um monte baixo e fácil de atravessar. Mas ninguém veio ao ataque e nenhum exército de Wessex apareceu na manhã seguinte, por isso ficamos livres para fazer o muro mais alto e mais formidável.

Readingum era construída onde o rio Kenet penetra no Temes, assim nosso muro foi erguido entre os dois rios. Ele envolvia a pequena cidade que fora abandonada pelos habitantes e forneceu abrigo para a maioria das tripulações dos navios. O exército terrestre ainda estava fora de nossa vista, porque tinha marchado ao longo da margem norte do Temes, em território mércio, e estava procurando um vau que foi encontrado mais acima no rio, de modo que nosso muro estava praticamente acabado quando eles chegaram. A princípio pensamos que era o exército dos saxões do oeste, mas eram os homens de Halfdan, marchando do território inimigo que eles haviam encontrado deserto.

Agora a muralha estava alta, e como havia florestas densas ao sul, cortamos árvores para fazer uma paliçada sobre toda a extensão, que era de cerca de oitocentos passos. Diante do muro cavamos um fosso que foi inundado quando chegamos às margens dos dois rios, e ao longo do fosso estávamos fazendo quatro pontes guardadas por fortes de madeira. Essa era a nossa base. Dali poderíamos marchar para o interior de Wessex, porque, com tantos homens, e agora cavalos, dentro da muralha, havia o risco de fome, a não ser que encontrássemos suprimentos de grãos, feno e gado. Nos navios tínhamos trazido barris de cerveja e uma grande quantidade de farinha, carne salgada e peixe seco, mas era espantosa a rapidez com que esses grandes suprimentos diminuíam.

Quando falam de guerra, os poetas citam a parede de escudos, falam das lanças e flechas voando, de lâmina batendo em escudo, dos heróis que caem e dos espólios dos vitoriosos, mas eu descobriria que a guerra tem a ver com comida. Alimentar homens e cavalos. Encontrar comida. O exército que come vence. E se você mantém cavalos numa fortaleza, a guerra tem a ver com tirar esterco. Apenas dois dias depois da chegada do exército terrestre a Readingum estávamos com pouca comida, e os dois Sidrocs, pai e filho, lideraram uma grande força para o oeste, em território inimigo, para encontrar depósitos de comida para homens e cavalos. Em vez disso encontraram o *fyrd* de Berrocscire.

Mais tarde ficamos sabendo que, afinal de contas, a ideia de atacar no inverno não era surpresa para os saxões do oeste. Os dinamarqueses eram bons em espionar, seus mercadores exploravam os lugares aonde os guerreiros iriam, mas os saxões do oeste tinham seus homens em Lundene e eles sabiam quantos éramos e quando iríamos marchar, e tinham montado um exército para nos receber. Também haviam pedido ajuda aos homens do sul de Mércia, onde o domínio dinamarquês era mais fraco. Berrocscire ficava imediatamente ao norte da fronteira de Wessex, e os homens de Berrocscire tinham atravessado o rio para ajudar os vizinhos. Seu *fyrd* era liderado por um *ealdorman* chamado Æthelwulf.

Seria o meu tio? Havia muitos homens chamados Æthelwulf, mas quantos eram *ealdormen* em Mércia? Admito que me senti estranho quando ouvi o nome, e pensei na mãe que jamais conheci. Em minha mente ela era uma mulher sempre gentil, sempre suave, sempre amorosa, e eu pensava que ela devia estar me vigiando de algum lugar, do céu, de Asgard ou de onde quer que nossas almas ficassem na longa escuridão, e sabia que ela odiaria por eu estar com o inimigo que marchava contra seu irmão, por isso, naquela noite, fiquei mal-humorado.

Mas o Grande Exército também estava, porque meu tio, se Æthelwulf era de fato meu tio, havia derrotado os dois *earls*. O grupo de busca de comida tinha caído numa emboscada e os homens de Berrocscire haviam matado 21 dinamarqueses e tomado oito como prisioneiros. Os ingleses também tinham perdido alguns homens e cedido um prisioneiro, mas haviam conseguido a vitória, e não fazia diferença se os dinamarqueses estavam em menor número. Os dinamarqueses esperavam vencer, e em vez disso tinham sido caçados até em casa sem a comida de que precisávamos. Sentiam vergonha e um tremor atravessou o exército porque os homens não achavam que meros ingleses pudessem derrotá-los.

Ainda não estávamos passando fome, mas os cavalos tinham pouquíssimo feno que, de qualquer modo, não era a melhor comida para eles, mas não possuíamos aveia, de modo que as equipes de busca de comida simplesmente cortavam qualquer capim de inverno que pudéssemos encontrar além de nossa muralha cada vez maior, e no dia seguinte à vitória de Æthelwulf, Rorik, Brida e eu estávamos num desses grupos, cortando o capim com facas compridas e enchendo sacos com o alimento pobre, quando o exército de Wessex chegou.

Deviam ter sido encorajados pela vitória de Æthelwulf, já que agora todo o exército inimigo atacou Readingum. A primeira coisa que percebi foi o som de gritos vindo de longe no oeste, depois vi cavaleiros galopando em meio às nossas equipes de busca de alimentos, golpeando com espadas ou furando homens com lanças, e nós três simplesmente corremos. Ouvi cascos atrás e dei uma olhada. Vi um homem cavalgando para nós com uma lança e soube que um de nós poderia morrer. Segurei a mão de Brida para arrastá-la fora do caminho dele e nesse momento uma flecha disparada da muralha de Readingum bateu no rosto do sujeito e ele se virou para longe, com sangue escorrendo da bochecha. Enquanto isso os homens em pânico se amontoavam ao redor das duas pontes centrais e os cavaleiros saxões, ao ver aquilo, galoparam na direção deles. Nós três atravessamos o fosso meio vadeando, meio nadando, e dois homens nos puxaram por cima da muralha, molhados, enlameados e tremendo.

Agora era o caos lá fora. Os que tinham ido procurar comida, amontoados do lado mais distante do fosso, estavam sendo trucidados. Então a infantaria de Wessex apareceu, bando após bando emergindo das florestas distantes e enchendo os campos. Corri para a casa onde Ragnar estava alojado e encontrei Bafo de Serpente sob os mantos, onde eu a escondia. Prendi-a na cintura e corri para encontrar Ragnar. Ele tinha ido para o norte, para a ponte perto do Temes. Brida e eu alcançamos seus homens lá.

— Você não deveria ter vindo — falei a Brida. — Fique com Rorik.

Rorik era mais novo do que nós e, depois de se encharcar no fosso, tinha começado a tremer e sentir-se doente, e eu o obriguei a ficar para trás.

Brida me ignorou. Tinha se equipado com uma lança e parecia empolgada, mas por enquanto nada estava acontecendo. Ragnar olhava por cima da muralha e mais homens se reuniam junto ao portão, mas Ragnar não o abriu para atravessar a ponte. Olhou para trás, para ver quantos homens possuía.

Uma infância pagã

— Escudos! — gritou, já que, na pressa, alguns tinham vindo apenas com espadas ou machados, e esses agora corriam para pegar os escudos. Eu não tinha escudo, mas também não deveria estar ali, e Ragnar não me viu.

O que viu foi o fim de uma chacina enquanto os cavaleiros saxões do oeste destroçavam os últimos da equipe de busca de comida. Alguns inimigos foram derrubados por nossas flechas, mas nem os dinamarqueses nem os ingleses possuíam muitos arqueiros. Eu gosto de arqueiros. Eles podem matar a grande distância e, mesmo que suas flechas não matem, deixam o inimigo nervoso. Avançar contra flechas é um negócio cego, porque você precisa manter a cabeça abaixo da borda do escudo, mas atirar com um arco exige grande habilidade. Parece fácil, e toda criança tem um arco e algumas flechas, mas um arco de homem, um arco capaz de matar um cervo a cem passos, é um negócio enorme, esculpido em teixo, e precisa de força gigantesca para ser curvado. E as flechas voam loucamente a não ser que o homem tenha treinado constantemente, por isso nunca tínhamos mais do que um punhado de arqueiros. Eu nunca dominei o arco. Com lança, machado ou espada era letal, mas com arco era, como a maioria dos homens, inútil.

Algumas vezes me pergunto por que não ficamos atrás de nossa muralha. Ela estava praticamente pronta e para alcançá-la os inimigos seriam obrigados a atravessar o fosso ou se espremer nas quatro pontes, e seriam forçados a fazer isso sob uma chuva de flechas, lanças e machados de atirar. Certamente teriam fracassado, mas então poderiam nos sitiar atrás da muralha. Por isso Ragnar decidiu atacá-los. Não somente Ragnar. Enquanto ele juntava seus homens no portão norte, Halfdan fazia o mesmo na ponta sul, e quando ambos acreditavam que tinham homens suficientes, e enquanto a infantaria do inimigo ainda estava a cerca de duzentos passos de distância, Ragnar ordenou que o portão fosse aberto e liderou seus homens para fora.

O exército dos saxões, sob a grande bandeira do dragão, estava avançando para as pontes centrais, evidentemente achando que a carnificina ali era uma certeza de mais mortes. Eles não tinham escadas, de modo que não sei como achavam que iriam atravessar a muralha recém-construída, mas algumas vezes, na batalha, baixa uma espécie de loucura e os homens fazem coisas sem razão. Os homens de Wessex não tinham motivo para se concentrar no centro de nossa muralha, em especial porque não podiam esperar atravessá-la, mas fizeram isso, e agora nossos homens saíram em bandos dos dois portões dos flancos, atacando-os pelo norte e pelo sul.

— Parede de escudos! — rugiu Ragnar. — Parede de escudos!

Dá para ouvir uma parede de escudos sendo montada. Os melhores escudos são feitos de tília, ou então de salgueiro, e a madeira bate quando os homens os sobrepõem. O lado esquerdo do escudo fica diante do lado direito do escudo do vizinho, desse modo o inimigo, que na maioria é de homens destros, deve tentar golpear entre duas camadas de madeira.

— Apertem bem! — gritou Ragnar. Ele estava na frente da parede de escudos, diante de seu maltrapilho estandarte da asa de águia, e era um dos poucos homens com elmo caro, que iria marcá-lo para o inimigo como um chefe, um homem a ser morto. Ragnar ainda usava o elmo do meu pai, o belo elmo feito por Ealdwulf, com a cobertura de rosto e os engastes de prata. Também usava uma cota de malha, de novo era um dos poucos a possuir um tesouro daqueles. A maioria tinha armaduras de couro.

O inimigo estava se virando para fora, para nos enfrentar, fazendo sua própria parede de escudos, e eu vi um grupo de cavaleiros galopando pelo centro deles, atrás da bandeira do dragão. Pensei ter visto o cabelo ruivo de Beocca entre eles, e isso me deu certeza de que Alfredo estava ali, provavelmente em meio a um monte de padres com batinas pretas que sem dúvida rezavam pela nossa morte.

A parede de escudos dos saxões do oeste era mais longa do que a nossa. Não era somente mais longa, como também mais grossa, já que a nossa tinha na parte traseira três fileiras de homens, e a deles tinha cinco ou seis. O bom senso ditaria que ficássemos onde estávamos e os deixássemos atacar, ou que recuássemos de volta pela ponte e pelo fosso, mas um número maior de dinamarqueses ia chegando para engrossar as fileiras de Ragnar, e o próprio Ragnar não estava com clima para ser sensato.

— Apenas matem! — gritou ele. — Apenas matem! Matem! — Em seguida liderou a fileira, avançando. E sem qualquer pausa os dinamarqueses deram um grande grito de guerra e avançaram com ele. Em geral as paredes de escudos passam horas olhando uma para a outra, gritando insultos, ameaçando e juntando coragem para aquele que é o momento mais medonho, quando madeira encontra madeira e lâmina encontra lâmina. Mas o sangue de Ragnar estava incendiado e ele não se importava. Simplesmente atacou.

Esse ataque não fazia sentido, mas Ragnar estava furioso. Fora ofendido pela vitória de Æthelwulf e se sentia insultado pelo modo como os cavaleiros deles tinham matado nossa equipe de busca de alimentos, e só queria penetrar nas fileiras de Wessex. E de algum modo sua paixão se espalhou entre os homens, de modo que eles uivavam enquanto corriam para a frente. Há algo terrível nos homens ansiosos pela batalha.

Um instante antes de os escudos se chocarem, nossos homens da retaguarda atiraram suas lanças. Alguns tinham três ou quatro lanças que foram atiradas uma depois da outra, passando sobre a cabeça de nossas fileiras da frente. Também havia lanças vindo contra nós, e eu peguei uma do chão e a atirei de volta com o máximo de força que pude.

Eu estava na fileira de trás, empurrado para lá pelos homens que me disseram para ficar fora do caminho, mas avancei com eles. Brida, rindo com malícia, foi comigo. Eu lhe disse para voltar à cidade, mas ela simplesmente fez uma careta para mim e então ouvi o estrondo. O trovão de madeira, de escudos encontrando escudos. Isso foi acompanhado pelo som de lanças acertando a madeira de tília, o ressoar de lâmina contra lâmina, mas não vi nada porque não tinha altura suficiente, mas o choque das paredes de escudos fez os homens à minha frente darem um passo atrás, e logo estavam pressionando para a frente de novo, tentando forçar sua fileira da frente a atravessar os escudos dos saxões. O lado direito de nossa parede estava se dobrando para trás, onde o inimigo se estendia além do nosso flanco, mas nossos reforços corriam para lá, e os saxões do oeste não tiveram coragem de atacar. Aqueles saxões tinham estado na retaguarda do exército que avançava, e a retaguarda é sempre o lugar onde os tímidos se congregam. A verdadeira luta estava à minha frente e o ruído ali era de golpes, a bossa de ferro dos escudos batendo na madeira, lâminas contra escudos, pés se arrastando, o clangor das armas e algumas poucas vozes além das que gemiam de dor ou soltavam um grito súbito. Brida ficou de quatro e passou entre as pernas dos homens que estavam à sua frente, e vi que ela estava impelindo a lança para dar o golpe por baixo da borda do escudo. Acertou o tornozelo de um homem, ele tropeçou, um machado caiu. Surgiu uma abertura na linha dos inimigos e nossa linha se curvou para a frente, e eu fui atrás, usando Bafo de Serpente como uma lança, golpeando as botas dos homens. Então Ragnar deu um rugido poderoso, um grito para agitar os deuses nos grandes salões celestiais de Asgard. E o grito pedia mais um grande esforço. Espadas cortaram, machados giraram e pude sentir o inimigo recuando da fúria dos nórdicos.

Que o bom Senhor nos salve.

Agora sangue no capim, tanto sangue que o chão estava escorregadio e havia corpos que tinham de ser pisados enquanto nossa parede de escudos avançava, deixando Brida e eu para trás, e vi que as mãos dela estavam vermelhas porque o sangue tinha escorrido pelo comprido cabo de sua lança. Ela lambeu o sangue e me deu um sorriso maroto. Os homens de Halfdan estavam lutando com o outro lado do inimigo, seu ruído de batalha subitamente mais alto do que o nosso porque os saxões do oeste estavam recuando do ataque de Ragnar, mas um homem, alto e forte, resistia a nós. Tinha cota de malha com cinturão de couro vermelho e um elmo ainda mais glorioso do que o de Ragnar, já que possuía um javali de prata modelado no topo. E por um momento pensei que poderia ser o próprio rei Æthelred, mas aquele homem era alto demais, e Ragnar gritou para seus homens ficarem de lado enquanto ele brandia a espada contra o inimigo com elmo de javali, que aparou o golpe com o escudo e respondeu com a espada. Ragnar recebeu a lâmina no escudo e impeliu com ele para se chocar contra o homem que recuou e tropeçou num cadáver. Ragnar brandiu a espada por cima, como se estivesse matando um boi, e a lâmina bateu contra a cota de malha enquanto um grupo de inimigos vinha salvar seu senhor.

Uma carga de dinamarqueses os recebeu, escudos contra escudos, e Ragnar estava rugindo sua vitória e golpeando o homem caído. E de repente não havia mais homens de Wessex resistindo a nós, a não ser que estivessem mortos ou feridos, e seu exército fugia, o rei e o príncipe esporeando os cavalos rodeados por padres, e nós zombamos e xingamos, dissemos que eles eram mulheres, que lutavam como meninas, que eram covardes.

Uma infância pagã

E então descansamos, recuperando o fôlego num campo de sangue, nossos próprios cadáveres em meio aos inimigos mortos, e então Ragnar me avistou, avistou Brida e riu.

— O que vocês dois estão fazendo aqui?

Como resposta Brida levantou sua lança ensanguentada e Ragnar olhou para Bafo de Serpente, vendo a ponta vermelha.

— Idiotas — disse ele, mas com carinho, e então um dos nossos homens trouxe um prisioneiro saxão e o fez inspecionar o senhor que Ragnar tinha matado.

— Quem é ele? — perguntou Ragnar.

Traduzi para o homem.

O prisioneiro fez o sinal da cruz.

— É o senhor Æthelwulf.

E eu não disse nada.

— O que ele falou? — perguntou Ragnar.

— É o meu tio — respondi.

— Ælfric? — Ragnar estava pasmo. — Ælfric da Nortúmbria?

Balancei a cabeça.

— É o irmão da minha mãe, Æthelwulf de Mércia. — Eu não sabia se ele era o irmão da minha mãe, talvez houvesse outro Æthelwulf em Mércia, mas mesmo assim tinha certeza de que esse era Æthelwulf, meu parente, o homem que tinha conseguido a vitória sobre os *earls* Sidroc. Ragnar, tendo vingada a derrota da véspera, gritou de júbilo enquanto eu olhava o rosto do morto. Eu nunca o conhecera, então por que estava triste? Ele tinha rosto comprido, barba clara e bigode bem-aparado. Um homem bonito, pensei, e era meu parente, e isso parecia estranho porque eu não conhecia família além de Ragnar, Ravn, Rorik e Brida.

Ragnar mandou seus homens despirem a armadura de Æthelwulf e tirar seu elmo precioso, e então, como o *ealdorman* havia lutado com tanta bravura, deixou as outras roupas no cadáver e pôs uma espada em suas mãos, para que os deuses levassem a alma do mércio para o grande castelo onde os guerreiros corajosos festejam com Odin.

E talvez as Valquírias tenham levado sua alma, porque na manhã seguinte, quando fomos enterrar os mortos, o corpo do *ealdorman* Æthelwulf havia sumido.

Mais tarde, muito mais tarde, ouvi dizer que ele era mesmo meu tio. Também ouvi dizer que alguns de seus homens tinham se esgueirado até o campo naquela noite, de algum modo haviam achado o corpo de seu senhor e levado para o seu país, para um enterro cristão.

E talvez isso seja verdade. Ou, quem sabe, Æthelwulf esteja no castelo de cadáveres de Odin.

Mas tínhamos expulsado os saxões do oeste. E ainda estávamos com fome. Portanto era hora de pegar a comida do inimigo.

Por que eu lutava pelos dinamarqueses? Todas as vidas têm perguntas, e esta ainda me assombra, mas na verdade não havia mistério. Para minha mente jovem a alternativa era ficar sentado em algum mosteiro aprendendo a ler, e se você der uma escolha assim a um garoto ele preferiria lutar pelo demônio a rabiscar num ladrilho ou fazer marcas numa tabuleta de argila. E havia Ragnar, que eu amava, e que mandou seus três navios atravessar o Temes para procurar feno e aveia armazenados em povoados de Mércia, e encontrou apenas o suficiente para que, quando o exército marchasse para o oeste, nossos cavalos estivessem em condições razoáveis.

Estávamos marchando para Æbbanduna, outra cidade de fronteira no Temes, entre Wessex e Mércia, e, segundo nosso prisioneiro, um lugar onde os saxões do oeste haviam juntado seus suprimentos. Se tomássemos Æbbanduna, o exército de Æthelred ficaria sem comida, Wessex cairia, a Inglaterra desapareceria e Odin triunfaria.

Havia a pequena questão de derrotar o exército dos saxões do oeste primeiro, mas marchamos apenas quatro dias depois de derrotá-los diante das muralhas de Readingum, por isso nos sentíamos alegremente confiantes em que eles estavam condenados. Rorik ficou para trás, porque tinha adoecido outra vez, e os muitos reféns, como os gêmeos mércios Ceolberth e Ceolnoth, também ficaram em Readingum, guardados pelas pequenas guarnições que deixamos vigiando os preciosos navios.

183
Uma infância pagã

O resto marchou ou seguiu a cavalo. Eu estava entre os garotos mais velhos que acompanhavam o exército. Nosso trabalho na batalha era carregar os escudos extras que poderiam ser passados através das fileiras. Escudos eram despedaçados nas lutas. Frequentemente vi guerreiros lutando com uma espada ou machado numa das mãos e na outra nada além da bossa de ferro do escudo presa a lascas de madeira. Brida também foi conosco, montada na garupa do cavalo de Ravn, e por um tempo andei com eles, ouvindo Ravn ensaiar os primeiros versos de um poema chamado "A queda dos saxões do oeste". Tinha chegado ao ponto de listar nossos heróis e descrever como eles se prepararam para a batalha, quando um desses heróis, o sombrio *earl* Guthrum, surgiu ao nosso lado.

— Vejo que você está bem — disse ele cumprimentando Ravn, num tom que sugeria que essa situação dificilmente iria durar.

— Já eu não vejo nada — respondeu Ravn. Ele gostava de respostas espirituosas.

Guthrum, envolvido numa capa preta, olhou para o rio. Estávamos avançando ao longo de uma cordilheira baixa e, mesmo ao sol do inverno, o vale do rio parecia luxuriante.

— Quem será rei de Wessex? — perguntou ele.

— Halfdan? — sugeriu Ravn maliciosamente.

— É um reino grande — disse Guthrum, mal-humorado. — Seria melhor ter um homem mais velho. — Ele me olhou azedamente. — Quem é esse?

— Você se esquece de que eu sou cego — disse Ravn. — Portanto quem é quem? Ou você está me perguntando que homem mais velho você acha que deveria ser feito rei? Eu, talvez?

— Não, não! O garoto que está puxando seu cavalo. Quem é ele?

— Este é o *earl* Uhtred — disse Ravn de modo grandioso. — Que sabe que os poetas têm tanta importância que seus cavalos devem ser guiados por meros *earls*.

— Uhtred? Um saxão?

— Você é saxão, Uhtred?

— Sou dinamarquês — respondi.

— Um dinamarquês que molhou a espada em Readingum — disse Ravn. — Molhou com sangue saxão, Guthrum. — Esse foi um comentário com farpas, porque os homens de Guthrum, vestidos de preto, não tinham lutado fora das muralhas.

— E quem é a garota atrás de você?

— Brida — respondeu Ravn —, que um dia será *skald* e feiticeira.

Guthrum não sabia o que dizer. Olhou rabugento para a crina do cavalo durante alguns passos, depois voltou ao assunto original.

— Ragnar quer ser rei?

— Ragnar quer matar pessoas — disse Ravn. — As ambições de meu filho são muito poucas; meramente ouvir piadas, solucionar charadas, ficar bêbado, dar braceletes, deitar-se sobre mulheres, comer bem e ir para Odin.

— Wessex precisa de um homem forte — disse Guthrum de modo obscuro. — Um homem que saiba o que é governar.

— Isso mais parece um marido — respondeu Ravn.

— Nós tomamos as fortalezas deles mas deixamos metade da terra intocada! Até a Nortúmbria só é guarnecida pela metade. Mércia mandou seus homens para Wessex e eles deveriam estar do nosso lado. Nós vencemos, Ravn, mas não terminamos o serviço.

— E como podemos fazer isso?

— Mais homens, mais navios, mais mortes.

— Mortes?

— Matar todos eles! — disse Guthrum com súbita veemência. — Até o último! Nenhum saxão deve ficar vivo.

— Até as mulheres?

— Poderíamos deixar algumas jovens — respondeu Guthrum de má vontade, depois fez uma careta para mim. — O que está olhando, garoto?

— Seu osso, senhor — falei, assentindo para o osso com ponta de ouro pendurado no cabelo.

Ele tocou o osso.

— É uma costela da minha mãe. Ela era uma boa mulher, uma mulher maravilhosa, e vai comigo aonde eu for. Você poderia muito bem fazer uma canção para minha mãe, Ravn. Você a conheceu, não foi?

— Conheci — disse Ravn em tom afável. — Conheci suficientemente bem, Guthrum, para achar que não tenho talento poético para fazer uma canção digna de mulher tão ilustre.

Uma infância pagã

A ironia passou despercebida por Guthrum, o Sem-sorte.

— Você poderia tentar — disse ele. — Poderia tentar e eu pagaria muito ouro por uma boa canção sobre ela.

Achei que o sujeito era louco, louco como uma coruja ao meio-dia. E então me esqueci dele porque o exército de Wessex estava adiante, barrando o caminho e oferecendo batalha.

O estandarte do dragão de Wessex adejava no cume de um morro baixo e comprido, em diagonal com relação à estrada. Para chegar a Æbbanduna, que evidentemente ficava pouco depois do morro, escondido por ele, teríamos de atacar encosta acima e atravessar aquela crista de capim aberto, mas ao norte, onde os morros desciam até o rio Temes, havia uma trilha ao longo do rio que sugeria que poderíamos rodear a posição do inimigo. Para impedir-nos, ele teria de descer o morro e batalhar em terreno plano.

Halfdan convocou os líderes dinamarqueses e eles conversaram por longo tempo, evidentemente discordando quanto ao que deveria ser feito. Alguns queriam atacar morro acima e espalhar o inimigo ali mesmo, mas outros aconselhavam lutar contra os saxões do oeste nas campinas planas junto ao rio, e no fim o *earl* Guthrum, o Sem-sorte, os convenceu a fazer as duas coisas. Isso, claro, significava dividir nosso exército em dois, mas mesmo assim achei uma ideia inteligente. Ragnar, Guthrum e os dois *earls* Sidroc iriam para o terreno baixo, ameaçando passar ao largo da colina dos inimigos, ao passo que Halfdan, com Harald e Bagseg, ficariam no terreno elevado e avançariam para o estandarte do dragão na crista. Desse modo o inimigo talvez hesitasse em atacar Ragnar, por medo de que as tropas de Halfdan ficassem na sua retaguarda. Provavelmente, disse Ragnar, o inimigo decidiria não lutar, e em vez disso recuaria até Æbbanduna onde poderíamos sitiá-lo.

— Melhor deixá-los cercados numa fortaleza do que andando por aí — disse ele, animado.

— Melhor ainda é não dividir o exército — comentou Ravn secamente.

— Eles são apenas saxões do oeste — disse Ragnar sem dar importância.

Já era de tarde, e como estávamos no inverno o dia era curto, de modo que não havia muito tempo. Mas Ragnar achou que havia luz do dia mais do que suficiente para acabar com as tropas de Æthelred. Homens tocaram seus amuletos, beijaram cabos de espadas, sopesaram escudos, depois estávamos marchando morro abaixo, indo para as campinas de calcário que davam no vale do rio. Assim que chegamos ficamos meio escondidos pelas árvores desfolhadas, mas de vez em quando eu podia vislumbrar os homens de Halfdan avançando pelas cristas dos morros e podia ver que havia tropas dos saxões do oeste esperando por eles, o que sugeria que o plano de Guthrum estava funcionando e que podíamos marchar ao redor do flanco norte do inimigo.

— O que faremos então — disse Ragnar — é subir por trás deles. Os desgraçados ficarão numa armadilha. Vamos matar todos.

— Um deles tem de ficar vivo — comentou Ravn.

— Um? Por quê?

— Para contar a história, claro. Procure o poeta deles. Certamente é bonito. Encontre-o e deixe-o viver.

Ragnar riu. Acho que éramos uns oitocentos, ligeiramente menos do que o contingente que tinha ficado com Halfdan, e o exército inimigo provavelmente era maior do que nossas duas forças combinadas, mas éramos todos guerreiros e muitos participantes do *fyrd* saxão eram agricultores obrigados a guerrear, por isso enxergávamos apenas a vitória.

Então, enquanto nossas principais tropas saíam de um bosque de carvalhos, vimos que o inimigo tinha seguido nosso exemplo e dividido seu exército em dois. Uma das metades estava esperando Halfdan no morro, e a outra viera nos encontrar.

Alfredo liderava nossos oponentes. Eu soube disso porque pude ver o cabelo ruivo de Beocca e, mais tarde, vislumbrei o rosto comprido e ansioso de Alfredo na luta. Seu irmão, o rei Æthelred, tinha ficado no terreno alto onde, em vez de esperar o ataque de Halfdan, estava avançando para atacar. Parecia que os saxões estavam ávidos por batalha.

Por isso batalhamos com eles.

Nossas forças fizeram cunhas para atacar a parede de escudos deles. Invocamos Odin, uivamos nossos gritos de guerra, atacamos, e a linha saxã não se dobrou. Em vez disso ficou firme e assim teve início a carnificina.

Uma infância pagã

Ravn me dizia repetidamente que o destino era tudo. O destino governa. As três fiandeiras sentam-se ao pé da árvore da vida e fazem nossa vida. E nós somos seus joguetes, e mesmo achando que fazemos escolhas, todo o nosso destino está nos fios das fiandeiras. O destino é tudo, e naquele dia, mesmo eu não sabendo, meu destino foi fiado. *Wyrd bið ful āræd*, é impossível impedir o destino.

O que há para dizer sobre a batalha que, segundo os saxões do oeste, aconteceu num lugar que chamavam de colina de Æsc? Æsc era o *thegn* que fora dono da terra, e seus campos receberam uma grossa camada de sangue e ossos naquele dia. Homens morreram. Na parede de escudos é suor, terror, cãibras, golpes interrompidos, golpes inteiros, gritos e morte cruel.

Na verdade houve duas batalhas na colina de Æsc, a de cima e a de baixo, e as mortes vieram depressa. Harald e Bagseg morreram, Sidroc, o Velho, viu seu filho morrer e depois também foi cortado, e com ele morreram o *earl* Osbern e o *earl* Fraena, assim como muitos outros bons guerreiros. Os padres cristãos estavam chamando seu deus para dar força às espadas dos saxões, e naquele dia Odin estava dormindo e o deus cristão estava acordado.

Em cima da colina e no vale fomos empurrados para trás, e apenas a cautela do inimigo impediu uma chacina completa, permitindo que nossos sobreviventes se retirassem da luta deixando os companheiros para trás no sangue da morte. Toki foi um deles. O comandante, tão cheio de habilidade com a espada, morreu na vala atrás da qual a parede de escudos de Alfredo havia esperado por nós. Ragnar, com sangue sobre todo o rosto e sangue inimigo grudado no cabelo solto, não podia acreditar. Os saxões do oeste estavam comemorando com gritos de zombaria.

Os saxões do oeste haviam lutado como demônios, como homens inspirados, como homens que sabiam que todo o seu futuro repousava no trabalho de uma tarde de inverno. E nos derrotaram.

O destino é tudo. Estávamos derrotados e voltamos para Readingum.

Seis

Hoje em dia, sempre que os ingleses falam da batalha da colina de Æsc, falam de Deus dando aos saxões do oeste a vitória porque o rei Æthelred e seu irmão, Alfredo, estavam rezando quando os dinamarqueses apareceram.

Talvez estejam certos. Posso acreditar que Alfredo estava rezando, mas ajudou o fato de ele ter escolhido bem sua posição. Sua parede de escudos estava logo depois de uma vala funda, inundada durante o inverno. Os dinamarqueses tiveram de lutar subindo do fundo da lama e morriam ao chegar, e homens que prefeririam ser agricultores a guerreiros derrotaram um ataque de dinamarqueses acostumados à espada, e Alfredo liderou os agricultores, encorajou-os, disse que podiam vencer e pôs a fé em Deus. Acho que a vala foi o motivo para ele ter vencido, mas sem dúvida ele diria que Deus cavou a vala.

Halfdan também perdeu. Estava atacando morro acima, subindo uma encosta lisa e suave, mas já era de tarde e o sol batia nos olhos de seus homens, ou pelo menos foi o que disseram depois; e o rei Æthelred, como Alfredo, encorajou seus homens tão bem que eles lançaram um ataque uivando morro abaixo, penetrando fundo nas fileiras de Halfdan, que se desencorajaram ao ver o exército de baixo recuando da defesa implacável de Alfredo. Não havia anjos com espadas de fogo presentes, apesar do que os padres dizem hoje em dia. Pelo menos não vi nenhum. Havia uma vala inundada, houve uma batalha, os dinamarqueses perderam e o destino mudou.

Eu não sabia que os dinamarqueses podiam perder, mas aos 14 anos aprendi essa lição e, pela primeira vez, escutei comemorações e zombarias dos saxões. E algo oculto em minha alma se agitou.

E voltamos a Readingum.

Houve muito mais lutas à medida que o inverno se transformava em primavera e a primavera em verão. Novos dinamarqueses chegaram com o ano-novo e assim nossas fileiras foram restauradas. E vencemos todos os encontros seguintes com os saxões do oeste, lutando por duas vezes com eles em Basengas — em Hamptonscir — e depois em Mereton, que ficava em Wiltuncir e, portanto, bem no interior do território deles. Depois de novo em Wiltuncir — em Wiltun — e a cada vez vencemos, o que significava que tínhamos o campo de batalha no fim do dia, mas em nenhum desses embates destruímos o inimigo. Em vez disso nos desgastávamos mutuamente, lutávamos até um impasse sangrento e, à medida que o verão acariciava a terra, não estávamos mais próximos de conquistar Wessex do que estivéramos durante o Yule.

Mas conseguimos matar o rei Æthelred. Isso aconteceu em Wiltun, onde o rei recebeu um profundo ferimento de machado no ombro direito e, mesmo sendo levado às pressas do campo, e ainda que padres e monges rezassem junto ao seu leito, e ainda que homens inteligentes o tratassem com ervas e sanguessugas, ele morreu depois de alguns dias.

E deixou um herdeiro, um *ætheling*, Æthelwold. Era o príncipe Æthelwold, filho mais velho de Æthelred, mas não tinha idade para ser dono de si porque, como eu, estava com apenas 15 anos, mas mesmo assim alguns homens proclamaram seu direito de ser nomeado rei de Wessex. Mas Alfredo tinha amigos muito mais poderosos e espalhou a lenda de que o papa o investira como futuro rei. A lenda devia ter feito sua mágica, porque, sem dúvida, na reunião do *witan* — a assembleia de nobres, bispos e homens poderosos — de Wessex, Alfredo foi aclamado novo rei. Talvez o *witan* não tivesse escolha. Afinal de contas Wessex estava lutando desesperadamente contra as forças de Halfdan e seria uma ocasião ruim para tornar um garoto rei. Wessex precisava de um líder, assim o *witan* escolheu Alfredo. Æthelwold e seu irmão mais novo foram mandados para uma abadia onde receberam ordem de continuar com suas lições.

— Alfredo deveria ter assassinado os desgraçadozinhos — disse-me Ragnar, alegre, e provavelmente estava certo.

Assim, Alfredo, o mais novo de seis irmãos, era agora rei de Wessex. O ano era 871. Na época eu não sabia, mas a mulher de Alfredo tinha acabado de dar à luz uma filha que ele chamou de Æthelflaed. Æthelflaed era 15 anos mais nova do que eu, e mesmo que eu tivesse sabido de seu nascimento teria desconsiderado, como algo sem importância. Mas o destino é tudo. As fiandeiras trabalham e nós fazemos sua vontade, queiramos ou não.

O primeiro ato de Alfredo como rei, além de enterrar o irmão, pôr os sobrinhos num mosteiro, ser coroado e ir à igreja seis vezes cansando os ouvidos de Deus com orações incessantes, foi mandar mensageiros a Halfdan propondo uma conferência. Aparentemente queria a paz. Era o meio do verão, e como não estávamos mais perto da vitória do que no auge do inverno, Halfdan concordou com o encontro. Assim, com os líderes de seu exército e uma guarda de homens escolhidos, ele foi a Baðum.

Eu também fui, com Ragnar, Ravn e Brida. Rorik, ainda doente, ficou em Readingum e eu lamentei por ele não ter visto Baðum porque, mesmo sendo apenas uma cidade pequena, era quase tão maravilhosa quanto Lundene. Havia um local de banhos no centro da cidade. Não uma banheira pequena, mas um prédio enorme com colunas e um teto meio desmoronado acima de um grande buraco de pedra cheio de água quente. A água vinha do mundo subterrâneo, e Ragnar tinha certeza de que era aquecida pelas forjas dos anões. Os banhos, claro, tinham sido construídos pelos romanos, assim como todos os prédios extraordinários no vale de Baðum. Não foram muitos os homens que quiseram entrar no banho porque tinham medo de água, mesmo amando seus navios, mas Brida e eu entramos e eu descobri que ela nadava como um peixe. Eu me agarrei à borda e fiquei maravilhado com a estranha experiência de ter água quente por toda a pele nua.

Beocca nos encontrou ali. O centro de Baðum estava coberto por uma trégua que significava que ninguém podia usar armas, e saxões do oeste e dinamarqueses se misturavam bastante amigavelmente nas ruas, de modo que nada impediu Beocca de me procurar. Chegou aos banhos com outros dois padres, ambos homens de aparência sombria com nariz escorrendo, e ficaram olhando quando Beocca se abaixou perto de mim.

Uma infância pagã

— Vi você entrar aqui — disse ele, depois notou Brida que estava nadando embaixo d'água, o cabelo comprido estendendo-se para trás. Em seguida ela subiu e Beocca não pôde deixar de ver seus seios pequenos e se encolheu como se ela fosse a criada do diabo. — Ela é uma garota, Uhtred!

— Eu sei.

— Nua.

— Deus é bom — disse eu.

Ele se adiantou para me dar um tapa, mas me afastei da borda da piscina e ele quase caiu lá dentro. Os outros dois padres estavam olhando para Brida. Deus sabe por quê. Provavelmente tinham esposas, mas descobri que os padres ficam muito excitados com as mulheres. Assim como os guerreiros, mas nós não trememos como álamos só porque uma garota mostra os peitos. Beocca tentou ignorá-la, mas era difícil, porque Brida veio nadando por trás de mim e pôs os braços em volta de minha cintura.

— Você precisa escapar — sussurrou Beocca.

— Escapar?

— Dos pagãos! Vir para nossos alojamentos, nós vamos escondê-lo.

— Quem é ele? — perguntou Brida, falando em dinamarquês.

— Um padre que eu conhecia em casa.

— É feio, não?

— Você precisa vir — sussurrou Beocca. — Nós precisamos de você!

— Precisam de mim?

Ele se inclinou ainda mais perto.

— Há inquietação na Nortúmbria, Uhtred. Você deve ter ouvido falar do que aconteceu. — Ele parou para fazer o sinal da cruz. — Todos aqueles monges e freiras trucidados! Foram assassinados! Uma coisa terrível, Uhtred, mas não se pode zombar de Deus. Haverá um levante na Nortúmbria e Alfredo vai encorajá-lo. Se pudermos dizer que Uhtred de Bebbanburg está do nosso lado isso vai ajudar!

Duvidei de que isso ajudasse. Eu tinha 15 anos, não era idade suficiente para inspirar homens a fazer ataques suicidas contra as fortalezas dos dinamarqueses.

— Ela não é dinamarquesa — contei a Beocca, que eu não acreditava que teria dito essas coisas se achasse que Brida o compreendia. — É de Ânglia Oriental.

Ele a encarou.

— Ânglia Oriental?

Assenti, depois deixei a malícia se soltar.

— É a sobrinha do rei Edmundo — menti. Brida deu um risinho e passou a mão pelo meu corpo, tentando me fazer rir.

Beocca fez o sinal da cruz outra vez.

— Coitado! Um mártir! Coitadinha. — Depois ele franziu a testa. — Mas... — começou, depois parou, incapaz de entender por que os temidos dinamarqueses permitiam que dois de seus prisioneiros fizessem cabriolas numa piscina de água quente. Depois fechou os olhos franzidos porque viu onde a mão de Brida havia parado. — Precisamos tirar vocês dois daqui — disse ansioso. — Levar a um local onde possam aprender as coisas de Deus.

— Eu gostaria disso — respondi, e Brida apertou com tanta força que quase gritei de dor.

— Nossos alojamentos ficam ao sul daqui — disse Beocca —, do outro lado do rio, em cima da colina. Vá para lá, Uhtred, e vamos levar vocês embora. Os dois.

Claro que não fiz isso. Contei a Ragnar, que riu de minha invenção de que Brida era sobrinha do rei Edmundo, e deu de ombros para a notícia de que haveria um levante na Nortúmbria.

— Sempre há boatos sobre revoltas. E todos terminam do mesmo modo.

— Ele tinha muita certeza — disse eu.

— Isso só significa que eles mandaram monges para criar problemas. Duvido que signifique grande coisa. De qualquer modo, assim que resolvermos as coisas com Alfredo vamos voltar. Vamos para casa, hein?

Mas resolver as coisas com Alfredo não foi tão fácil quanto Halfdan ou Ragnar tinham suposto. Era verdade que Alfredo era o suplicante e que queria a paz porque as forças dinamarquesas tinham devastado até o interior de Wessex, mas ele não estava pronto a desmoronar como Burghred que havia cedido em Mércia. Quando Halfdan propôs que Alfredo permanecesse como rei, mas que os dinamarqueses ocupassem as principais fortalezas dos saxões, Alfredo ameaçou sair e continuar a guerra.

— Você me insulta — disse com calma. — Se quiser tomar as fortalezas, venha tomá-las.

— Faremos isso — ameaçou Halfdan.

Alfredo simplesmente deu de ombros como se dissesse que os dinamarqueses podiam tentar, mas Halfdan sabia, como todos os dinamarqueses, que sua campanha havia fracassado. Era verdade que tínhamos devastado grandes partes de Wessex, tínhamos pegado muitos tesouros, matado ou capturado animais, queimado moinhos, casas e igrejas, mas o preço fora alto. Muitos de nossos melhores homens estavam mortos ou tão feridos que seriam obrigados a viver da caridade dos seus senhores pelo resto dos dias. Também tínhamos fracassado em tomar uma única fortaleza dos saxões do oeste, o que significava que, quando o inverno chegasse, seríamos obrigados a recuar para a segurança de Lundene ou Mércia.

No entanto, se os dinamarqueses estavam exaustos da campanha, os saxões do oeste também estavam. Também tinham perdido muitos dos seus melhores homens, tinham perdido tesouros e Alfredo estava preocupado com a hipótese de os britânicos, o antigo inimigo que fora derrotado por seus ancestrais, pudessem sair em bandos de seus redutos em Gales ou em Cornwalum. No entanto, Alfredo não sucumbiu aos seus temores, não cederia humildemente às exigências de Halfdan, mas sabia que deveria aceitar algumas delas. Assim a barganha continuou por uma semana e eu fiquei surpreso com a teimosia de Alfredo.

Ele não era um homem impressionante de se olhar. Parecia um varapau, e o rosto comprido tinha um ar fraco, mas isso era engano. Ele jamais sorria enquanto encarava Halfdan, raramente tirava aqueles olhos castanhos inteligentes do rosto do inimigo, enfatizava seu argumento tediosamente e estava sempre calmo, jamais levantando a voz, nem mesmo quando os dinamarqueses gritavam com ele.

— O que queremos — explicava repetidamente — é a paz. Vocês precisam dela e é meu dever dá-la ao meu país. Portanto vocês sairão do meu país.

Seus sacerdotes, dentre eles Beocca, anotavam cada palavra, preenchendo preciosos pergaminhos com intermináveis linhas de escrita. Devem ter usado cada gota de tinta em Wessex para registrar aquela reunião, e duvido que alguém jamais leia todo o relatório.

Não que as reuniões durassem o dia inteiro. Alfredo insistia em que só poderiam começar quando ele tivesse ido à igreja e interrompia ao meio-dia para mais orações. E terminava antes do pôr do sol para poder voltar à igreja. Como aquele sujeito rezava! Mas sua barganha paciente era igualmente sem remorsos, e no fim Halfdan concordou em evacuar Wessex, mas apenas com o pagamento de seis mil peças de prata e, para garantir que elas fossem pagas, insistiu em que suas forças permanecessem em Readingum, onde Alfredo deveria entregar diariamente três carroças de forragem e cinco de grãos de cevada. Quando a prata fosse paga, prometeu Halfdan, os navios voltariam pelo Temes e Wessex estaria livre de pagãos. Alfredo argumentou contra permitir que os dinamarqueses ficassem em Readingum, insistiu em que recuassem para o leste de Lundene, mas, no fim, desesperado pela paz, aceitou que poderiam permanecer na cidade. E assim, com juramentos solenes dos dois lados, a paz foi selada.

Eu não estava lá quando a conferência terminou, nem Brida. Tínhamos comparecido na maior parte dos dias, servindo como os olhos de Ravn no grande salão romano onde aconteciam as conversações, mas quando nos entediávamos, ou quando Ravn se cansava de nosso tédio, íamos à casa de banhos para nadar. Eu adorava aquela água.

Estávamos nadando um dia antes do fim das conversações. Éramos apenas nós dois na grande câmara cheia de ecos. Eu gostava de ficar onde a água jorrava de um buraco na pedra, deixando-a cascatear sobre o cabelo comprido, e estava ali imóvel, de olhos fechados, quando ouvi Brida gritar. Abri os olhos e nesse momento um par de mãos fortes agarrou meus ombros. Minha pele estava escorregadia e eu me torci para longe, mas um homem com casaco de couro pulou na piscina, me disse para ficar quieto e me agarrou de novo. Dois outros estavam vadeando na piscina, usando grandes cajados para guiar Brida para a borda.

— O que vocês estão... — comecei a perguntar em dinamarquês.

Uma infância pagã

— Quieto, garoto — respondeu um deles. Era um saxão do oeste, e havia uma dúzia deles. E quando tinham arrancado nossos corpos nus e molhados da água nos enrolaram em grandes capas fedorentas, pegaram nossas roupas e nos fizeram sair depressa. Gritei pedindo socorro e fui recompensado com uma pancada na cabeça que poderia ter atordoado um boi.

Fomos postos nas selas de dois cavalos e em seguida viajamos por algum tempo com homens montados atrás, e as capas só foram tiradas no topo da grande colina voltada para Baðum, no sul. E ali, sorrindo para nós, estava Beocca.

— O senhor foi resgatado — disse-me ele. — Graças ao Deus todo-poderoso, o senhor foi resgatado! E a senhora também — acrescentou para Brida.

Só pude encará-lo. Resgatado? Sequestrado, isso sim. Brida olhou para mim e eu para ela, e ela deu uma pequena sacudida com a cabeça, sugerindo que deveríamos ficar quietos. Pelo menos achei que fosse isso, e o fiz. Então Beocca mandou que nos vestíssemos.

Eu tinha enfiado o amuleto do martelo e os braceletes na bolsa do cinto quando havia me despido, e os deixei lá enquanto Beocca nos levava depressa para uma igreja próxima, pouco mais do que uma cabana de madeira e palha que não era maior do que um chiqueiro de camponês, e ali agradeceu a Deus por nossa libertação. Depois nos levou a um castelo próximo onde fomos apresentados a Ælswith, mulher de Alfredo, que era atendida por uma dúzia de mulheres, três delas freiras, e guardada por uns vinte homens muito bem armados.

Ælswith era uma mulher pequena, com cabelo castanho cor de rato, olhos pequenos, boca pequena e um queixo muito marcante. Estava usando vestido azul com anjos bordados em fios de prata na saia e na bainha das mangas largas, e usava um grande crucifixo de ouro. Havia um bebê num caixote de madeira ao lado dela, e mais tarde, muito mais tarde, percebi que o bebê devia ser Æthelflaed, de modo que essa foi a primeira vez que a vi, mas na ocasião não pensei nada a respeito. Ælswith me recebeu bem, falando nos tons característicos de uma mércia, e depois de ter perguntado sobre meus pais disse que tínhamos de ser parentes porque seu pai era Æthelred, que fora *ealdorman* em Mércia, e ele era primo em primeiro grau do falecido e lamentado Æthelwulf, cujo corpo eu vira do lado de fora de Readingum.

— E agora você — disse ela virando-se para Brida. — O padre Beocca disse que você é sobrinha do santo rei Edmundo.

Brida apenas assentiu.

— Mas quem são seus pais? — perguntou Ælswith, franzindo a testa. — Edmundo não tinha irmãos, e suas duas irmãs são freiras.

— Hild — disse Brida. Eu sabia que esse era o nome de sua tia, que Brida odiava.

— Hild? — Ælswith ficou perplexa, mais do que perplexa, cheia de suspeitas. — Nenhuma das irmãs do bom rei Edmundo se chama Hild.

— Não sou sobrinha dele — confessou Brida em voz baixa.

— Ah. — Ælswith se recostou na cadeira, com o rosto incisivo demonstrando o ar de satisfação que algumas pessoas assumem quando pegam um mentiroso em flagrante.

— Mas fui ensinada a chamá-lo de tio — continuou Brida, surpreendendo-me, porque achei que ela estava numa encrenca terrível e confessando a mentira, mas em vez disso percebi que a garota estava incrementando-a. — Minha mãe se chamava Hild e não tinha marido, mas insistia em que eu chamasse o rei Edmundo de tio — falou em voz baixa e apavorada. — E ele gostava disso.

— Ele gostava? — perguntou Ælswith. — Por quê?

— Porque... — Brida ficou ruborizada, e não sei como ela se obrigou a ruborizar, mas baixou os olhos, ficou vermelha e pareceu a ponto de explodir em lágrimas.

— Ah — disse Ælswith outra vez, captando o que a garota queria dizer e também ruborizando. — Então ele era seu... — Ela não terminou, não querendo acusar o morto e santo rei Edmundo de ter feito uma bastarda em alguma mulher chamada Hild.

— É — disse Brida. E começou a chorar de verdade. Olhei para os caibros do salão, enegrecidos de fumaça, e tentei não rir. — Ele sempre foi gentil — soluçou ela —, e os dinamarqueses desgraçados o mataram!

Ælswith claramente acreditou em Brida. Em geral as pessoas acreditam nas coisas piores sobre as outras, e agora o santo rei Edmundo era revelado como um mulherengo secreto, mas isso não o impediu de eventualmente se tornar santo, mas condenou Brida porque agora Ælswith propôs que ela fosse mandada a um convento no sul de Wessex. Brida podia ter sangue real, mas estava claramente manchada pelo pecado, por isso Ælswith queria que ela ficasse trancada pelo resto da vida.

— Sim — concordou Brida humildemente e eu tive de fingir que estava sufocando com a fumaça. Então Ælswith nos presenteou com crucifixos. Estava com dois preparados, ambos de prata, mas sussurrou a uma das freiras e um pequeno de madeira substituiu o de prata que foi dado a Brida, enquanto eu recebia o de prata, que obedientemente pendurei no pescoço. Beijei o meu, o que impressionou Ælswith, e Brida me imitou rapidamente. Brida era uma bastarda, condenada por si mesma.

Alfredo voltou de Baðum depois do anoitecer e eu tive de acompanhá-lo à igreja onde as orações e os louvores duraram uma eternidade. Quatro monges cantavam, as vozes troantes meio me fazendo dormir. E depois, quando a coisa finalmente acabou, fui convidado a acompanhar Alfredo numa refeição. Beocca enfatizou que isso era uma honra, que poucas pessoas eram convidadas a comer com o rei, mas eu tinha comido com chefes dinamarqueses que jamais pareciam se incomodar com quem compartilhasse sua mesa desde que não cuspissem na comida, por isso não me senti lisonjeado. Mas sentia fome. Poderia ter comido um boi assado inteiro e estava impaciente enquanto lavávamos cerimoniosamente as mãos em bacias de água seguradas por serviçais. Depois ficamos de pé junto aos bancos e cadeiras enquanto Alfredo e Ælswith eram conduzidos à mesa. Um bispo deixou a comida esfriar enquanto fazia uma oração interminável, pedindo a Deus para abençoar o que íamos comer. E finalmente nos sentamos, mas que desapontamento foi aquele jantar! Não tinha porco, nem carne de boi, nem carneiro, nada que um homem pudesse querer comer. Apenas coalhada, alho-poró, ovos moles, pão, cerveja diluída e cevada cozida num mingau gelado tão palatável quanto ovas de rã. Alfredo ficava dizendo como estava bom, mas no fim confessou que sofria de dores de barriga terríveis e que aquela dieta de papinhas afastava a agonia.

— O rei é um mártir para a carne — explicou-me Beocca. Ele era um dos três padres sentados à mesa alta, outro era um bispo desdentado que amassava o pão dentro do mingau usando uma vela. Também havia dois *ealdormen* e, claro, Ælswith, que foi quem mais falou. Ela se opunha à ideia de deixar que os dinamarqueses ficassem em Readingum, mas no fim Alfredo disse que não tinha escolha e que essa era uma pequena concessão para fazer a paz, o que acabou com a discussão. Ælswith se regozijou porque o marido tinha negociado a libertação de todos os jovens reféns mantidos pelo exército de Halfdan, algo em que Alfredo havia insistido por temer que aqueles jovens fossem guiados para longe da igreja verdadeira. Enquanto falava isso olhou para mim, mas praticamente não notei, já que estava muito mais interessado numa das serviçais que era uma garota quatro ou cinco anos mais velha do que eu, de uma beleza espantosa, com uma massa de cabelos pretos e cacheados, e me perguntei se ela era a garota que Alfredo mantinha perto para agradecer a Deus por lhe dar forças para resistir à tentação. Mais tarde, muito mais tarde, descobri que era. Seu nome era Merewenna e eu agradeci a Deus, com o tempo, por não resistir à sua tentação, mas isso está muito adiante na minha narrativa, e por enquanto eu me encontrava à disposição de Alfredo, ou melhor, de Ælswith.

— Uhtred precisa aprender a ler — disse ela. Não sei por que isso era da sua conta, mas ninguém questionou a declaração.

— Amém — respondeu Beocca.

— Os monges em Winburnan podem ensinar — sugeriu ela.

— Muito boa ideia, senhora — disse Beocca, e o bispo desdentado assentiu e babou aprovando.

— O abade Hewald é um professor muito diligente — insistiu Ælswith. Na verdade o abade Hewald era um daqueles desgraçados que preferiam chicotear os jovens do que ensinar, mas sem dúvida era isso que Ælswith queria dizer.

— Acho — interveio Alfredo — que a ambição do jovem Uhtred é ser guerreiro.

— Com o tempo, se Deus assim o desejar, ele será — disse Ælswith —, mas de que adianta um soldado que não saiba ler a palavra de Deus?

Uma infância pagã

— Amém — entoou Beocca.

— Não adianta de nada — concordou Alfredo. Eu achava que ensinar um soldado a ler era quase tão útil quanto ensinar um cachorro a dançar, mas não falei nada, ainda que Alfredo tenha sentido meu ceticismo. — Por que para um soldado é bom ler, Uhtred?

— Ler é bom para todo mundo — falei obedientemente, ganhando um sorriso de Beocca.

— Um soldado que lê — disse Alfredo com paciência — é um soldado que pode ler ordens, um soldado que saberá o que o rei deseja. Suponha que você esteja na Nortúmbria, Uhtred, e eu em Wessex. De que outro modo você saberá qual é a minha vontade?

Isso era de tirar o fôlego, mas na época eu era jovem demais para perceber. Se eu estivesse na Nortúmbria e ele em Wessex, eu não precisava dar a mínima para ele, mas é claro que Alfredo estava pensando adiante, muito adiante, num tempo em que haveria um reino inglês e um rei inglês. Simplesmente olhei-o boquiaberto e ele sorriu para mim.

— Então você irá para Winburnan, meu jovem — disse ele. — E quanto mais cedo você estiver lá, melhor.

— Quanto mais cedo? — Ælswith não sabia nada sobre aquela pressa sugerida e ficou numa curiosidade aguçada.

— Os dinamarqueses vão procurar as duas crianças, minha cara — explicou Alfredo. — Se descobrirem que estão aqui podem muito bem exigir o retorno delas.

— Mas todos os reféns devem ser libertados — contrapôs Ælswith. — Você mesmo disse.

— Uhtred era refém? — perguntou Alfredo em voz baixa, me olhando. — Ou estava correndo o perigo de virar dinamarquês? — Ele deixou a pergunta no ar e eu não tentei responder. — Devemos transformá-lo num verdadeiro inglês, portanto deve ir para o sul de manhã. Você e a garota.

— A garota não importa — disse Ælswith. Brida tinha sido mandada para comer na cozinha com os escravizados.

— Se os dinamarqueses descobrirem que ela é bastarda de Edmundo — observou um dos *ealdormen* — vão usá-la para destruir a reputação dele.

O último reino

— Ela nunca contou isso a eles — intervim — porque achava que eles poderiam zombar de seu pai.

— Então há algo de bom nela — disse Ælswith de má vontade. Em seguida se serviu de um ovo mole e se dirigiu ao marido. — Mas o que acontecerá se os dinamarqueses o acusarem de resgatar as crianças?

— Mentirei, claro — respondeu Alfredo. Ælswith piscou olhando-o, mas o bispo murmurou que seria uma mentira boa para Deus, e portanto perdoável.

Eu não tinha intenção de ir para Winburnan. Não porque estivesse subitamente ávido para virar dinamarquês, mas tinha tudo a ver com Bafo de Serpente. Eu amava aquela espada e tinha-a deixado com os serviçais de Ragnar. E a queria de volta antes que minha vida assumisse qualquer caminho determinado pelas fiandeiras. E, na verdade, não tinha o desejo de trocar a vida com Ragnar pelas raras alegrias de um mosteiro e um professor. Brida, eu sabia, queria voltar para os dinamarqueses, e foi a insistência sensata de Alfredo de que fôssemos retirados de Baðum o mais rápido possível que nos deu a oportunidade.

Fomos mandados embora na manhã seguinte, antes do amanhecer, indo para o sul por uma região montanhosa, acompanhados por uma dúzia de guerreiros que se ressentiam do serviço de levar duas crianças ao coração de Wessex. Recebi um cavalo, Brida recebeu uma mula, e um jovem padre chamado Willibald foi oficialmente encarregado de entregar Brida num convento e me entregar ao abade Herwald. O padre Willibald era um bom sujeito, com sorriso fácil e modos gentis. Era capaz de imitar cantos de pássaros e nos fazia rir inventando uma conversa entre um tordo briguento, com seu *chac-chac*, e uma cotovia sublime, depois nos fez adivinhar que pássaros estava imitando, e essa diversão, misturada com algumas charadas inofensivas, nos levou a um povoado bem acima de um rio que corria manso no campo coberto de florestas. Os soldados insistiram em parar porque disseram que os cavalos precisavam de descanso.

— Eles precisam realmente é de cerveja — disse-nos Willibald, e deu de ombros, como se isso fosse compreensível.

Era um dia quente. Os cavalos estavam amarrados do lado de fora da estalagem, os soldados conseguiram sua cerveja, o pão e o queijo, depois sentaram-se em círculo, jogaram dados e resmungaram, deixando-nos sob a supervisão de Willibald, mas o jovem padre se esticou num monte de feno meio desmoronado e caiu no sono em pleno meio-dia. Olhei para Brida, ela me olhou, e foi simples assim. Esgueiramo-nos pela lateral do salão, rodeamos um enorme monte de esterco, desviamo-nos de alguns porcos que fuçavam num campo, atravessamos uma cerca viva e então estávamos na floresta, onde ambos começamos a rir.

— Minha mãe insistiu em que eu o chamasse de tio — disse Brida em sua voz baixinha — e os dinamarqueses malvados o mataram. — E nós dois achamos que essa era a coisa mais engraçada que tínhamos ouvido. Então recuperamos a sensatez e corremos para o norte.

Passou-se muito tempo antes que os soldados nos procurassem. Mais tarde trouxeram cães de caça do lugar onde tinham comprado cerveja, mas nesse ponto tínhamos vadeado um rio, mudado de direção de novo, encontrado terreno mais alto e nos escondido. Eles não nos acharam, mas durante toda a tarde ouvimos os cães latindo no vale. Deviam estar procurando na margem do rio, pensando que teríamos ido para lá, mas estávamos em segurança, sozinhos e no alto.

Procuraram por dois dias, jamais chegando perto, e no terceiro vimos a cavalgada real de Alfredo indo para o sul, na estrada sob o morro. A reunião em Baðum havia acabado, isso significava que os dinamarqueses estariam se retirando para Readingum e nenhum de nós fazia ideia de como chegar a Readingum, mas sabíamos que tínhamos viajado para o oeste para chegar a Baðum, portanto esse era um começo, e sabíamos que precisávamos achar o rio Temes. Nossos únicos problemas eram achar comida e evitar sermos apanhados.

Foi um tempo bom. Roubávamos leite do úbere das vacas e cabras. Não tínhamos armas, mas fizemos porretes com galhos caídos e usamos para ameaçar um pobre velho que estava pacientemente cavando uma vala e tinha uma pequena sacola com pão e pudim de ervilha para a refeição. Roubamos isso e pegamos peixe com as mãos, um truque que Brida me ensinou, e vivemos no mato. Eu usava de novo meu amuleto do martelo. Brida tinha jogado fora seu crucifixo de madeira, mas eu guardei o de prata porque era valioso.

Depois de alguns dias começamos a viajar à noite. A princípio estávamos apavorados, porque é à noite que os *sceadugengan* saem de seus esconderijos, mas nos tornamos bons em percorrer a escuridão. Passávamos ao largo das fazendas, seguindo as estrelas, e aprendemos a nos mover sem fazer barulho, a virar sombras. Numa noite uma coisa grande que rosnava chegou perto, e a ouvimos se mexendo, raspando o chão. Batemos nas folhas caídas com nossos porretes e gritamos, fazendo a coisa fugir. Seria um javali? Talvez. Ou talvez um dos *sceadugengan* sem forma, sem nome, que aterrorizam os sonhos.

Tivemos de atravessar uma cordilheira de morros altos e descobertos, onde conseguimos roubar um carneiro antes que os cães do pastor ao menos soubessem que estávamos ali. Acendemos uma fogueira na floresta ao norte da colina e cozinhamos a carne. Na noite seguinte achamos o rio. Não sabíamos que rio era, mas era largo, fluía entre árvores densas, e ali perto havia um povoado onde vimos um pequeno barco redondo feito de galhos de salgueiro dobrados e cobertos com pele de cabra. Naquela noite roubamos o barco e o deixamos nos levar corrente abaixo, passando por povoados, sob pontes, sempre indo para o leste.

Não sabíamos, mas o rio era o Temes, por isso chegamos em segurança a Readingum.

Rorik tinha morrido. Estivera doente por muito tempo, mas havia ocasiões em que parecia se recuperar, mas a doença que o levou tinha feito isso depressa, e Brida e eu chegamos a Readingum no dia em que seu corpo foi queimado. Ragnar, em lágrimas, ficou junto à pira olhando as chamas consumirem seu filho. Uma espada, um bridão, um amuleto de martelo e um navio em miniatura tinham sido postos no fogo, e depois disso o metal derretido foi colocado com as cinzas num grande pote que Ragnar enterrou junto ao Temes.

— Agora você é meu segundo filho — disse-me naquela noite, e depois se lembrou de Brida. — E você é minha filha. — Ele nos abraçou, em seguida ficou bêbado. Na manhã seguinte queria sair a cavalo para matar saxões do oeste, mas Ravn e Halfdan o contiveram.

A trégua estava sendo mantida. Brida e eu tínhamos ficado longe por pouco mais de três semanas e os primeiros carregamentos de prata estavam

203

Uma infância pagã

chegando a Readingum, junto com a forragem e a comida. Parecia que Alfredo era um homem de palavra. E Ragnar era um homem sofrido.

— Como vou contar a Sigrid? — lamentava ele.

— É ruim um homem ter apenas um filho — disse-me Ravn. — Quase tão ruim quanto não ter nenhum. Eu tive três, mas só Ragnar vive. Agora só o mais velho dele vive.

Ragnar, o Jovem, ainda estava na Irlanda.

— Ele pode ter outro filho — sugeriu Brida.

— Não com Sigrid — respondeu Ravn. — Mas ele pode pegar uma segunda mulher, acho. Algumas vezes se faz isso.

Ragnar tinha me devolvido Bafo de Serpente e me deu outro bracelete. Deu um a Brida também e sentiu algum consolo com a história de nossa fuga. Tivemos de contá-la a Halfdan e a Guthrum, o Sem-sorte, que nos encararam com olhos sombrios enquanto descrevíamos a refeição com Alfredo e os planos de Alfredo para me educar. E até o sofrido Ragnar riu quando Brida contou a história de como tinha afirmado que era a filha bastarda do rei Edmundo.

— Essa rainha Ælswith — quis saber Halfdan. — Como ela é?

— Não é rainha — respondi. — Os saxões do oeste não têm rainhas. — Beocca havia me contado isso. — É meramente a mulher do rei.

— É uma doninha fingindo ser um tordo — disse Brida.

— É bonita? — perguntou Guthrum.

— Rosto fino — respondeu Brida. — Olhos de porco e boca franzida.

— Então ele não sente alegria ali — disse Halfdan. — Por que se casou com ela?

— Porque ela é de Mércia — respondeu Ravn — e Alfredo queria Mércia de seu lado.

— Mércia pertence a nós — resmungou Halfdan.

— Mas Alfredo quer tomar de volta — disse Ravn. — E o que devíamos fazer era mandar navios com presentes ricos para os britânicos. Se eles atacarem a partir de Gales e Cornwalum, Alfredo terá de dividir seu exército.

Esta era uma coisa infeliz de se dizer, porque Halfdan ainda ficava irritado com a lembrança de ter dividido seu exército na colina de Æsc e simplesmente fez uma careta tomando cerveja. Pelo que eu saiba, ele jamais enviou presentes para os britânicos. E teria sido uma boa ideia, mas Halfdan estava distraído pelo fracasso em tomar Wessex e havia boatos de inquietação na Nortúmbria e em Mércia. Os dinamarqueses tinham capturado uma parte tão grande da Inglaterra, e tão depressa que jamais realmente dominaram os conquistados e não ocupavam todas as fortalezas na terra conquistada. Portanto as revoltas surgiam como incêndios em mato seco. Essas revoltas eram facilmente dominadas, mas se algo não fosse feito elas se espalhariam e ficariam perigosas. Segundo Halfdan, era tempo de pisar nos fogos e esmagar os ingleses conquistados até a submissão aterrorizada. Assim que isso fosse feito, assim que a Nortúmbria, Mércia e Ânglia Oriental estivessem quietas, o ataque contra Wessex poderia ser retomado.

A última prata de Alfredo chegou e o exército dinamarquês soltou os jovens reféns, inclusive os gêmeos mércios, e o resto de nós voltou para Lundene. Ragnar desenterrou o pote com as cinzas do filho mais novo e o levou rio abaixo no *Víbora do Vento*.

— Vou levar para casa — disse-me — e enterrá-lo com seu povo.

Naquele ano não pudemos viajar para o norte. Era outono quando chegamos a Lundene, por isso tivemos de esperar o fim do inverno. E só na primavera os três navios de Ragnar deixaram o Temes e velejaram para o norte. Eu estava com quase 16 anos, crescendo rápido, de modo que de repente era uma cabeça mais alto do que a maioria dos homens, e Ragnar me fez pegar o leme. Ensinou-me a guiar um navio, a antecipar o sopro de vento ou a onda e como me apoiar no leme antes que o navio virasse. Aprendi o toque sutil, mas a princípio o navio balançava feito bêbado quando eu punha pressão demais. Mas com o tempo passei a sentir a vontade do navio no cabo comprido do leme e aprendi a amar o tremor no freixo enquanto o casco esguio ganhava toda a velocidade.

— Vou fazer de você meu segundo filho — disse Ragnar naquela viagem.

Eu não sabia o que dizer.

— Sempre vou favorecer o mais velho — continuou ele, falando de Ragnar, o Jovem —, mas mesmo assim você será um filho para mim.

Uma infância pagã

— Eu gostaria disso — respondi sem jeito. Olhei para o litoral distante pontilhado pelas pequenas velas dos barcos de pesca que fugiam de nossos navios. — Sinto-me honrado.

— Uhtred Ragnarson — disse ele, experimentando, e deve ter gostado do som, porque sorriu, mas então pensou em Rorik de novo e as lágrimas vieram aos seus olhos. E ele simplesmente olhou para o leste, para o mar vazio.

Naquela noite dormimos na foz do Humber.

E dois dias depois chegamos de volta a Eoferwic.

O palácio do rei havia sido consertado. Tinha novos postigos nas janelas altas e o teto fora refeito com palha dourada de centeio. As antigas paredes romanas do palácio tinham sido lavadas, de modo que o líquen havia sumido das juntas das pedras. Guardas se postavam no portão externo e, quando Ragnar exigiu entrar, eles lhe disseram peremptoriamente que esperasse. Achei que ele desembainharia a espada, mas, antes que sua raiva pudesse irromper, Kjartan apareceu.

— Senhor Ragnar — disse ele azedamente.

— Desde quando um dinamarquês espera neste portão?

— Desde que eu ordenei — retrucou Kjartan, e havia insolência em sua voz. Ele, como o palácio, parecia próspero. Usava uma capa de pelo de urso preto, tinha botas de cano alto, túnica de malha, cinto vermelho de espada e quase tantos braceletes quanto Ragnar. — Ninguém entra aqui sem minha permissão — continuou Kjartan. — Mas, claro, o senhor é bem-vindo, *earl* Ragnar. — Kjartan ficou de lado para deixar que Ragnar, eu e três de seus homens entrássemos no grande salão onde, cinco anos antes, meu tio havia tentado me comprar de Ivar. — Vejo que ainda tem seu animal de estimação inglês — disse Kjartan me olhando.

— Continue vendo enquanto tiver olhos — respondeu Ragnar descuidadamente. — O rei está?

— Ele só dá audiência a quem marca audiência.

Ragnar suspirou e se virou para seu antigo comandante.

— Você me dá coceira como um piolho, Kjartan, vamos colocar os galhos de aveleira no chão e nos encontrar de homem para homem. E se isso não agradá-lo, chame o rei porque quero falar com ele.

Kjartan se eriçou, mas decidiu que não queria encarar a espada de Ragnar num espaço de luta delimitado por galhos de aveleira. E assim, totalmente sem graça, entrou nos cômodos de trás do palácio. Fez com que esperássemos um bom tempo, mas por fim o rei Egbert apareceu. Com ele estavam seis guardas, dentre os quais o caolho Sven, que agora parecia tão rico quanto o pai. E grande, quase tão alto quanto eu, com peito largo e músculos enormes nos braços.

Egbert estava nervoso, mas se esforçou ao máximo para parecer régio. Ragnar fez uma reverência diante dele, depois disse que havia histórias de inquietação na Nortúmbria e que Halfdan o tinha mandado ao norte para acabar com esses distúrbios.

— Não há inquietação — respondeu Egbert, mas com voz tão apavorada que pensei que ele iria mijar nas calças.

— Houve distúrbios nas colinas do interior — disse Kjartan sem dar importância —, mas acabaram. — Em seguida bateu na espada para mostrar o que havia acabado com os distúrbios.

Ragnar insistiu, mas não ficou sabendo de mais nada. Alguns homens evidentemente haviam se levantado contra os dinamarqueses e houvera emboscadas na estrada que ia para a costa oeste. Os revoltosos tinham sido caçados e mortos, e era só isso que Kjartan admitiria dizer.

— A Nortúmbria está em segurança — terminou ele. — Portanto o senhor pode voltar para Halfdan e continuar tentando derrotar Wessex.

Ragnar ignorou a última farpa.

— Vou para minha casa enterrar meu filho e viver em paz — disse ele.

Sven estava com a mão no punho da espada e me olhando cruelmente com seu olho único, mas ainda que a inimizade entre nós, e entre Ragnar e Kjartan, fosse óbvia, ninguém causou problema e nós saímos. Os navios foram puxados para a margem, a prata trazida de Readingum foi distribuída entre as tripulações e fomos para casa levando as cinzas de Rorik.

Sigrid uivou ao escutar a notícia. Rasgou o vestido, emaranhou o cabelo e gritou. As outras mulheres se juntaram a ela, e uma procissão levou as

Uma infância pagã

cinzas de Rorik até o topo da colina mais próxima, onde o pote foi enterrado. E depois Ragnar ficou lá, olhando os morros e observando as nuvens brancas velejando pelo céu do oeste.

Ficamos em casa durante todo o resto daquele ano. Havia plantações a cuidar, feno para cortar, grãos para colher e moer. Fizemos queijo e manteiga. Mercadores e viajantes traziam notícias, mas nenhuma de Wessex onde, aparentemente, Alfredo ainda governava e tinha sua paz. E assim aquele reino permaneceu, o último da Inglaterra. Algumas vezes Ragnar falava em voltar para lá, levando sua espada para ganhar mais riquezas, mas a vontade de lutar parecia tê-lo abandonado naquele verão. Mandou uma mensagem à Irlanda, pedindo que o filho mais velho viesse para casa, mas essas mensagens não eram confiáveis e Ragnar, o Jovem, não veio naquele ano. Ragnar também pensava em Thyra, sua filha.

— Ele diz que está na hora de eu me casar — disse-me ela um dia, enquanto batíamos manteiga.

— Você? — Eu ri.

— Estou com quase 14 anos! — respondeu ela em tom de desafio.

— É mesmo. Quem vai se casar com você?

Ela deu de ombros.

— Mamãe gosta de Anwend. — Anwend era um dos guerreiros de Ragnar, um jovem não muito mais velho do que eu, forte e alegre, mas Ragnar tinha a ideia de que ela deveria se casar com um dos filhos de Ubba, mas isso significaria Thyra ir embora, e Sigrid odiava essa ideia. E pouco a pouco Ragnar passou a pensar como Sigrid. Eu gostava de Anwend e achava que ele seria um bom marido para Thyra, que estava ficando cada vez mais bonita. Tinha cabelos dourados e compridos, olhos bem separados, nariz reto, pele sem manchas e um riso que parecia uma ondulação de luz solar. — Mamãe diz que eu devo ter muitos filhos.

— Espero que tenha.

— Eu gostaria de uma filha também — disse ela, fazendo força com a batedeira porque a manteiga estava se solidificando e o trabalho, ficando mais difícil. — Mamãe diz que Brida também deveria se casar.

— Talvez Brida tenha ideias diferentes.

— Ela quer casar com você.

Ri daquilo. Pensava em Brida como amiga, minha amiga mais íntima, e só porque dormíamos juntos, pelo menos quando Sigrid não estava olhando, isso não fazia com que eu quisesse casar com ela. Não queria me casar, só pensava em espadas, escudos e batalhas, e Brida pensava em ervas.

Ela era como um gato. Vinha e ia secretamente e aprendeu tudo que Sigrid pôde lhe ensinar sobre ervas e seus usos. Trepadeira como purgante, linária para úlceras, calta para manter os elfos longe dos baldes de leite, morrião-branco para tosse, centáurea para febres. Aprendeu outros feitiços que não queria me contar, feitiços de mulher, e dizia que se a gente ficasse em silêncio à noite, sem se mexer, praticamente não respirando, os espíritos viriam. E Ravn lhe ensinou a sonhar com os deuses — o que significava beber cerveja com cogumelos de chapéu vermelho esmagados — e frequentemente ela ficava doente porque bebia isso forte demais, mas não queria parar. E então fez suas primeiras canções, canções sobre pássaros e animais, e Ravn disse que ela era uma verdadeira *skald*. Algumas noites, quando vigiávamos o carvão queimar, ela recitava para mim, a voz suave e rítmica. Agora tinha um cachorro que a acompanhava a toda parte. Havia encontrado o bicho em Lundene, na nossa viagem para casa, e ele era preto e branco, esperto como a própria Brida. Ela o chamava de Nihtgenga, que significa caminhante noturno, ou *goblin*. Ele se sentava conosco perto do carvão, e juro que prestava atenção às canções dela. Brida fazia flautas de palha e tocava músicas melancólicas, e Nihtgenga a espiava com olhos grandes e tristes até que a música o dominava, ele erguia o focinho e uivava. E nós dois ríamos, Nihtgenga ficava ofendido e Brida tinha de fazer carinho para ele voltar à felicidade.

Esquecemos da guerra até que, quando o verão estava no auge e uma mortalha de calor cobria os montes, recebemos uma visita inesperada. O *earl* Guthrum, o Sem-sorte, veio ao nosso vale remoto. Chegou com vinte cavaleiros, todos vestidos de preto, e fez uma reverência respeitosa a Sigrid, que o censurou por não ter avisado antes.

— Eu teria preparado um festim — disse ela.

— Eu trouxe comida — respondeu Guthrum, apontando alguns cavalos de carga. — Não queria esvaziar seus depósitos.

Uma infância pagã

Ele tinha vindo da distante Lundene, querendo conversar com Ragnar e Ravn, e Ragnar me convidou a me sentar com eles porque, como disse, eu sabia mais sobre Wessex do que a maioria dos homens, e era sobre Wessex que Guthrum queria falar, ainda que minha contribuição tenha sido pequena. Descrevi Alfredo, descrevi sua devoção e alertei a Guthrum que, mesmo o rei saxão do oeste não sendo um homem impressionante de se olhar, ele era inegavelmente esperto. Guthrum deu de ombros para isso.

— A esperteza é superestimada — disse ele, carrancudo. — A esperteza não ganha guerras.

— A estupidez as perde — interveio Ravn —, como dividir o exército quando lutamos perto de Æbbanduna, não é?

Guthrum fez uma careta, mas decidiu não aceitar a briga com Ravn. Em vez disso pediu o conselho de Ragnar sobre como derrotar os saxões do oeste e exigiu a garantia de que, no ano seguinte, Ragnar levaria seus homens a Lundene para participar do próximo ataque.

— Se é que vai ser no ano que vem — disse Guthrum de modo sombrio. Ele coçou a nuca, fazendo sacudir o osso de sua mãe, com ponta de ouro, que ainda estava pendurado no cabelo. — Talvez não tenhamos homens suficientes.

— Então atacamos no ano seguinte — disse Ragnar.

— Ou no outro — disse Guthrum, depois franziu a testa. — Mas como vamos acabar com o desgraçado piedoso?

— Dividindo as forças dele — respondeu Ragnar. — Caso contrário sempre estaremos em número inferior.

— Sempre? Em número inferior? — Guthrum parecia em dúvida.

— Quando lutamos aqui, alguns homens da Nortúmbria decidiram não nos enfrentar e se refugiaram em Mércia. Quando lutamos em Mércia e Ânglia Oriental aconteceu a mesma coisa, e homens fugiram de nós para procurar abrigo em Wessex. Mas quando lutamos em Wessex eles não tinham aonde ir. Nenhum lugar é seguro para eles. Por isso precisam lutar, todos. Lute em Wessex e o inimigo ficará acuado.

— E um inimigo acuado é perigoso — interveio Ravn.

— Dividi-los — disse Guthrum pensativamente, ignorando Ravn outra vez.

— Navios no litoral sul — sugeriu Ragnar —, um exército no Temes e guerreiros britânicos vindo de Brycheinog, Glywysing e Gwent. — Esses eram os reinos do sul de Gales, onde os britânicos espreitavam para além da fronteira oeste de Mércia. — Três ataques — continuou Ragnar —, e Alfredo terá de enfrentar todos e não poderá fazer isso.

— E você estará lá? — perguntou Guthrum.

— Você tem minha palavra — respondeu Ragnar, e então a conversa passou para o que Guthrum tinha visto em sua viagem, e sem dúvida ele era um homem pessimista que tendia a ver o pior em tudo, mas sentia-se desesperado com a Inglaterra. Havia problemas em Mércia, disse ele, e os homens de Ânglia Oriental estavam inquietos, e agora havia conversas de que o rei Egbert, em Eoferwic, estava encorajando a revolta.

— Egbert! — Ragnar ficou surpreso com a notícia. — Ele não poderia encorajar um bêbado a mijar!

— Foi o que me disseram — insistiu Guthrum. — Pode não ser verdade. Um sujeito chamado Kjartan me contou.

— Então quase certamente não é verdade.

— Nem um pouco — concordou Ravn.

— Ele me pareceu um bom sujeito — disse Guthrum, obviamente não sabendo da história de Ragnar com Kjartan, e Kjartan não esclareceu nada, e provavelmente se esqueceu da conversa assim que Guthrum foi embora.

Mas Guthrum estava certo. Uma trama era criada em Eoferwic, mas duvido que tenha sido feita pelo rei Egbert. Foi Kjartan, e ele começou espalhando boatos de que o rei Egbert estava organizando secretamente uma rebelião. E os boatos ficaram tão ruidosos, e a reputação do rei tão envenenada, que uma noite Egbert, temendo por sua vida, conseguiu escapar de seus guardas dinamarqueses e fugir para o sul com uma dúzia de companheiros. Abrigou-se com o rei Burghred de Mércia que, mesmo com o país ocupado pelos dinamarqueses, tivera permissão de manter sua guarda pessoal que era suficiente para proteger o novo hóspede. Ricsig de Dunholm, o homem que havia entregado os monges capturados a Ragnar, foi declarado novo rei da Nortúmbria e recompensou Kjartan por deixar que ele devastasse qualquer local que pudesse ter abrigado rebeldes alinhados com Egbert. Não houvera rebe-

Uma infância pagã

lião, claro, mas Kjartan tinha inventado uma, e atacou os poucos mosteiros e conventos que restavam na Nortúmbria, assim se tornando ainda mais rico. E permaneceu como principal guerreiro e coletor de impostos de Ricsig.

Tudo isso se passou sem que soubéssemos. Trouxemos a colheita, festejamos e foi anunciado que no Yule haveria um casamento entre Thyra e Anwend. Ragnar pediu ao ferreiro Ealdwulf para fazer uma espada para Anwend, tão boa quanto Bafo de Serpente, Ealdwulf disse que faria, e ao mesmo tempo me fez uma espada curta do tipo que Toki havia recomendado para lutar na parede de escudos. E me obrigou a ajudá-lo a bater as hastes retorcidas. Durante todo aquele outono trabalhamos até que Ealdwulf terminou a espada de Anwend, e eu tinha-o ajudado a fazer meu *sax*. Chamei-o Ferrão de Vespa, porque era curto, e mal podia esperar para experimentá-lo com um inimigo. O que, segundo Ealdwulf, era idiotice.

— Os inimigos chegam logo na vida da gente — disse ele. — Você não precisa procurá-los.

Fiz meu primeiro escudo no início do inverno, cortando madeira de tília, forjando a grande bossa de ferro com sua alça para a mão, que passava por um buraco na madeira, pintando-o de preto e pondo na borda uma tira de ferro. Era pesado demais, e mais tarde aprendi a fazê-los mais leves, mas quando o outono chegou eu carregava escudo, espada e *sax* a toda parte, acostumando-me ao peso, treinando para golpear e aparar, sonhando. Meio temia e meio ansiava pela minha primeira parede de escudos, porque nenhum homem era guerreiro enquanto não tivesse lutado na primeira fila da parede de escudos. Ali era o reino da morte, o lugar do horror, mas, como um idiota, eu o desejava ansiosamente.

E nos preparamos para a guerra. Ragnar tinha prometido apoio a Guthrum, e assim Brida e eu fizemos mais carvão, e Ealdwulf martelou pontas de lança, cabeças de machados e pás, enquanto Sigrid encontrava júbilo nos preparativos para o casamento de Thyra. Houve uma cerimônia de noivado no início do inverno, quando Anwend, vestindo suas melhores roupas, que estavam muito bem remendadas, veio ao nosso castelo com seis amigos e timidamente se ofereceu a Ragnar como marido de Thyra. Todo mundo sabia que ele seria marido dela, mas as formalidades eram importantes, e Thyra sentou-se entre a mãe e o pai enquanto Anwend prometia a Ragnar que iria amar, tratar com carinho e proteger Thyra, depois propôs pela noiva um preço de vinte peças de prata, que era alto demais, mas que, acho, significava que ele realmente amava Thyra.

— Que sejam dez, Anwend — disse Ragnar, generoso como sempre.
— E gaste o resto numa capa nova.

— Vinte está bom — interveio Sigrid com firmeza, já que o preço da noiva, ainda que dado a Ragnar, iria se tornar propriedade de Thyra assim que ela se casasse.

— Então mande Thyra lhe dar uma capa nova — disse Ragnar pegando o dinheiro. Depois abraçou Anwend e houve uma festa. Naquela noite Ragnar estava numa felicidade não vista desde a morte de Rorik. Thyra ficou olhando as danças, algumas vezes ruborizando quando encontrava os olhos de Anwend. Os seis amigos de Anwend, todos guerreiros de Ragnar, voltariam com ele para o casamento e seriam os homens que veriam Anwend levar Thyra à sua cama, e só quando informassem que ela era uma mulher de verdade o casamento seria considerado consumado.

Mas essas cerimônias tinham de esperar até o tempo de Yule. Então Thyra se casaria, nós teríamos nossa festa, o inverno seria suportado e iríamos para a guerra. Em outras palavras, pensávamos que o mundo continuaria como sempre.

E ao pé de Yggdrasil, a árvore da vida, as três fiandeiras zombavam de nós.

Passei muitos Natais na corte dos saxões do oeste. O Natal é o Yule com religião, e os saxões do oeste conseguiram estragar a festa do meio do inverno com monges cantando, padres arengando e sermões violentamente longos. Yule deveria ser uma comemoração e um consolo, um momento de calor e alegria no auge do inverno, uma época de comer porque a gente sabe que estão chegando tempos magros em que a comida será escassa e o gelo trancará a terra. É uma ocasião de ficar feliz, se embebedar, comportar-se de modo irresponsável e acordar na manhã seguinte imaginando se algum dia irá se sentir

Uma infância pagã

bem de novo, mas os saxões do oeste entregaram a festa aos padres, que a tornaram alegre como um funeral. Nunca entendi realmente por que as pessoas acham que a religião tem lugar na festa do meio do inverno, mas, claro, naquela época os dinamarqueses se lembravam de seus deuses e faziam sacrifícios a eles, mas também acreditavam que Odin, Tor e os outros deuses estavam festejando em Asgard e não tinham desejo de estragar as festas em Midgard, o nosso mundo. Isso parece sensato, mas aprendi que a maioria dos cristãos sente uma suspeita temerosa com relação à alegria, e Yule oferecia alegria demais para o gosto deles. Algumas pessoas de Wessex sabiam como comemorá-lo, e eu sempre fiz o máximo possível, mas se Alfredo estivesse por perto você podia ter certeza de que teríamos de jejuar, rezar e nos arrependermos durante todos os 12 dias do Natal.

Tudo isso para dizer que a festa de Yule em que Thyra iria se casar seria a maior na memória dinamarquesa. Trabalhamos duro enquanto ela se aproximava. Mantivemos mais animais vivos do que o usual e os matamos logo antes da festa, de modo que a carne não precisasse ser salgada, e cavamos grandes buracos onde os porcos e as vacas seriam cozinhados em enormes grelhas feitas por Ealdwulf. Ele resmungou sobre isso, dizendo que forjar material de cozinha o afastava de seu trabalho verdadeiro, mas secretamente gostou, porque adorava comer. Além de porco e carne de boi planejávamos ter arenque, salmão, carneiro, lúcio, pão fresco, queijo, cerveja, hidromel e, melhor do que tudo, os chouriços que eram feitos enchendo os intestinos das ovelhas com sangue, entranhas, aveia, rábano, alho e frutos de zimbro. Eu adorava aqueles chouriços, e ainda adoro, crocantes por fora mas explodindo de sangue quente quando a gente morde. Lembro-me de Alfredo fazendo cara de nojo quando eu comia um e enquanto os caldos sangrentos escorriam pela minha barba. Mas na época ele estava chupando um alho-poró cozido.

Planejamos esportes e jogos. O lago no coração do vale congelara e eu era fascinado pelo modo como os dinamarqueses amarravam ossos nos pés e deslizavam no gelo, um passatempo que durou até o gelo se quebrar e um rapaz morrer afogado, mas Ragnar achou que o lago ficaria duro de novo depois do Yule, e eu estava decidido a aprender a habilidade de deslizar no gelo. Mas por enquanto Brida e eu ainda produzíamos carvão para Ealdwulf, que tinha decidido fazer uma espada para Ragnar, a mais fina que jamais havia feito, e nós estávamos encarregados de transformar duas carroças de madeira de amieiro no melhor combustível que pudéssemos.

Planejamos quebrar a pilha na véspera da festa, mas ela era maior do que qualquer outra que tínhamos feito antes, e ainda não estava suficientemente fria. Se você quebrar uma pilha antes de estar pronta o fogo irromperá com força terrível e queimará todo o carvão semipronto, transformando-o em cinzas. Por isso nos certificamos de que todas as aberturas estivessem muito bem lacradas e admitimos que haveria tempo para quebrá-la na manhã do Yule, antes do início das comemorações. A maioria dos homens de Ragnar e suas famílias já estava no castelo, dormindo onde quer que pudessem encontrar abrigo e prontos para a primeira refeição do dia e para os jogos que aconteceriam na campina antes da cerimônia de casamento, mas Brida e eu passamos aquela última noite junto à pilha, por medo de que algum animal raspasse a turfa e desse início a uma corrente de ar que revivesse a queima. Eu estava com Bafo de Serpente e Ferrão de Vespa, porque não ia a lugar algum sem elas, e Brida tinha Nihtgenga, porque não ia a lugar nenhum sem ele, e ambos estávamos cobertos de peles porque a noite era fria. Quando uma pilha estava queimando era possível descansar na turfa e sentir o calor, mas não naquela noite, porque o fogo estava quase apagado.

— Se você ficar imóvel — disse Brida depois do anoitecer — pode sentir os espíritos.

Acho que em vez disso caí no sono, mas em algum momento antes do alvorecer acordei e vi que Brida também estava dormindo. Sentei-me com cuidado para não acordá-la, olhei para a escuridão, fiquei imóvel e tentei ouvir os *sceadugengan*. *Goblins*, elfos, diabretes, espectros e anões, todas essas coisas vêm a Midgard à noite e rondam entre as árvores, e quando guardávamos as pilhas de carvão Brida e eu púnhamos comida para eles para que nos deixassem em paz. Assim eu acordei, prestei atenção e ouvi os pequenos sons de uma floresta à noite, as coisas se movendo, as garras nas folhas mortas, os suspiros suaves do vento.

E então escutei as vozes.

Acordei Brida e ficamos os dois imóveis. Nihtgenga rosnou baixinho até Brida sussurrar para ele ficar quieto.

Havia homens se movendo no escuro, e alguns vinham para a pilha de carvão. Esgueiramo-nos para a escuridão sob as árvores. Podíamos nos mover como sombras, e Nihtgenga não fazia nenhum som sem que Brida permitisse. Tínhamos subido o morro porque as vozes estavam embaixo, e nos agachamos na escuridão completa ouvindo os homens se moverem ao redor da pilha de carvão. Então houve um estalo de pederneira e ferro e uma pequena chama saltou. Quem quer que fossem, procuravam as pessoas que estariam vigiando o carvão, mas não nos encontraram, e depois de um tempo desceram o morro e nós fomos atrás.

A alvorada estava apenas raspando o céu do leste com uma borda cinza-lobo. Havia geada nas folhas e um vento fraco.

— Deveríamos procurar Ragnar — sussurrei.

— Não podemos — disse Brida, e estava certa, porque havia uma grande quantidade de homens entre as árvores, entre nós e o castelo, e estávamos longe demais para gritar um alerta a Ragnar. Por isso tentamos passar ao redor dos estranhos, correndo pela crista do morro para descermos até a forja onde Ealdwulf dormia, mas antes de termos chegado à metade do caminho os fogos saltaram.

Aquele amanhecer está gravado na minha memória, marcado a fogo pelas chamas do incêndio de um castelo. Não podíamos fazer nada além de olhar. Kjartan e Sven tinham vindo ao nosso vale com mais de cem homens e agora atacavam Ragnar pondo fogo na palha de seu castelo. Pude ver Kjartan e o filho dele em meio às tochas acesas que iluminavam o espaço na frente da porta. Enquanto as pessoas saíam do castelo eram golpeadas por lanças ou flechas, de modo que uma pilha de corpos crescia à luz do incêndio que ia ficando cada vez mais luminoso à medida que a palha pegava fogo e finalmente explodia num incêndio tumultuoso que suplantou a luz do amanhecer cinzento. Podíamos ouvir pessoas e animais gritando lá dentro. Alguns homens saíam correndo com armas na mão, mas eram derrubados pelos soldados que cercavam o castelo, homens que estavam diante de cada porta ou janela, homens que matavam os fugitivos, mas não todos. As mulheres mais jovens eram empurradas para o lado, sob guarda, e Thyra foi dada a Sven, que bateu com força em sua cabeça e a deixou encolhida aos seus pés enquanto ele ajudava a matar a família da garota.

Não vi Ravn, Ragnar nem Sigrid morrer, mas morreram, e suspeito que tinham sido queimados no castelo quando o teto desmoronou numa explosão de chamas, fumaça e fagulhas loucas. Ealdwulf também morreu e eu fiquei chorando. Mas Brida me segurou, depois sussurrou que Kjartan e Sven certamente fariam uma busca na floresta ao redor, procurando qualquer sobrevivente, e me convenceu a recuar para as árvores desfolhadas. O alvorecer era uma carrancuda faixa de ferro atravessando o céu, e o sol estava escondido pelas nuvens, envergonhado, enquanto tropeçávamos morro acima para encontrar abrigo entre algumas pedras caídas, no fundo de uma floresta no alto.

Durante todo aquele dia a fumaça subiu do castelo de Ragnar. Na noite seguinte havia uma claridade acima dos galhos pretos e emaranhados das árvores. Na manhã seguinte ainda havia fiapos de fumaça vindo do vale onde tínhamos sido felizes. Esgueiramo-nos para perto, ambos famintos, e vimos Kjartan e seus homens revistando as cinzas.

Pegaram pedaços de ferro derretido, uma cota de malha fundida num horror amarrotado, prata fundida em bocados, e tudo que pudesse ser vendido ou usado de novo. Às vezes pareciam frustrados, como se não tivessem encontrado tesouros suficientes, mas pegaram bastante. Uma carroça levou as ferramentas e a bigorna de Ealdwulf para o vale. Thyra estava com uma corda em volta do pescoço, foi posta num cavalo e guiada para longe pelo caolho Sven. Kjartan mijou num monte de brasas acesas, depois riu quando um de seus homens disse alguma coisa. À tarde todos tinham ido.

Eu tinha 16 anos e não era mais criança.

E Ragnar, meu senhor, que tinha me feito seu filho, estava morto.

Os corpos ainda estavam nas cinzas, mas era impossível dizer quem era quem, ou mesmo identificar quem era homem ou mulher, porque o calor havia encolhido os mortos de modo que todos pareciam crianças, e as crianças pareciam bebês. Os que tinham morrido do lado de fora do castelo eram reconhecíveis.

Uma infância pagã

Encontrei Ealdwulf e Anwend, ambos nus. Procurei Ragnar, mas não pude identificá-lo. Imaginei por que ele não havia saído do castelo com a espada na mão, e decidi que ele sabia que ia morrer e não quis dar ao inimigo a satisfação de ver isso.

    Achamos comida num dos buracos de armazenagem que os homens de Kjartan não haviam encontrado ao saquear o castelo. Tivemos de afastar pedaços de madeira quente e chamuscada para descobrir o buraco. E o pão, o queijo e a carne tinham sido azedados pela fumaça e as cinzas, mas comemos. Nenhum de nós falou. No crepúsculo alguns ingleses vieram cautelosamente e olharam a destruição. Estavam retraídos comigo, achando que eu era dinamarquês, e se ajoelharam quando me aproximei. Eram os sortudos, porque Kjartan havia chacinado todos os ingleses de Synninghtwait, até o último bebê, culpando-os pelo incêndio do castelo. Os homens deviam saber que era coisa dele, mas sua selvageria em Synninghtwait confundiu as coisas e, com o tempo, muitas pessoas passaram a crer que os ingleses tinham atacado Ragnar e que Kjartan havia se vingado pelo ataque. Mas aqueles ingleses tinham escapado das espadas.

    — Vocês voltarão de manhã e enterrarão os mortos — disse eu.

    — Sim, senhor.

    — Vocês serão recompensados — prometi, pensando que teria de abrir mão de meus preciosos braceletes.

    — Sim, senhor — repetiu um deles, e então perguntei se sabiam por que isso havia acontecido e eles ficaram nervosos. Mas finalmente um contou que tinham lhe dito que o *earl* Ragnar estava planejando uma revolta contra Ricsig. Um dos ingleses que serviam a Kjartan havia contado isso quando foi à sua choupana pegar cerveja. Também tinha dito para se esconderem antes que Kjartan trucidasse os habitantes do vale.

    — Você sabe quem eu sou? — perguntei ao homem.

    — O senhor Uhtred.

    — Não diga a ninguém que estou vivo — falei, e ele simplesmente me encarou. Decidi que Kjartan deveria achar que eu estava morto, que eu era um dos corpos encolhidos e queimados dentro do castelo. Ainda que Kjartan não se importasse comigo, Sven se importava, e eu não o queria me caçando. — Volte de manhã e você terá prata.

Há uma coisa chamada rixa de sangue. Todas as sociedades têm, até os saxões do oeste, apesar de sua alardeada devoção religiosa. Se você matar um membro da minha família eu mato um da sua, e assim a coisa prossegue, geração após geração, até que uma família esteja totalmente morta. E Kjartan tinha acabado de desejar uma rixa de sangue contra si mesmo. Eu não sabia como, não sabia onde, não podia saber quando, mas iria me vingar por Ragnar. Jurei isso naquela noite.

E naquela noite fiquei rico. Brida esperou até que os ingleses tivessem ido embora. Depois me levou aos restos incendiados da forja de Ealdwulf e me mostrou o enorme pedaço de olmo chamuscado, um pedaço de tronco de árvore onde antes ficava a bigorna de Ealdwulf.

— Temos de tirar isso daí — disse ela.

Precisamos fazer força juntos para virar aquele pedaço monstruoso de olmo, e embaixo não havia nada além de terra, mas Brida me mandou cavar. Por falta de outras ferramentas, usei Ferrão de Vespa. E tinha afundado apenas um palmo quando golpeei metal. Ouro. Ouro de verdade. Moedas e pequenos pedaços. As moedas eram estranhas, gravadas com uma escrita que eu nunca tinha visto, nem runas dinamarquesas nem letras inglesas, mas algo estranho que mais tarde descobri que vinha de pessoas distantes que vivem no deserto e cultuam um deus chamado Alá. Acho que deve ser um deus de fogo porque *al*, em nossa língua inglesa, significa queima. Existem deuses demais, mas esse pessoal que adorava Alá fazia moedas boas, e naquela noite desenterramos 48. E uma quantidade equivalente de ouro em pedaços. Brida disse que tinha visto Ragnar e Ealdwulf enterrando o tesouro uma noite. Havia ouro, moedas de prata e quatro pedaços de âmbar-negro. Sem dúvida esse era o tesouro que Kjartan esperava encontrar, porque sabia que Ragnar era rico, mas Ragnar o havia escondido bem. Todos os homens escondem uma reserva de riqueza para o dia em que o desastre chegar. No meu tempo já enterrei tesouros, e até esqueci onde um deles estava e talvez, daqui a muitos anos, algum sortudo o encontre. Aquele tesouro, o tesouro de Ragnar, pertencia ao seu filho mais velho. Mas Ragnar — era estranho pensar que ele era apenas Ragnar agora — estava longe na Irlanda, e eu duvidava de que ao menos estivesse vivo, porque Kjartan certamente mandaria homens para matá-lo. Mas, vivo ou morto, não estava aqui. Por isso pegamos o tesouro.

— O que vamos fazer? — perguntou Brida naquela noite. Estávamos de volta à floresta.

Eu já sabia o que faríamos, talvez sempre tivesse sabido. Sou um inglês da Inglaterra, mas fui um dinamarquês enquanto Ragnar estava vivo porque Ragnar me amava, cuidava de mim e me chamava de filho, mas Ragnar estava morto e eu não tinha outros amigos entre os dinamarqueses. Também não tinha amigos entre os ingleses, por sinal, a não ser Brida, claro, e a não ser que contasse Beocca, que certamente gostava de mim de um modo complicado. Mas os ingleses eram o meu povo e acho que eu sabia disso desde o momento na colina de Æsc, onde, pela primeira vez, vi ingleses derrotando dinamarqueses. Tinha sentido orgulho. O destino é tudo. As fiandeiras me tocaram na colina de Æsc e agora, finalmente, eu reagiria ao seu toque.

— Vamos para o sul.

— Para um convento? — perguntou Brida, pensando em Ælswith e suas ambições amargas.

— Não. — Eu não tinha vontade de me juntar a Alfredo e aprender a ler e ralar os joelhos rezando. — Tenho parentes em Mércia — falei. Eu nunca havia me encontrado com eles, não sabia nada sobre eles, mas eram da família, e a família tem obrigações. E o domínio dinamarquês sobre Mércia era mais frouxo do que em outros lugares e talvez eu pudesse encontrar uma casa. Isso não seria difícil porque carregava ouro.

Eu tinha dito que sabia o que fazer, mas isso não é totalmente verdadeiro. A verdade é que estava num poço de sofrimento, tentado pelo desespero e com lágrimas sempre perto dos olhos. Queria que a vida continuasse como antes, ter Ragnar como meu pai, festejar e rir. Mas o destino nos agarra e, na manhã seguinte, sob uma chuva fraca de inverno, enterramos os mortos, pagamos com moedas de prata e depois andamos para o sul. Éramos um garoto à beira de virar homem, uma garota e um cachorro, e íamos para lugar nenhum.

Segunda Parte

O último reino

Sete

Estabeleci-me no sul de Mércia. Encontrei outro tio, este chamado *ealdorman* Æthelred, filho de Æthelred, irmão de Æthelwulf, pai de Ælswith, que se casou com Alfredo. O *ealdorman* Æthelred, com sua família confusa, reconheceu-me de má vontade como sobrinho, mas as boas-vindas ficaram ligeiramente mais calorosas quando lhe dei de presente duas moedas de ouro e jurei sobre um crucifixo que era todo o dinheiro que possuía. Ele presumiu que Brida fosse minha amante, no que estava certo, e depois disso a ignorou.

A viagem para o sul foi cansativa, como todas as jornadas de inverno. Durante um tempo nos abrigamos numa propriedade perto de Meslach e as pessoas do lugar acharam que éramos fora da lei. Chegamos à sua choupana numa tarde de neve com chuva e vento, ambos congelados, e pagamos por comida e abrigo com alguns elos da corrente do crucifixo de prata que Ælswith havia me dado, e à noite os dois filhos mais velhos vieram pegar o resto de nossa prata. Eu estava com Bafo de Serpente e Brida com Ferrão de Vespa, e ameaçamos castrar os dois garotos. Depois disso a família ficou amigável, ou pelo menos numa docilidade apavorada, acreditando quando falei que Brida era feiticeira. Eles eram pagãos, alguns dos muitos hereges ingleses deixados nas colinas mais altas, e não faziam ideia de que os dinamarqueses estavam assolando a Inglaterra. Viviam longe de qualquer povoado, resmungavam orações a Odin e nos abrigaram por seis semanas. Nós trabalhamos para pagar a estada cortando lenha, ajudando suas ovelhas a dar à luz e depois montando guarda nos cercados das ovelhas para manter os lobos a distância.

No início da primavera fomos embora. Evitamos Hreapandune, porque era lá que Burghred mantinha sua corte, a mesma da qual o infeliz Egbert da Nortúmbria tinha fugido, e havia muitos dinamarqueses estabelecidos ao redor da cidade. Eu não temia os dinamarqueses, podia falar com eles em sua língua, conhecia suas piadas e até gostava deles, mas se chegasse a Eoferwic a notícia de que Uhtred de Bebbanburg ainda vivia, eu tinha medo de que Kjartan pusesse minha cabeça a prêmio. Por isso perguntava em cada povoado sobre o *ealdorman* Æthelwulf que tinha morrido lutando contra os dinamarqueses em Readingum, e fiquei sabendo que ele havia morado num lugar chamado Deoraby, mas que os dinamarqueses tinham tomado suas terras e seu irmão mais novo tinha ido para Cirrenceastre, que ficava nas partes mais ao sul de Mércia, muito perto da fronteira dos saxões do oeste. Isso era bom, porque os dinamarqueses estavam em maior número no norte de Mércia, por isso fomos a Cirrenceastre e descobrimos que era outra cidade romana, com muralhas de pedra e madeira, e que o irmão de Æthelwulf, Æthelred, era agora *ealdorman* e senhor do local.

Chegamos quando ele estava atendendo na corte e esperamos em seu castelo entre os peticionários e os que iam prestar juramento. Vimos quando dois homens foram açoitados e um terceiro marcado no rosto e considerado fora da lei por roubar gado. Então um intendente nos levou adiante, pensando que tínhamos vindo buscar desagravo por algum malfeito, e o intendente nos mandou fazer reverência. Eu me recusei. O sujeito tentou me fazer dobrar na cintura e eu o golpeei no rosto. Isso atraiu a atenção de Æthelred. Ele era um homem alto, com bem mais de quarenta anos, quase sem cabelos e com uma barba enorme, e tão macambúzio quanto Guthrum. Quando bati no intendente ele chamou os guardas que estavam descansando nas laterais do salão.

— Quem é você? — rosnou para mim.

— Sou o *ealdorman* Uhtred — respondi, e o título fez os guardas se imobilizarem e o intendente recuar nervoso. — Sou filho de Uhtred de Bebbanburg — continuei — e de Æthelgifu, esposa dele. Sou seu sobrinho.

Ele me encarou. Eu devia parecer um caco, porque estava sujo da viagem, com cabelos compridos e maltrapilho, mas tinha duas espadas e um orgulho monstruoso.

— Você é o filho de Æthelgifu?

— Sou filho de sua irmã — respondi. E mesmo então não tinha certeza de que esta era a família certa, mas era, e o *ealdorman* Æthelred fez o sinal da cruz em memória da irmã mais nova, de quem mal se lembrava. Em seguida, com um gesto, mandou os guardas de volta para as laterais do salão e perguntou o que eu queria.

— Abrigo — respondi, e ele assentiu de má vontade. Contei que tinha sido prisioneiro dos dinamarqueses desde a morte de meu pai, e ele aceitou isso de boa vontade, mas de fato não estava muito interessado em mim. Na verdade minha chegada era um incômodo porque éramos duas bocas para serem alimentadas, mas a família impõe obrigações, e o *ealdorman* Æthelred cumpriu a sua. Também tentou mandar me matar.

Suas terras, que se estendiam até o rio Sæfern no oeste, estavam sendo atacadas por britânicos de Gales. Os galeses eram inimigos antigos, os que tinham tentado impedir que nossos ancestrais tomassem a Inglaterra. De fato, seu nome para a Inglaterra é Lloegyr, que significa Terras Perdidas, e viviam sempre atacando ou pensando em atacar e cantando canções sobre ataques, e tinham um grande herói chamado Artur, que supostamente estava dormindo em sua sepultura e um dia se levantaria para liderar os galeses para uma grande vitória sobre os ingleses, tomando de volta as Terras Perdidas, mas até agora isso não havia acontecido.

Cerca de um mês depois de eu ter chegado, Æthelred ficou sabendo que um bando de guerreiros galeses tinha atravessado o Sæfern e estava pegando gado de suas terras perto de Fromtum, e partiu para afastá-los. Foi para o oeste com cinquenta homens, mas ordenou que o chefe de suas tropas domésticas, um guerreiro chamado Tatwine, bloqueasse a retirada deles perto da antiga cidade romana de Gleawecestre. Deu a Tatwine uma força de vinte homens, dentre os quais estava eu.

— Você é um garoto grande — disse-me Æthelred antes de sair. — Já lutou numa parede de escudos?

Hesitei, querendo mentir, mas decidi que cutucar uma espada entre as pernas dos homens em Readingum não era a mesma coisa.

— Não, senhor — respondi.

— Já é hora de aprender, então. Essa espada deve servir para alguma coisa. Onde você conseguiu?

— Era de meu pai, senhor — menti, porque não queria explicar que não tinha sido prisioneiro dos dinamarqueses, nem que a espada fora presente, porque nesse caso Æthelred esperaria que eu a desse a ele. — É a única coisa de meu pai que eu tenho — acrescentei pateticamente e ele grunhiu, me afastou com um gesto e disse a Tatwine para me colocar na parede de escudos se houvesse luta.

Eu soube disso porque Tatwine me contou quando tudo terminou. Tatwine era um homem enorme, alto como eu, com peito de ferreiro e braços grossos em que fazia marcas com tinta e uma agulha. As marcas eram apenas manchas, mas Tatwine alardeava que cada uma delas era um homem que ele matara em batalha. Uma vez tentei contá-las, mas desisti no 38. Suas mangas escondiam o resto. Ele não estava feliz por eu estar em seu bando de guerreiros e ficou ainda menos feliz quando Brida insistiu em me acompanhar, mas eu lhe disse que ela fizera um juramento ao meu pai, de jamais sair do meu lado, e que ela era uma mulher esperta que conhecia feitiços e confundiria o inimigo. Ele acreditou nas duas mentiras e provavelmente achou que, assim que eu estivesse morto, seus homens poderiam se divertir com Brida enquanto ele levava Bafo de Serpente de volta para Æthelred.

Os galeses tinham atravessado o Sæfern bem no norte, depois viraram para o sul entrando nas luxuriantes campinas inundadas onde o gado era gordo. Eles gostavam de chegar rápido e sair rápido, antes que os mércios pudessem juntar forças, mas Æthelred tinha ouvido a tempo sobre sua chegada e, enquanto ele cavalgava para o oeste, Tatwine nos liderou para o norte até a ponte que atravessava o Sæfern, a rota mais rápida de volta a Gales.

Os atacantes foram direto para aquela armadilha. Chegamos à ponte no crepúsculo, dormimos num campo, acordamos antes do amanhecer e, justo quando o sol subia, vimos os galeses e o gado roubado vindo para nós. Eles fizeram um esforço de ir mais para o norte, mas os cavalos estavam exaustos, os nossos estavam descansados, e eles perceberam que não havia fuga, por isso voltaram à ponte. Nós fizemos o mesmo e, apeados, formamos a parede de escudos. Os galeses fizeram sua parede. Eram 28, todos de aparência selvagem, com cabelos desgrenhados, barbas compridas e capas maltrapilhas, mas as armas pareciam bem-cuidadas e os escudos eram fortes.

Tatwine falava um pouco da língua deles e disse que, caso se rendessem agora, seriam tratados com misericórdia por seu senhor. A única resposta foi uivarem para nós, e um deles se virou, baixou o calção e mostrou seu traseiro sujo, o que era um insulto galês.

Nada aconteceu em seguida. Eles estavam em sua parede de escudos na estrada e nossa parede de escudos bloqueava a ponte. Eles gritavam insultos, e Tatwine proibiu nossos homens de gritar de volta, e uma ou duas vezes pareceu que os galeses iriam correr para os cavalos e tentar fugir galopando para o norte, mas a cada vez que sugeriam esse movimento Tatwine ordenava que os servos trouxessem nossos cavalos. Os galeses entenderam que iríamos persegui-los e alcançá-los, por isso voltaram à parede de escudos e zombaram de nós por não atacarmos. Tatwine não era idiota. Os galeses estavam em maior número, o que significava que poderiam se dobrar ao nosso redor. Mas ficando na ponte nossos flancos estavam protegidos pelos parapeitos romanos e ele queria que os inimigos viessem. Colocou-me no centro da linha e depois ficou atrás de mim. Mais tarde entendi que estava pronto para ocupar meu lugar quando eu caísse. Eu estava com um velho escudo de alça frouxa, emprestado pelo meu tio.

De novo Tatwine tentou convencê-los a se render, prometendo que apenas metade deles seria morta. Mas como a outra metade perderia uma mão e um olho, essa não era uma oferta tentadora. Mesmo assim eles esperaram — e poderiam ter esperado até o cair da noite caso alguns moradores do local não tivessem aparecido. Um deles tinha um arco e algumas flechas, e começou a atirar contra os galeses que, nesse ponto, vinham bebendo continuamente durante toda a manhã. Tatwine havia nos dado um pouco de cerveja, mas não muito.

Eu estava nervoso. Mais do que nervoso, aterrorizado. Não tinha armadura, ao passo que o resto dos homens de Tatwine usava cota de malha ou couro de qualidade. Tatwine tinha um elmo, eu tinha cabelo. Esperava morrer, mas lembrei-me das lições e pendurei Bafo de Serpente às costas, prendendo o cinto da espada em volta do pescoço. Uma espada é muito mais rápida de se desembainhar por cima do ombro, e eu esperava começar a luta com Ferrão de Vespa. Minha garganta estava seca, um músculo na perna direita tremia, a barriga tinha uma sensação azeda, mas entremeada a isso tudo havia empolgação. Era para isso que minha vida tinha levado: uma parede de escudos, e se eu sobrevivesse a ela seria um guerreiro.

As flechas voaram uma depois da outra, na maioria batendo em escudos, mas uma, por sorte, passou por um escudo, cravou-se no peito de um homem e ele caiu para trás. De repente o líder galês perdeu a paciência e deu um grito enorme. E eles atacaram.

Era uma parede de escudos pequena, não foi uma grande batalha. Uma escaramuça por gado, e não um choque de exércitos, mas foi minha primeira parede de escudos, e instintivamente bati meu escudo contra os dos meus vizinhos, para me certificar de que eles se tocavam, e baixei Ferrão de Vespa, pretendendo golpear de baixo para cima, sob a borda, e me agachei ligeiramente para receber a carga. Os galeses uivavam como loucos, um barulho destinado a nos apavorar, mas eu estava muito concentrado fazendo o que tinha aprendido e não me distraí com os uivos.

— Agora! — gritou Tatwine. Todos impelimos os escudos para a frente e houve um golpe no meu, parecido com o martelo de Ealdwulf batendo na bigorna. Percebi um machado girando no alto para partir meu crânio e me abaixei, levantando o escudo. Em seguida estoquei com Ferrão de Vespa contra a virilha do sujeito. Ela seguiu fácil e na mira, como Toki havia me ensinado, e esse golpe na virilha é maligno, um dos golpes de morte. O sujeito soltou um grito terrível, como uma mulher dando à luz, e a espada curta ficou grudada em seu corpo, com sangue escorrendo pelo punho. O machado caiu pelas minhas costas enquanto eu me levantava. Desembainhei Bafo de Serpente pelo ombro esquerdo e girei-a contra o homem que atacava meu vizinho da direita. Foi um bom golpe, direto no crânio, e puxei-a de volta, deixando o gume criado por Ealdwulf fazer seu trabalho. O homem com Ferrão de Vespa na virilha estava sob meus pés, por isso pisei em sua cara. Agora eu estava gritando, gritando em dinamarquês, gritando suas mortes, e de repente tudo ficou fácil. Passei por cima da minha primeira vítima para acabar com a segunda, e isso significou que eu tinha rompido nossa parede de escudos, o que não importava, porque Tatwine estava lá para guardar o espaço. Agora eu estava no espaço galês, mas com dois homens embaixo de mim. Um terceiro veio na minha direção, a espada baixando num grande golpe estilo foice que recebi com a bossa do escudo, e quando ele tentou cobrir o corpo com seu escudo cravei Bafo de Serpente em sua garganta, rasguei-a, girei a espada num círculo e ela ressoou contra um escudo atrás de mim. Rodei o corpo, agora transformado inteiro em selvageria e fúria, e ataquei um quarto homem, derrubando-o com meu peso. Ele começou a gritar por misericórdia e não recebeu.

O júbilo! O júbilo da espada. Eu estava dançando de júbilo, a alegria fervilhando dentro de mim, o júbilo da batalha do qual Ragnar falava com tanta frequência, o júbilo do guerreiro. Se um homem não o conheceu não é homem. Aquela não era uma batalha, não era uma carnificina propriamente dita, apenas uma matança de ladrões, mas foi minha primeira luta e os deuses tinham se movido dentro de mim, tinham dado velocidade ao meu braço e força ao escudo, e quando terminou, e quando dancei no sangue dos mortos, soube que eu era bom. Soube que eu era mais do que bom. Naquele momento poderia ter conquistado o mundo e meu único lamento era porque Ragnar não pôde ver, mas achei que ele poderia estar me olhando do Valhalla. Levantei Bafo de Serpente para as nuvens e gritei o nome dele. Já vi outros jovens saírem da primeira luta com o mesmo júbilo e os enterrei depois da batalha seguinte. Os jovens são idiotas, e eu era jovem. Mas era bom.

Os ladrões de gado foram destruídos. Doze estavam mortos ou tão feridos que iam morrer logo, e os outros fugiram. Nós os pegamos com facilidade e, um a um, os matamos, e depois voltei ao homem cujo escudo tinha beijado o meu quando as paredes se chocaram e tive de pôr o pé direito sobre sua virilha sangrenta para arrancar Ferrão de Vespa grudada na carne, e nesse momento só queria mais inimigos para matar.

— Onde você aprendeu a lutar, garoto? — perguntou Tatwine.

Virei-me como se ele fosse um inimigo, com orgulho relampejando no rosto e Ferrão de Vespa tremendo como se estivesse sedenta de sangue.

— Sou *ealdorman* da Nortúmbria.

Ele parou, cauteloso comigo, depois assentiu.

— Sim, senhor — disse. Em seguida estendeu a mão e sentiu os músculos do meu braço direito. — Onde aprendeu a lutar? — perguntou, deixando de lado o insultuoso "garoto".

— Eu olhava os dinamarqueses.

— Olhava... — disse ele com a voz opaca. Em seguida me olhou nos olhos, depois riu e me abraçou, dizendo: — Deus me ama, mas você é selvagem. Foi sua primeira parede de escudos?

— A primeira — admiti.

— Mas não a última. Ouso dizer, não a última.

Estava certo.

Dei a impressão de ser pouco modesto, mas disse a verdade. Hoje em dia emprego poetas para me cantar elogios, mas só porque é isso que um senhor deve fazer. Mas frequentemente me pergunto por que alguém deveria ser pago em troca de meras palavras. Esses tecelões de palavras não fazem nada, não plantam nada, não matam inimigos, não pegam peixe e não criam gado. Apenas recebem prata em troca de palavras, que, de qualquer modo, são gratuitas. É um truque inteligente, mas na verdade eles têm quase tanta utilidade quanto os padres.

Lutei bem, não é mentira, mas tinha passado os anos de crescimento sonhando com pouca coisa além disso, era jovem, e os jovens são imprudentes na batalha. Eu era forte e rápido e o inimigo estava cansado. Deixamos suas cabeças cortadas nos parapeitos da ponte como um aviso para outros britânicos que viessem visitar suas Terras Perdidas, depois cavalgamos para o sul ao encontro de Æthelred, que sem dúvida ficou desapontado ao me descobrir vivo e ainda faminto, mas aceitou o veredicto de Tatwine, de que eu podia ser útil como guerreiro.

Não que houvesse muitas batalhas, a não ser contra fora da lei e ladrões de gado. Æthelred gostaria de lutar contra os dinamarqueses porque se irritava sob o domínio deles, mas temia sua vingança, por isso cuidava para não ofendê-los. Isso era bem fácil, porque o domínio dinamarquês era débil em nossa parte de Mércia. Mas a intervalos de algumas semanas alguns dinamarqueses vinham a Cirrenceastre e exigiam gado, comida ou prata, e ele tinha pouca opção além de pagar. Na verdade não olhava para o norte, para o impotente rei Burghred, como seu senhor, e sim para o sul, para Wessex, e se eu possuísse alguma inteligência naqueles dias teria entendido que Alfredo estava ampliando sua influência sobre aquelas partes do sul de Mércia. A influência não era óbvia, nenhum soldado saxão do oeste patrulhava o país, mas os mensageiros de Alfredo viviam chegando e falando com os principais homens, persuadindo-os a trazer seus guerreiros ao sul caso os dinamarqueses atacassem Wessex de novo.

Eu deveria ser cauteloso com aqueles enviados saxões do oeste, mas estava muito envolvido nas intrigas da casa de Æthelwold para prestar atenção a eles. O *ealdorman* não gostava muito de mim, mas seu filho mais velho, também chamado Æthelred, me detestava. Era um ano mais novo do que eu, mas muito cônscio de sua dignidade, e odiava os dinamarqueses. Além disso odiava tremendamente Brida, principalmente porque tinha tentado fornicar com ela e ganhou uma joelhada no saco. Depois disso ela foi posta para trabalhar na cozinha do *ealdorman* Æthelred e me alertou, no primeiro dia, para não tocar o mingau. Não toquei, mas o resto das pessoas na mesa sofreu de diarreia nos dois dias seguintes, graças às bagas de sabugueiro e raiz de íris que ela havia posto na panela. O jovem Æthelred e eu vivíamos discutindo, mas ele ficou mais cauteloso depois que lhe dei uma surra com os punhos no dia em que o encontrei chicoteando o cachorro de Brida.

Eu era um incômodo para meu tio. Era novo demais, grande demais, espalhafatoso demais, orgulhoso demais, indisciplinado demais, mas também era membro da família e um senhor, portanto o *ealdorman* Æthelred me suportou e ficou feliz em me deixar perseguir com Tatwine os galeses que faziam incursões de roubo. Quase sempre fracassávamos em pegá-los.

Voltei de uma dessas perseguições numa noite e deixei um servo escovando o cavalo enquanto ia procurar comida. Em vez disso encontrei logo o padre Willibald no castelo, sentado perto das brasas do fogo. A princípio não o reconheci, nem ele me conheceu quando entrei todo suado usando capa de pele, botas de cano alto, um escudo e duas espadas. Simplesmente vi uma figura perto do fogo.

— Tem algo para comer aí? — perguntei, esperando não ter de acender um toco de vela e passar pelos servos que dormiam na cozinha.

— Uhtred — disse ele. Em seguida me virei e olhei pela escuridão. Então ele assobiou como um melro e eu o reconheci. — Essa aí com você é Brida? — perguntou o jovem padre.

Ela também estava vestida de couro, com uma espada galesa à cintura. Nihtgenga correu até Willibald, que ele nunca havia conhecido, e se permitiu ser acariciado. Tatwine e os outros guerreiros entraram fazendo barulho, mas Willibald os ignorou.

— Espero que esteja bem, Uhtred.

— Estou bem, padre. E você?

— Estou muito bem.

Ele sorriu, obviamente querendo que eu perguntasse por que tinha vindo ao castelo de Æthelred, mas fingi não estar interessado.

— Você não se encrencou por ter nos perdido? — perguntei em vez disso.

— A senhora Ælswith ficou com muita raiva — admitiu ele —, mas Alfredo pareceu não se importar. Mas censurou o padre Beocca.

— Beocca? Por quê?

— Porque Beocca o havia convencido de que você queria escapar dos dinamarqueses, e Beocca estava errado. Mesmo assim não teve problema. — Ele sorriu. — E agora Alfredo me mandou encontrá-lo.

Agachei-me perto dele. Era fim do verão, mas a noite estava surpreendentemente fria, por isso joguei outro pedaço de lenha no fogo e as fagulhas voaram, e um sopro de fumaça subiu para as traves altas.

— Alfredo mandou você — falei em tom inexpressivo. — Ele ainda quer me ensinar a ler?

— Ele quer vê-lo, senhor.

Olhei-o cheio de suspeitas. Eu me dizia um senhor, e o era por direito de nascimento, mas era bastante imbuído da ideia dinamarquesa de que a condição de senhor era merecida, e não dada, e eu ainda não a merecera. Mesmo assim Willibald estava demonstrando respeito.

— Por que ele quer me ver?

— Ele gostaria de falar com o senhor, e quando a conversa estiver terminada o senhor estará livre para voltar para cá ou, de fato, ir aonde quiser.

Brida me trouxe um pouco de pão duro e queijo. Comi, pensando.

— Sobre o quê ele quer falar? — perguntei a Willibald. — Deus?

O padre suspirou.

— Alfredo é rei há dois anos, Uhtred, e nesses dois anos tem tido apenas duas coisas em mente: Deus e os dinamarqueses, mas acho que ele sabe que você não pode ajudá-lo com relação ao primeiro.

Sorri. Os cães de Æthelred haviam acordado quando Tatwine e seus homens se acomodaram nas altas plataformas onde iriam dormir. Um dos cães veio até mim, esperando ganhar comida, e eu acariciei o pelo áspero pensando em como Ragnar amava seus cães. Agora Ragnar estava no Valhalla, festejando, rugindo, lutando, fornicando e bebendo, e eu esperava que no céu dos nórdicos houvesse cães e javalis do tamanho de bois, lanças afiadas como navalhas.

— Há apenas uma condição em sua viagem — continuou Willibald. — Que Brida não vá.

— Brida não deve ir, é?

— A senhora Ælswith insiste nisso.

— Insiste?

— Agora ela tem um filho, que Deus seja louvado, um belo menino chamado Eduardo.

— Se eu fosse Alfredo a manteria ocupada também.

Willibald sorriu.

— Então o senhor irá?

Toquei Brida, que tinha se acomodado perto de mim.

— Nós iremos — prometi, e Willibald balançou a cabeça diante de minha obstinação, mas não tentou me convencer a deixar Brida para trás.

Por que fui? Porque estava entediado. Porque meu primo Æthelred não gostava de mim. Porque as palavras de Willibald tinham sugerido que Alfredo não queria que eu me tornasse um erudito, e sim um guerreiro. Fui porque o destino determina a nossa vida.

Partimos de manhã. Era um dia de fim de verão, com chuva leve caindo nas árvores pesadas de tantas folhas. A princípio seguimos pelos campos

233

O último reino

de Æthelred, densos de centeio e cevada, ruidosos com o barulho dos codornizões, mas depois de alguns quilômetros estávamos nos ermos que eram a fronteira entre Wessex e Mércia. Houvera um tempo em que aqueles campos eram férteis, em que os povoados estavam cheios e ovelhas percorriam os morros mais altos, mas os dinamarqueses tinham devastado a área no verão depois da derrota na colina de Æsc, e poucos homens haviam retornado para se estabelecer naquelas terras. Eu sabia que Alfredo queria pessoas ali para plantar e criar gado, mas os dinamarqueses tinham feito ameaças de matar qualquer um que usasse a terra, porque sabiam, tanto quanto Alfredo, que esses homens procurariam a proteção de Wessex, que iriam se tornar saxões do oeste e aumentar a força de Wessex, e Wessex, para os dinamarqueses, só existia porque eles ainda não o haviam tomado.

No entanto a terra não estava totalmente deserta. Algumas pessoas ainda viviam nas aldeias e as florestas estavam cheias de fora da lei. Não vimos nenhum, e isso foi bom, porque ainda tínhamos uma boa quantidade do tesouro de Ragnar, que Brida carregava. Agora cada moeda estava embrulhada num pedaço de pano, para que a bolsa de couro não tilintasse enquanto ela se movia.

No fim do dia estávamos bem ao sul daquela região, entrando em Wessex, os campos eram luxuriantes de novo e os povoados estavam cheios. Não era de espantar que os dinamarqueses desejassem aquela terra.

Alfredo estava em Wintanceaster, a capital de Wessex, uma bela cidade numa região rica. Os romanos tinham feito Wintanceaster, claro, e o palácio de Alfredo era na maior parte romano, ainda que seu pai tivesse acrescentado um grande salão com traves belamente esculpidas, e Alfredo estava construindo uma igreja ainda maior do que o salão, fazendo as paredes de pedra que, quando cheguei, estavam cobertas por uma teia de andaimes de madeira. Havia um mercado ao lado do novo prédio e me lembro de ter pensado em como era estranho ver tantas pessoas sem um único dinamarquês entre elas. Os dinamarqueses se pareciam conosco, mas quando caminhavam por um mercado no norte da Inglaterra a multidão se dividia, homens faziam reverência e havia uma sugestão de medo. Aqui, não. Mulheres apregoavam maçãs, pão, queijo e peixe, e a única língua que ouvi era o sotaque áspero de Wessex.

Brida e eu recebemos alojamento na parte romana do palácio. Desta vez ninguém tentou nos separar. Tínhamos um quarto pequeno, caiado, com colchão de palha, e Willibald disse que deveríamos esperar ali. E esperamos até ficar entediados com a espera. Depois exploramos o palácio, encontrando-o cheio de padres e monges. Eles nos olhavam estranhamente, porque ambos usávamos braceletes gravados com runas dinamarquesas. Naquela época eu era um idiota, um idiota desajeitado, e não tive a cortesia de tirar os braceletes. Certo, alguns ingleses os usavam, especialmente os guerreiros, mas não no palácio de Alfredo. Havia muitos guerreiros lá, muitos eram os grandes *ealdormen* cortesãos de Alfredo, lideravam seus servos e eram recompensados com terras, mas esses homens eram em número muito menor do que os padres, e apenas um punhado, os guarda-costas de confiança da casa do rei, tinha permissão de portar armas no palácio. Na verdade aquilo mais parecia um mosteiro do que a corte de um rei. Numa sala havia uma dúzia de monges copiando livros, as penas fazendo barulho, diligentes, e havia três capelas, uma ao lado de um pátio cheio de flores. Era lindo aquele pátio, com o zumbido de abelhas e fragrância densa. Nihtgenga estava acabando de mijar num daqueles arbustos floridos quando uma voz falou atrás de nós:

— Os romanos fizeram esse pátio.

Virei-me e vi Alfredo. Abaixei-me sobre um dos joelhos, como um homem deve fazer ao ver um rei, e ele sinalizou para eu me levantar. Estava usando calções de lã, botas de cano alto e uma camisa de linho simples, e não tinha escolta, guarda ou padre. Sua manga direita estava suja de tinta.

— Você é bem-vindo, Uhtred — disse ele.

— Obrigado, senhor — respondi, imaginando onde estaria o seu séquito. Nunca o tinha visto sem alguns padres à distância de adulação, mas naquele dia ele estava sozinho.

— E Brida — disse Alfredo. — Este é o seu cão?

— É — respondeu ela em tom de desafio.

— Parece um ótimo animal. Venham. — Ele nos fez passar por uma porta entrando no que, evidentemente, era seu aposento particular. Havia uma mesa alta junto à qual podia ficar de pé escrevendo. A mesa tinha quatro candelabros, mas como era dia as velas não estavam acesas. Sobre uma mesinha havia uma tigela de água para ele poder lavar a tinta das mãos. Havia uma cama baixa coberta com peles de cabra, um banco onde estavam empilhados seis livros e um maço de pergaminhos e um altar baixo com um crucifixo de marfim e dois relicários com joias engastadas. Os restos de uma refeição estavam no parapeito da janela. Ele afastou os pratos, abaixou-se para beijar o altar, sentou-se no parapeito e começou a fazer ponta em algumas penas para escrita. — Foi gentileza sua ter vindo — disse em tom afável. — Eu ia conversar com você depois do jantar desta noite, mas os vi no jardim e achei que poderíamos conversar agora. — Ele sorriu. E eu, espalhafatoso que era, fiz um muxoxo. Brida se agachou perto da porta com Nihtgenga ao lado.

— O *ealdorman* Æthelred disse que você é um guerreiro considerável, Uhtred.

— Tive sorte, senhor.

— Sorte é uma coisa boa, pelo menos é o que meus guerreiros dizem. Ainda não deduzi uma teologia da sorte, e talvez nunca deduza. Poderá haver sorte se Deus dispõe? — Ele franziu a testa para mim durante alguns instantes, evidentemente pensando na contradição aparente, mas então descartou o problema como diversão para outro dia. — Então acho que eu estava errado ao tentar encorajá-lo ao sacerdócio, não é?

— Não há nada de errado em encorajar, senhor. Mas eu não tinha vontade de ser padre.

— Então fugiu de mim. Por quê?

Acho que ele esperava que eu ficasse sem graça e fugisse da pergunta, mas falei a verdade.

— Voltei para pegar minha espada.

Naquele momento desejei estar com Bafo de Serpente, porque odiava ficar sem ela, mas o porteiro do palácio tinha insistido em que eu entregasse todas as armas, até a faquinha que usava para comer.

Ele assentiu sério, como se esse fosse um bom motivo.

— É uma espada especial?

— A melhor do mundo, senhor.

Ele sorriu disso, reconhecendo o entusiasmo deslocado de um garoto.

— Então você voltou ao *earl* Ragnar?

Dessa vez assenti, mas não disse nada.

— Que não o tinha como prisioneiro, Uhtred — disse ele sério. — De fato, isso nunca aconteceu, não é? Ele o tratava como um filho.

— Eu o amava — respondi bruscamente.

Ele me encarou e eu fiquei desconfortável sob seu olhar. Alfredo tinha olhos muito claros que davam à gente a sensação de estar sendo julgada.

— No entanto, em Eoferwic — continuou Alfredo ameno —, dizem que você o matou.

Agora foi minha vez de encará-lo. Estava com raiva, confuso, atônito e surpreso, tão confuso que não soube o que dizer. Mas por que estava tão surpreso? O que mais Kjartan diria? Só que, pensei, Kjartan devia achar que eu estava morto, ou eu esperava que ele me considerasse morto.

— Eles mentem — disse Brida em tom firme.

— Mentem? — perguntou Alfredo, ainda em tom afável.

— Eles mentem — respondi furioso.

— Nunca duvidei disso — disse ele. Em seguida pousou as penas e a faca e se inclinou sobre o maço de pergaminhos rígidos que estavam sobre sua pilha de livros. Folheou-os até achar o que estava procurando. Leu por alguns instantes. — Kjartan? É assim que se pronuncia?

— Kjartan — corrigi, fazendo o "j" soar como um "y".

— Agora é *earl* Kjartan — disse Alfredo — e considerado um grande senhor. Dono de quatro navios.

— Tudo isso está escrito?

— Tudo que descubro sobre meus inimigos está escrito. Motivo pelo qual você está aqui. Para me contar mais. Sabia que Ivar, o Sem-ossos, morreu?

Minha mão foi instintivamente para o martelo de Tor, que eu usava sob o gibão.

— Não. Morreu? — Aquilo me deixou atônito. Tamanha era minha reverência por Ivar que acho que tinha pensado que ele viveria para sempre, mas Alfredo falava a verdade. Ivar, o Sem-ossos, estava morto.

— Foi morto lutando contra os irlandeses. E o filho de Ragnar voltou à Nortúmbria com seus homens. Ele lutará contra Kjartan?

— Se souber que Kjartan matou seu pai, ele irá estripá-lo.

— O *earl* Kjartan jurou inocência quanto a isso.

— Então ele mente.

— Ele é dinamarquês — disse Alfredo — e a verdade não está neles. — Em seguida me deu um olhar incisivo, sem dúvida pelas muitas mentiras que eu lhe havia contado no correr dos anos. Então se levantou e andou pela sala pequena. Tinha dito que eu estava ali para lhe contar sobre os dinamarqueses, mas nos instantes seguintes foi ele que contou. O rei Burghred, de Mércia, estava cansado dos dominadores dinamarqueses e decidira fugir para Roma.

— Roma?

— Fui levado lá duas vezes, quando criança — disse ele —, e me lembro da cidade como um lugar muito sujo. — Isso foi dito com muita seriedade. — Mas lá a gente se sente perto de Deus, portanto é um bom lugar para rezar. Burghred é um homem fraco, mas fez o pouco que pôde para aliviar o domínio dinamarquês, e assim que ele tiver ido podemos esperar que os dinamarqueses encham sua terra. Eles estarão em nossa fronteira. Estarão em Cirrenceastre. — Alfredo me olhou. — Kjartan sabe que você está vivo.

— Sabe?

— Claro que sabe. Os dinamarqueses têm espiões, assim como nós. — E os espiões de Alfredo, percebi, precisavam ser eficientes para ele saber tanto. — Será que Kjartan se importa com sua vida? Se você contar a verdade sobre a morte de Ragnar, Uhtred, ele se importará, porque você pode contradizer as mentiras dele, e se Ragnar ficar sabendo dessa verdade através de você, Kjartan certamente temerá pela vida. Portanto é do interesse de Kjartan matá-lo. Digo isso apenas para que você possa considerar se quer voltar a Cirrenceastre, onde os dinamarqueses têm... — ele fez uma pausa — influência. Você estará mais seguro em Wessex, mas quanto tempo Wessex vai durar? — Ele evidentemente não esperava resposta, e continuou andando. — Ubba mandou homens a Mércia, o que sugere que irá em seguida. Você já se encontrou com Ubba?

— Muitas vezes.

— Fale dele.

Contei o que sabia, contei que Ubba era um grande guerreiro, mas muito supersticioso, e isso intrigou Alfredo que quis saber tudo sobre Storri, o feiticeiro, e as varetas de runas. Contei que Ubba nunca entrava em batalha pela alegria de lutar, mas apenas quando as runas diziam que ele poderia vencer. Mas que assim que lutava o fazia com uma selvageria terrível. Alfredo anotou tudo, depois perguntou se eu tinha conhecido Halfdan, o irmão mais novo, e eu disse que sim, mas muito brevemente.

— Halfdan fala em vingança por Ivar — disse Alfredo. — Portanto é possível que ele não volte a Wessex. Pelo menos em breve. Mas mesmo com Halfdan na Irlanda restarão muitos pagãos para nos atacar. — Alfredo explicou que havia previsto um ataque neste ano, mas os dinamarqueses tinham se desorganizado e ele não esperava que isso durasse. — Eles virão no ano que vem e achamos que Ubba vai liderá-los.

— Ou Guthrum.

— Eu não tinha me esquecido dele. Agora Guthrum está em Ânglia Oriental. — Alfredo olhou com reprovação para Brida, lembrando-se das histórias dela sobre Edmundo. Brida, bastante despreocupada, só o observava com olhos semicerrados. Ele olhou de novo para mim. — O que você sabe sobre Guthrum?

De novo falei e de novo ele escreveu. Ficou intrigado pelo osso no cabelo de Guthrum e estremeceu quando repeti a insistência de Guthrum, de que todos os ingleses deveriam ser mortos.

— É um serviço mais difícil do que ele pensa — disse Alfredo secamente. Em seguida pousou a pena e começou a andar de novo. — Há diferentes tipos de homens, e alguns devem ser mais temidos do que os outros. Eu temia Ivar, o Sem-ossos, porque era frio e pensava com cuidado. Ubba? Não sei, mas suspeito que seja perigoso. Halfdan? Um idiota corajoso, mas sem pensamentos na cabeça. Guthrum? É o que menos deve ser temido.

— Menos? — Fiquei em dúvida. Guthrum podia ser chamado de Sem-sorte, mas era um chefe considerável e liderava uma enorme força de guerreiros.

— Ele pensa com o coração, Uhtred, não com a cabeça. Você pode mudar o coração de um homem, mas não sua cabeça.

Lembro-me de ter olhado Alfredo, pensando que ele desembuchava bobagens como um cavalo mijando, mas o rei estava certo. Ou quase certo, porque tentou me mudar e nunca teve sucesso.

Uma abelha passou pela porta. Nihtgenga latiu impotente contra ela e a abelha saiu zumbindo de novo.

— Mas Guthrum vai nos atacar? — perguntou Alfredo.

— Ele quer dividir vocês. Um exército por terra, outro por mar, e os britânicos vindo de Gales.

Alfredo me olhou sério.

— Como sabe disso?

Então contei sobre a visita de Guthrum a Ragnar e a longa conversa que eu havia testemunhado, e a pena de Alfredo fez barulho, com pequenas gotas de tinta voando e formando manchas no pergaminho.

— O que isso sugere — disse ele enquanto escrevia — é que Ubba virá de Mércia por terra e Guthrum pelo mar, de Ânglia Oriental. — Ele estava errado, mas na época isso pareceu provável. — Quantos navios Guthrum pode trazer?

Eu não fazia ideia.

— Setenta? — sugeri. — Cem?

— Muito mais do que isso — disse Alfredo severamente. — E não posso construir nem vinte navios para me opor a eles. Você já navegou, Uhtred?

— Muitas vezes.

— Com os dinamarqueses? — perguntou ele, pedante.

— Com os dinamarqueses.

— O que eu gostaria... — mas nesse momento um sino tocou em algum lugar do palácio e Alfredo interrompeu imediatamente o que estava falando. — Orações — disse pousando a pena. — Você virá. — Não era uma pergunta, e sim uma ordem.

— Tenho coisas para fazer — disse eu e esperei um instante —, senhor.

Ele piscou, surpreso, porque não estava acostumado a que se opusessem aos seus desejos, em especial quando se tratava de rezar, mas mantive o rosto teimoso e ele não forçou. Houve o som de pés calçados de sandálias no caminho pavimentado do lado de fora do aposento, e Alfredo nos dispensou enquanto ia rapidamente se juntar aos monges, dirigindo-se ao serviço religioso. Um instante depois teve início um cântico. Brida e eu abandonamos o palácio e fomos para a cidade, onde descobrimos uma taverna vendendo cerveja decente. Alfredo não tinha me oferecido nenhuma. As pessoas ali pareciam suspeitar de nós, em parte por causa do sotaque estranho, o meu do norte e o de Brida do leste, mas uma lasca de nossa prata foi pesada e confiada, e a atmosfera cautelosa diminuiu quando o padre Beocca entrou, viu-nos e levantou as mãos sujas de tinta num gesto de boas-vindas.

— Alfredo queria falar com você.

— Ele queria rezar — respondi.

— Ele gostaria que você o acompanhasse na refeição.

Tomei um pouco de cerveja.

— Se eu viver até os cem anos, padre... — comecei.

— Rezo para que viva mais do que isso — disse Beocca. — Rezo para que viva tanto quanto Matusalém.

Imaginei quem seria.

— Se eu viver até os cem anos — repeti —, espero jamais comer com Alfredo de novo.

Ele balançou a cabeça com tristeza, mas concordou em sentar-se conosco e tomar um pote de cerveja. Em seguida, estendeu a mão e puxou a tira de couro meio escondida pelo meu gibão, revelando o martelo.

— Você mentiu para mim, Uhtred — disse com tristeza. — Quando você fugiu do padre Willibald nós andamos investigando. Você jamais foi prisioneiro! Era tratado como filho!

— Era — concordei.

— Mas por que não foi até nós? Por que ficou com os dinamarqueses?

Sorri.

— O que eu teria aprendido aqui? — Ele começou a responder, mas fiz com que se calasse. — Vocês teriam me transformado num erudito, padre, e os dinamarqueses me transformaram num guerreiro. E vocês precisarão de guerreiros quando eles voltarem.

Beocca entendeu, mas continuou triste. Olhou para Brida.

— E você, mocinha, espero que não tenha mentido, não é?

— Eu sempre digo a verdade, padre — respondeu ela em voz baixa. — Sempre.

— Isso é bom — disse ele, depois estendeu a mão de novo para esconder meu amuleto. — Você é cristão, Uhtred?

— Você mesmo me batizou, padre — respondi evasivamente.

— Não derrotaremos os dinamarqueses se você não tiver fé — disse ele sério, depois sorriu. — Mas você fará o que Alfredo deseja?

— Não sei o que ele deseja. Ele saiu correndo para esfolar os joelhos antes de poder me contar.

— Alfredo quer que você sirva num dos navios que ele está construindo — disse Beocca. Apenas o olhei, boquiaberto. — Estamos construindo navios, Uhtred. — Ele continuou entusiasmado. — Navios para lutar contra os dinamarqueses, mas nossos marinheiros não são lutadores. São... bem, marinheiros! E pescadores, claro, e comerciantes, mas precisamos de homens que possam lhes ensinar o que os dinamarqueses fazem. Os navios deles atacam nosso litoral incessantemente. Dois navios? Três navios? Algumas vezes mais. Eles desembarcam, matam, queimam, fazem escravos e desaparecem. Mas com navios podemos lutar contra eles. — Beocca bateu a mão direita na esquerda paralisada e se encolheu de dor. — É o que Alfredo deseja.

Olhei para Brida, que deu de ombros rapidamente, como se achasse que Beocca estava dizendo a verdade.

Pensei nos dois Æthelred, o jovem e o velho, e na aversão que sentiam por mim. Lembrei-me do júbilo de um navio nos mares, do vento batendo e esticando o cordame, dos remos afundando e retornando com brilhos ao sol, das canções dos remadores, das batidas do coração do remo-leme, do chiado da água longa e verde contra o casco.

— Claro que farei isso — respondi.

— Deus seja louvado — disse Beocca. E por que não?

Conheci Æthelflaed antes de sair de Wintanceaster. Ela estava com três ou quatro anos, acho, e cheia de palavras. Tinha cabelos dourados e brilhantes. Estava brincando no jardim do lado de fora do aposento de trabalho de Alfredo e me lembro de que tinha uma boneca de pano. Alfredo brincava com ela, e Ælswith se preocupava com a hipótese de ele deixá-la agitada demais. Lembro-me de seu riso. Ela nunca perdeu aquele riso. Alfredo era bom com ela porque amava os filhos. Na maior parte do tempo era solene, devoto e muito autodisciplinado, mas com crianças pequenas ficava brincalhão, e eu quase gostei dele ao vê-lo provocar Æthelflaed escondendo sua boneca às costas. Também me lembro de como Æthelflaed correu para Nihtgenga e o acariciou, e Ælswith a chamou de volta.

— Cachorro sujo — disse à filha. — Você vai pegar pulgas ou coisa pior. Venha cá! — Em seguida lançou um olhar muito azedo para Brida e murmurou: — *Scrætte*! — Isso significa prostituta, e Brida fingiu não ter ouvido, bem como Alfredo. Ælswith me ignorou, mas não me importei porque Alfredo havia chamado um escravizado do palácio que pôs um elmo e uma cota de malha no gramado.

— Para você, Uhtred — disse ele.

O elmo era de ferro brilhante, amassado no topo pelo golpe de uma arma, polido com areia e vinagre e com uma cobertura de rosto onde dois buracos para os olhos espiavam como as órbitas de um crânio. A malha era boa, apesar de ter sido rasgada por uma lança ou espada no lugar onde estivera o coração do dono, mas fora muito bem consertada por um bom ferreiro e valia muitas moedas de prata.

— Ambos foram tirados de um dinamarquês na colina de Æsc — disse Alfredo. — Ælswith ficou olhando com desaprovação.

— Senhor — disse eu, em seguida me abaixei num dos joelhos e beijei sua mão.

— Um ano de serviço. É tudo que peço.

— O senhor o tem — respondi, e selei essa promessa com outro beijo em seus dedos manchados de tinta.

Estava pasmo. As duas peças de armadura eram raras e valiosas, e eu não tinha feito nada para merecer essa generosidade, a não ser que me comportar com grosseria seja merecer favores. E Alfredo fora generoso, se bem que um senhor deve ser generoso. É isso que é um senhor: um doador de braceletes, e um senhor que não distribua riquezas perderá a aliança de seus homens. No entanto eu não tinha merecido aqueles presentes, mas fiquei agradecido. Estava pasmo e, por um momento, pensei que Alfredo era um homem grandioso, bom e admirável.

O último reino

Eu deveria ter pensado um momento a mais. Ele era generoso, claro. Alfredo, diferentemente de sua mulher, jamais era pão-duro com presentes. Mas por que dar uma armadura tão valiosa a um jovem imaturo? Porque eu era útil para ele. Não muito, mas mesmo assim. Algumas vezes Alfredo jogava xadrez, um jogo para o qual tenho pouca paciência, mas no xadrez há peças de grande valor e peças de pouco valor, e eu era uma dessas. As peças de grande valor eram os senhores de Mércia que, se pudesse se unir a elas, ajudariam Wessex a lutar contra os dinamarqueses, mas Alfredo já estava olhando para além de Mércia, para Ânglia Oriental e a Nortúmbria, e não tinha nenhum senhor da Nortúmbria no exílio, a não ser eu, e previa um tempo em que precisaria de um homem da Nortúmbria para convencer o povo do norte a aceitar um rei do sul. Se eu fosse realmente valioso, se pudesse trazer para ele a aliança de pessoas próximas de sua fronteira, ele me daria uma nobre esposa saxã do oeste, já que uma mulher de alto nascimento é o maior presente que um senhor pode dar. Mas um elmo e uma cota de malha eram suficientes para a ideia distante da Nortúmbria. Duvido que ele pensasse que eu seria capaz de lhe trazer aquele país distante, mas Alfredo achava que um dia eu poderia ser útil nesse sentido, por isso me ligou a ele com presentes e tornou esses presentes aceitáveis com elogios.

— Nenhum de meus homens já lutou num barco — disse ele —, portanto devem aprender. Você pode ser jovem, Uhtred, mas tem experiência, o que significa que sabe mais do que eles. Portanto, vá e ensine.

Eu? Sabia mais do que seus homens? Eu tinha navegado no *Víbora do Vento*, só isso, mas nunca havia lutado num navio. Entretanto, não disse isso a Alfredo. Aceitei os presentes e fui para o litoral ao sul, e com isso ele guardara um peão que um dia poderia ser útil. Para Alfredo, claro, as peças mais valiosas do tabuleiro eram seus bispos, que deveriam expulsar os dinamarqueses da Inglaterra com orações. E nenhum bispo jamais ficava sem alimento em Wessex, mas eu não podia reclamar, porque tinha uma cota de malha, um elmo de ferro e parecia um guerreiro. Alfredo nos emprestou cavalos para a viagem e mandou o padre Willibald conosco, desta vez não como guardião, e sim porque insistia em que as tripulações de seus novos barcos tivessem um padre para cuidar das necessidades espirituais. Pobre Willibald. Ficava enjoado como um cachorro sempre que uma marola tocava o navio, mas jamais abandonou suas responsabilidades, em especial com relação a mim. Se orações pudessem tornar um homem cristão, eu já seria mais de dez vezes santo.

O destino é tudo. E agora, olhando para trás, vejo o padrão da jornada de minha vida. Começou em Bebbanburg e me levou ao sul, sempre para o sul, até que cheguei ao litoral mais distante da Inglaterra e não podia ir mais longe continuando a ouvir minha língua. Essa foi minha jornada de infância. Como adulto fui para o outro lado, sempre para o norte, levando espada, lança e machado para limpar o caminho de volta até onde comecei. Destino. As fiandeiras me favoreceram, ou pelo menos me pouparam, e por um tempo fizeram de mim um marinheiro.

Ganhei minha cota de malha e o elmo no ano de 874, o mesmo ano em que o rei Burghred fugiu para Roma. Alfredo esperava que Guthrum viesse na primavera seguinte, mas não veio, nem no verão, portanto Wessex foi poupado de uma invasão em 875. Guthrum deveria ter vindo, mas era um homem cauteloso, sempre esperando o pior, e passou 18 meses levantando o maior exército de dinamarqueses já visto na Inglaterra. Fazia o Grande Exército que marchou até Readingum parecer minúsculo, e era um exército que deveria ter acabado com Wessex e garantido o sonho de Guthrum de trucidar o último inglês na Inglaterra. Com o tempo, a horda de Guthrum chegou, e quando esse tempo chegou as três fiandeiras cortaram os fios da Inglaterra um a um, até que ela ficou pendurada num filete mínimo, mas essa história deve esperar, e eu a menciono agora só para explicar que tivemos tempo para os preparativos.

E fui dado ao *Heahengel*. Imagine, esse era o nome do navio. Significa arcanjo. Ele não era meu, claro, tinha um comandante chamado Weferth, que cuidara de um barco bojudo comerciando pelo mar antes de ser convencido a guiar o *Heahengel*, e os guerreiros eram liderados por um bicho velho e carrancudo chamado Leofric. E eu? Eu era o cocô no fundo do curral.

Eu não era necessário. Todas as palavras lisonjeiras de Alfredo dizendo que eu ensinaria seus marinheiros eram apenas isso, meras palavras. Mas ele tinha me convencido a me juntar à sua frota e eu lhe prometera um ano, e ali estava, em Hamtun, que era um belo porto na ponta de um grande braço de mar. Alfredo havia ordenado a construção de vinte navios. O construtor tinha sido remador de um barco dinamarquês antes de escapar na Frankia e voltar à Inglaterra. Não havia muita coisa que ele não soubesse sobre lutas em barcos, e não havia nada que eu pudesse ensinar a alguém, mas lutar em barcos é uma coisa bem simples. Um navio é um pedacinho de terra flutuando. Portanto uma luta num navio é uma luta em terra no mar. Encoste seu barco no do inimigo, faça uma parede de escudos e mate a outra tripulação. Mas nosso construtor, que era um homem inteligente, tinha deduzido que um navio maior daria vantagem à tripulação porque podia abrigar mais homens. E os costados, sendo mais altos, serviriam como muralha, por isso mandou construir 12 navios grandes que a princípio me pareceram estranhos porque não tinham feras nas proas nem nas popas, mas todos possuíam crucifixos pregados nos mastros. A frota era comandada pelo *ealdorman* Hacca, irmão do *ealdorman* de Hamptonscir, e a única coisa que ele disse quando cheguei foi me alertar para enrolar a cota de malha num saco oleado para não enferrujar. Depois disso me entregou a Leofric.

— Mostre suas mãos — ordenou Leofric. Fiz isso e ele deu um risinho.
— Você terá bolhas logo, *earsling*.

Essa era sua palavra predileta, *earsling*. Significa bundinha. Esse era eu, mas algumas vezes ele me chamava de *endwerc*, que significa dor na bunda, e fez de mim um remador, um dos 16 do *bæcbord*, que é o lado esquerdo do navio, olhando-se para a frente. O outro lado é o *steorbord*, porque é o lado onde fica preso o leme. Éramos sessenta guerreiros a bordo, 32 remavam de cada vez, a não ser que a vela pudesse ser içada, e tínhamos Werferth no leme e Leofric rosnando de um lado para o outro e mandando que puxássemos com mais força.

Durante todo o outono e o inverno remamos, subindo e descendo o amplo canal de Hamtun e mais além no Solente, que é o mar ao sul da ilha chamada de Wiht. Lutávamos com a maré e o vento, fazendo o *Heahengel* atravessar ondas curtas e frias até nos tornarmos uma tripulação e sermos capazes de fazê-lo saltar no mar. E, para minha surpresa, descobri que o *Heahengel* era um navio rápido. Tinha pensado que, sendo tão maior, seria mais lento do que os navios dinamarqueses, mas era rápido, muito rápido, e Leofric o estava transformando numa arma letal.

Ele não gostava de mim, e mesmo me chamando de *earsling* e *endwerc* eu não o enfrentava, senão eu já teria morrido. Ele era um homem baixo e largo, musculoso como um boi, com rosto cheio de cicatrizes, temperamento exaltado e uma espada tão gasta que tinha a lâmina fina como uma faca. Não que se importasse, porque sua arma predileta era o machado. Ele sabia que eu era *ealdorman*, mas não se importava, nem se importava por eu já ter servido num barco dinamarquês.

— A única coisa que os dinamarqueses podem nos ensinar, *earsling* — disse ele — é a morrer.

Ele não gostava de mim, mas eu gostava dele. À noite, quando enchíamos uma das tavernas de Hamtun, eu me sentava perto dele para escutar suas poucas palavras que em geral eram de escárnio, mesmo sobre nossos navios.

— Doze — rosnava ele. — E quantos os dinamarqueses podem trazer?

Ninguém respondeu.

— Duzentos? — sugeriu ele. — E nós temos 12?

Uma noite Brida o convenceu a falar de suas lutas, todas em terra, e ele falou da colina de Æsc, como a parede de escudos dos dinamarqueses tinha sido rompida por um homem com um machado, e obviamente o próprio Leofric tinha feito isso, e então contou como o homem segurava o machado pelo meio do cabo porque isso tornava mais rápido se recuperar do golpe, ainda que diminuísse a força da arma, e como o homem tinha usado o escudo para segurar o inimigo da esquerda, matado o da frente e o da direita, e depois escorregou a mão até o fim do cabo do machado para começar a girar em golpes terríveis e rápidos que escavaram as linhas dinamarquesas. Ele me viu escutando e deu o risinho usual.

— Já esteve numa parede de escudos, *earsling*?

Levantei um dedo.

— Ele rompeu a parede de escudos do inimigo — disse Brida. Ela e eu morávamos no estábulo da taverna, e Leofric gostava de Brida, mesmo se recusando a deixá-la entrar no *Heahengel*, porque achava que as mulheres traziam má sorte aos navios. — Ele rompeu a parede — disse Brida. — Eu vi.

Leofric me olhou, sem certeza se deveria acreditar. Não falei nada.

— Contra quem você estava lutando? — perguntou depois de uma pausa. — Freiras?

— Galeses — respondeu Brida.

— Ah, galeses! Diabos, eles morrem com facilidade — disse Leofric, o que não era verdade, mas isso permitiu que continuasse escarnecendo de mim. E no dia seguinte, quando tivemos um treino de luta com cajados de madeira em vez de armas de verdade, ele se certificou de lutar contra mim e me derrubou como se eu fosse um cachorro ganindo, abrindo um corte no meu crânio e me deixando atordoado. — Eu não sou galês, *earsling*.

Eu gostava um bocado de Leofric.

O ano virou. Fiz 18 anos. O grande exército dinamarquês não veio, mas seu navios, sim. Os dinamarqueses eram vikings de novo, e os navios-dragão vinham sozinhos ou em pares incomodar o litoral dos saxões do oeste, atacar aldeias, estuprar, queimar e matar, mas nesse ano Alfredo estava com seus navios prontos.

Então fomos ao mar.

OITO

PASSAMOS A PRIMAVERA, o verão e o outono do ano de 875 remando de um lado para o outro no litoral sul de Wessex. Fomos divididos em quatro flotilhas, e Leofric comandava o *Heahengel*, o *Ceruphin* e o *Cristenlic*, que significam Arcanjo, Querubim e Cristão. Alfredo tinha escolhido os nomes. Hacca, que liderava toda a frota, navegava no *Evangelista*, que logo adquiriu reputação de ser azarado, mas seu verdadeiro infortúnio era ter Hacca a bordo. Ele era um sujeito muito bom, generoso com sua prata, mas odiava navios, odiava o mar e queria apenas ser um guerreiro em terra firme, o que significava que o *Evangelista* vivia em Hamtun passando por reparos.

Mas não o *Heahengel*. Eu puxava aquele remo até meu corpo doer e as mãos ficarem duras como carvalho, mas o remo me deu músculos, muitos músculos. Agora eu era grande, alto e forte, e também presunçoso e beligerante. Só queria experimentar o *Heahengel* contra algum navio dinamarquês, mas nosso primeiro contato foi um desastre. Estávamos junto ao litoral de Suth Seaxa, um maravilhoso litoral de enormes penhascos brancos, e o *Ceruphin* e o *Cristenlic* tinham se afastado mar adentro enquanto íamos para perto da costa, esperando atacar um navio viking que nos perseguiria para uma emboscada feita pelas outras duas embarcações. A armadilha funcionou, só que o navio viking era melhor do que nós. Era menor, muito menor, e nós o perseguimos contra a maré vazante, aproximando-nos a cada remada, mas então eles viram o *Ceruphin* e o *Cristenlic* aproximando-se rapidamente do sul, com as pás dos remos refletindo o sol e as ondas de proa borbulhando brancas, e o comandante dinamarquês virou o navio como se ele estivesse montado num fuso e agora, com a maré forte ajudando, partiu de volta para nós.

— Vire para ele! — rugiu Leofric para Werferth, que estava no leme, mas em vez disso Werferth virou para o outro lado, não querendo provocar uma colisão, e eu vi os remos dos dinamarqueses recuando para os buracos enquanto o barco se aproximava de nós. Em seguida ele passou por nosso flanco de *steorbord*, quebrando nossos remos um a um, e o impacto lançou os cabos dos remos de volta para nossos remadores com força suficiente para quebrar as costelas de alguns homens. E então os arqueiros dinamarqueses — eram quatro ou cinco a bordo — começaram a atirar flechas. Uma se cravou no pescoço de Werferth e o sangue escorreu pelo convés do leme, e Leofric estava berrando numa fúria impotente enquanto os dinamarqueses, pondo os remos de novo para fora, se afastavam em segurança, aproveitando o resto da maré vazante. E zombaram enquanto ficávamos boiando nas ondas.

— Você já guiou um barco, *earsling*? — perguntou Leofric, empurrando para o lado o agonizante Werferth.

— Já.

— Então guie este.

Fomos precariamente para casa, com apenas metade dos remos, e aprendemos duas lições. Uma era levar remos de reserva, e a segunda levar arqueiros. Só que o *ealdorman* Freola, que comandava o *fyrd* de Hamptonscir, disse que não podia abrir mão de nenhum arqueiro, que tinha muito poucos, e que os navios já haviam consumido muitos de seus outros guerreiros. Hacca, seu irmão, disse para não criarmos encrenca.

— Simplesmente atirem lanças — disse a Leofric.

— Eu quero arqueiros — insistiu Leofric.

— Não temos nenhum! — respondeu Hacca, abrindo as mãos.

O padre Willibald quis escrever uma carta a Alfredo.

— Ele me ouvirá — disse ele.

— Então escreva — respondeu Leofric, azedo. — E o que acontecerá em seguida?

— Ele mandará arqueiros, claro! — disse Willibald, animado.

— A carta vai para os desgraçados dos escriturários dele, que são todos padres, e eles vão colocá-la numa pilha, e a pilha é lida devagar, e quando Alfredo finalmente a ler, pedirá conselho, e dois bispos desgraçados dirão o que quiserem, e Alfredo vai escrever de volta perguntando mais, e até lá será o tempo de Candlemas e estaremos todos mortos com flechas dinamarquesas nas costas. — Ele olhou furioso para Willibald e eu comecei a gostar de Leofric ainda mais. O comandante me viu rindo. — O que há de tão engraçado, *endwerc*?

— Eu posso lhe arranjar arqueiros.
— Como?

Com uma peça do ouro de Ragnar, que mostramos no mercado de Hamtun. Dissemos que a moeda de ouro, com sua escrita estranha, iria para o melhor arqueiro a vencer uma competição que seria feita dali a uma semana. A moeda valia mais do que a maioria dos homens ganhava durante um ano, e Leofric ficou curioso para saber como eu a havia conseguido, mas me recusei a contar. Em vez disso montei os alvos, e a notícia de que ouro valioso poderia ser ganho em troca de flechas baratas se espalhou pelo campo, e mais de quarenta homens vieram testar sua habilidade. Nós simplesmente obrigamos os 12 melhores a marchar para bordo do *Heahengel*, e mais dez para o *Ceruphin* e dez para o *Cristenlic*. Depois os levamos ao mar. Nossos 12 homens, claro, mas Leofric rosnou e de repente todos decidiram que não queriam nada além de navegar pela costa de Wessex com ele.

— Para algo que escorreu do traseiro de um bode você não é completamente inútil — disse-me Leofric.

— Haverá encrenca quando voltarmos — alertei.

— Claro que haverá encrenca, encrenca do *reeve* do condado, do *ealdorman*, do bispo e de todo mundo. — Ele riu de repente, um acontecimento muito raro. — Então primeiro vamos matar alguns dinamarqueses.

Matamos. Por acaso foi o mesmo navio que tinha nos envergonhado e tentou o mesmo truque de novo, mas dessa vez virei o *Heahengel* para ele e nossa proa se chocou em seu costado, e nossos 12 arqueiros começaram a mandar flechas contra sua tripulação. O *Heahengel* tinha subido sobre o outro navio, meio afundando-o e prendendo-o embaixo. Leofric liderou um ataque sobre a proa e havia sangue engrossando a água no bojo do barco viking. Dois de nossos homens conseguiram amarrar os navios juntos, o que significou que eu pude largar o leme e, sem me incomodar em pôr elmo ou cota de malha, pulei a bordo com Bafo de Serpente, juntando-me à luta. Havia escudos se chocando à meia-nau, lanças estocando, espadas e machados girando, flechas voando por cima, homens gritando, homens morrendo, a fúria da batalha, o júbilo da canção das lâminas. E tudo acabou antes que o *Ceruphin* ou o *Cristenlic* pudessem se juntar a nós.

Como adorei aquilo! Ser jovem, forte, ter uma boa espada e sobreviver. A tripulação dinamarquesa era de 46 homens, e morreram todos, menos um. E só viveu porque Leofric berrou dizendo que deveríamos fazer um prisioneiro. Três dos nossos morreram, seis sofreram ferimentos graves e provavelmente morreram assim que foram postos em terra, mas pegamos o navio viking e voltamos a Hamtun rebocando-o. E em seu porão encharcado de sangue encontramos um baú de prata que fora roubado de um mosteiro em Wiht. Leofric deu um presente generoso aos arqueiros, de modo que quando foram para terra e confrontaram o *reeve*, que exigiu que os entregássemos, só dois quiseram ir. O resto podia ver o caminho para enriquecer, por isso permaneceram.

O prisioneiro se chamava Hroi. Seu senhor, que matamos na batalha, chamava-se Thurkil e tinha servido a Guthrum, que estava em Ânglia Oriental, onde agora se dizia rei daquele país.

— Ele ainda usa um osso no cabelo? — perguntei.

— Sim, senhor — respondeu Hroi. O prisioneiro não me chamou de senhor porque eu era um *ealdorman*, já que não sabia disso. Chamou-me de senhor porque não queria que eu o matasse depois do interrogatório.

Hroi não achava que Guthrum atacaria este ano.

— Ele espera por Halfdan — contou.

— E onde está Halfdan?

— Na Irlanda, senhor.

— Vingando Ivar?

— Sim, senhor.

— Você conhece Kjartan?

— Conheço três homens chamados assim, senhor.

— Kjartan da Nortúmbria, pai de Sven.

— Quer dizer, o *earl* Kjartan?

— Agora ele se diz *earl*?

— Sim, senhor, e ainda está na Nortúmbria.

— E Ragnar? Filho de Ragnar, o Intrépido?

— O *earl* Ragnar está com Guthrum, senhor, em Ânglia Oriental. Tem quatro barcos.

Acorrentamos Hroi e o mandamos, sob guarda, para Wintanceaster, porque Alfredo gostava de falar com prisioneiros dinamarqueses. Não sei o que aconteceu com ele. Provavelmente foi enforcado ou decapitado, já que Alfredo não estendia a misericórdia cristã aos piratas pagãos.

E pensei em Ragnar, o Jovem, agora *earl* Ragnar, e me perguntei se encontraria seus barcos no litoral de Wessex, e também me perguntei se Hroi teria mentido e se Guthrum invadiria neste verão. Achei que sim, porque havia muita luta na ilha da Britânia. Os dinamarqueses de Mércia tinham atacado os britânicos no norte de Gales, nunca descobri por quê, e outros bandos de dinamarqueses fizeram ataques-surpresa na fronteira de Wessex. Suspeitei de que esses ataques se destinavam a descobrir os pontos fracos dos saxões do oeste antes que Guthrum lançasse seu Grande Exército, mas nenhum exército chegou. E enquanto o verão chegava ao auge, Alfredo se sentiu seguro o bastante para deixar suas forças no norte de Wessex para visitar a frota.

Sua chegada coincidiu com as notícias de que sete navios dinamarqueses tinham sido vistos em Heilincigae, uma ilha nas águas rasas não muito longe, a oeste de Hamtun, e a notícia foi confirmada quando vimos fumaça subindo de uma aldeia saqueada. Somente metade dos nossos barcos estava em Hamtun, os outros se encontravam no mar, e um dos seis, o *Evangelista*, no estaleiro, tendo o fundo raspado. Hacca não estava em algum lugar próximo de Hamtun, provavelmente fora à casa do irmão e sem dúvida ficaria chateado por perder a visita do rei, mas Alfredo não tinha dado aviso da chegada. Provavelmente porque queria ver como realmente estávamos, e não como estaríamos se soubéssemos que ele chegaria. Assim que ficou sabendo dos dinamarqueses perto de Heilincigae ordenou que fôssemos todos para o mar e embarcou no *Heahengel* com dois de seus guardas e três padres, um dos quais era Beocca, que veio ficar perto do leme.

— Você ficou maior, Uhtred — disse ele, quase reprovando. Agora eu era uma cabeça mais alto do que ele e tinha o peito muito mais largo.

— Se você remasse, padre, ficaria maior.

Ele deu um risinho.

— Não me imagino remando — disse e apontou para o meu leme. — Isso é difícil de manobrar?

Deixei que ele pegasse o leme e sugeri que virasse o barco ligeiramente para *steorbord*, e seus olhos vesgos se arregalaram espantados quando tentou puxar o leme e a água lutou contra ele.

— Precisa de força — falei, pegando o leme de volta.

— Você está feliz, não está? — Beocca fez com que isso parecesse uma acusação.

— Estou, sim.

— Não deveria.

— Não?

— Alfredo achava que essa experiência iria deixá-lo humilde.

Olhei para o rei que estava na proa com Leofric e me lembrei de suas palavras cobertas de mel, dizendo que eu teria algo a ensinar para aquelas tripulações. E percebi que ele sabia que eu não tinha nada a contribuir, e mesmo assim me dera o elmo e a cota de malha. Isso, presumi, era para que eu lhe desse um ano da minha vida, tempo em que ele esperava que Leofric arrancasse a arrogância de minha juventude presunçosa.

— Não funcionou, não é? — falei rindo.

— Ele disse que você tinha de ser domado como um cavalo.

— Mas não sou um cavalo, padre, sou um senhor da Nortúmbria. O que ele achava? Que depois de um ano seria um cristão humilde pronto para fazer suas vontades?

— Isso é tão ruim?

— É ruim. Ele precisa de homens de verdade para lutar contra os dinamarqueses, e não de puxa-sacos que vivem rezando.

O último reino

Beocca suspirou, depois fez o sinal da cruz porque o pobre padre Willibald estava alimentando as gaivotas com seu vômito.

— Está na hora de você se casar, Uhtred — disse Beocca, sério.

— Você também — retruquei. — E você não se casou, então por que eu deveria?

— Eu vivo na esperança — respondeu Beocca. Coitado, tinha um olho vesgo, uma mão paralítica e um rosto que parecia uma doninha doente, o que realmente não o tornava um predileto das mulheres. — Mas há uma jovem em Defnascir que você deveria olhar — falou com entusiasmo. — Uma jovem muito bem nascida! Uma criatura encantadora e — ele fez uma pausa, evidentemente já havia esgotado as qualidades da garota, ou então porque não conseguia inventar outras — o pai dela era o *reeve* do condado, que Deus o tenha. Uma garota adorável, Mildrith é o nome dela. — Beocca sorriu para mim, cheio de expectativa.

— Uma filha de *reeve* — respondi em tom superficial. — O *reeve* do rei? O *reeve* do condado?

— O pai dela era do sul de Defnascir — disse Beocca, fazendo o sujeito deslizar pela escada social abaixo. — Mas deixou propriedades para Mildrith. Um bom pedaço de terra perto de Exanceaster.

— Uma filha de *reeve* — repeti. — E não uma filha de *ealdorman*?

— Ela tem 16 anos, acho — disse Beocca, olhando a praia de cascalho deslizando a leste de nós.

— Dezesseis anos — falei com desprezo — e ainda não se casou, o que sugere que tem uma cara parecida com um saco de vermes.

— Isso não é relevante — disse ele, irritado.

— Você não precisa dormir com ela. E sem dúvida ela é devota, não é?

— É uma cristã dedicada, fico feliz em dizer.

— Você já a viu?

— Não — admitiu ele —, mas Alfredo falou dela.

— Isso é ideia de Alfredo?

— Ele gosta de ver seus homens assentados, quer que eles tenham raízes na terra.

O último reino

— Eu não sou homem dele, padre. Sou Uhtred de Bebbanburg, e os senhores de Bebbanburg não se casam com devotas cadelas de baixo nascimento e cara de verme.

— Você deveria conhecê-la — insistiu Beocca, franzindo a testa para mim. — O casamento é uma coisa maravilhosa, Uhtred, ordenado por Deus para nossa felicidade.

— Como você sabe?

— É — insistiu ele debilmente.

— Já sou feliz. Fornico com Brida e mato dinamarqueses. Encontre outro homem para Mildrith. Por que não se casa com ela? Santo Deus, padre, você deve ter quase trinta anos! Se não se casar logo irá virgem para a sepultura. Você é virgem?

Ele ficou vermelho, mas não respondeu porque Leofric voltou ao convés do leme com uma expressão sombria. Ele jamais parecia feliz, mas naquele momento se mostrava mais sério do que nunca, e tive a ideia de que ele estivera discutindo com Alfredo, uma discussão que ele claramente havia perdido. O próprio Alfredo vinha atrás, com um sereno ar de indiferença no rosto comprido. Dois de seus sacerdotes o seguiam carregando pergaminhos, tinta e penas, e percebi que estavam sendo feitas anotações.

— O que você diria, Uhtred, que é o equipamento mais crucial de um navio? — perguntou Alfredo. Um dos padres mergulhou a pena na tinta e se preparou para minha resposta, depois cambaleou quando o navio bateu numa onda. — A vela? — instigou Alfredo. — Lanças? Arqueiros? Escudos? Remos?

— Baldes — respondi.

— Baldes? — Ele me olhou desaprovando, suspeitando de que eu estivesse de zombaria.

— Baldes para tirar a água do navio, senhor — falei, assentindo para a barriga do *Heahengel* onde quatro homens recolhiam água do mar e jogavam pela amurada, mas uma boa quantidade caía nos remadores. — O que precisamos, senhor, é de um modo melhor de calafetar os navios.

— Anote isso — instruiu Alfredo aos padres, depois ficou na ponta dos pés para olhar a terra baixa que vinha surgindo e a laguna onde os navios inimigos tinham sido avistados.

— Eles devem ter ido embora há muito — resmungou Leofric.

— Rezo para que não — disse Alfredo.

— Os dinamarqueses não esperam por nós. — Leofric estava num humor terrível, tão azedo que o deixava disposto a rosnar para o rei. — Eles não são idiotas. Desembarcam, atacam rapidamente e vão embora. Devem ter partido na vazante. — A maré tinha acabado de mudar e agora enchia contra nós, mas jamais entendi direito as marés nas águas longas que iam do mar para Hamtun, porque havia o dobro de marés altas com relação a todos os outros lugares. As marés de Hamtun possuíam vontade própria, ou então eram confundidas pelos canais.

— Os pagãos estiveram lá ao alvorecer — disse Alfredo.

— E já devem estar a quilômetros — respondeu Leofric. Ele falava com Alfredo como se este fosse outro tripulante, sem respeito, mas Alfredo sempre era paciente com essa insolência. Conhecia o valor de Leofric.

Mas naquele dia Leofric estava errado com relação ao inimigo. Os navios vikings não tinham ido embora, continuavam perto de Heilincigae, todos os sete, tendo ficado presos ali pela maré vazante. Estavam esperando a água subir para erguê-los, mas nós chegamos primeiro, entrando na laguna através da passagem estreita que parte da margem norte do Solente. Assim que passa pela entrada, o navio fica num mundo de pântanos, bancos de areia, ilhas e armadilhas para peixes, não muito diferente das águas do Gewæsc. Tínhamos a bordo um homem que havia crescido naquelas águas e ele nos guiou, mas os dinamarqueses não possuíam esse conhecimento e haviam sido enganados por uma fileira de juncos presos na areia na maré baixa para marcar um canal, que fora deliberadamente mudada de lugar para atraí-los para um banco de lama, onde agora estavam firmemente agarrados.

O que era esplêndido. Estavam como raposas numa toca com apenas uma entrada, e nós só precisávamos ancorar na entrada da laguna, prender as âncoras contra as correntes fortes, esperar que eles flutuassem e então poderíamos matá-los, mas Alfredo estava com pressa. Queria voltar às suas forças de terra e insistiu em que o levássemos de volta a Hamtun antes do anoitecer. E assim, contra o conselho de Leofric, recebemos ordem de atacar imediatamente.

Isso também era esplêndido, só que não podíamos nos aproximar diretamente do banco de lama porque o canal era estreito, e isso significaria entrar em fila única. O navio da dianteira enfrentaria sozinho cinco navios dinamarqueses, por isso tivemos de remar por um longo caminho para nos aproximar pelo sul, o que significava que eles poderiam escapar para a entrada da laguna se a maré os soltasse, e isso poderia muito bem acontecer. Leofric murmurou com a própria barba que estávamos indo para a batalha de modo totalmente errado. Estava furioso com Alfredo.

Enquanto isso, Alfredo se fascinava com os navios inimigos, que ele nunca tinha visto com tanta clareza.

— As feras são representações dos deuses deles? — perguntou-me, referindo-se às proas e popas belamente esculpidas com monstros, dragões e serpentes.

— Não, senhor, são apenas animais.

Eu estava ao lado dele, tendo cedido o leme ao homem que conhecia aquelas águas, e contei ao rei como as cabeças esculpidas podiam ser retiradas de seus suportes para não aterrorizarem os espíritos da terra.

— Anote isso — ordenou ele a um padre. — E os cata-ventos na ponta dos mastros? — perguntou-me, olhando para o mais próximo, que era pintado com uma águia. — Destinam-se a espantar os espíritos?

Não respondi. Em vez disso estava olhando os sete navios do outro lado da corcova escorregadia do banco de lama e reconheci um. O *Víbora do Vento*. A tábua de costado de cor clara, na proa, era bastante nítida, mas de qualquer modo eu teria reconhecido. *Víbora do Vento*, o lindo *Víbora do Vento*, navio dos sonhos, aqui em Heilincigae.

— Uhtred? — insistiu Alfredo.

— São apenas cata-ventos, senhor.

E se o *Víbora do Vento* estava aqui, Ragnar também estaria? Ou será que Kjartan havia tomado o navio e o alugado a um comandante?

— Parece bastante trabalho só para enfeitar um navio — disse Alfredo, impertinente.

— Os homens amam seus navios e lutam por eles. Cada um honra aquilo pelo qual luta. Nós deveríamos enfeitar nossos navios, senhor. — Falei asperamente, pensando que amaríamos mais nossos navios se tivessem feras nas proas e nomes adequados como *Derramador de Sangue*, *Lobo-do-mar* ou *Fazedor de Viúvas*. Em vez disso o *Heahengel* liderava o *Ceruphin* e o *Cristenlic* pelas águas emaranhadas, e atrás de nós vinham o *Apostol* e o *Eftwyrd*, que significa Dia do Juízo, e provavelmente era o melhor nome de nossa frota, porque mandou mais de um dinamarquês para o abraço do mar.

Os dinamarqueses estavam cavando, tentando aprofundar o canal traiçoeiro e fazer com que seus navios flutuassem, mas à medida que chegávamos mais perto eles perceberam que jamais terminariam uma tarefa tão gigantesca e voltaram aos barcos encalhados para pegar armaduras, elmos, escudos e armas. Vesti minha cota de malha, com o forro de couro fedendo a suor ressecado, coloquei o elmo e em seguida prendi Bafo de Serpente às costas e Ferrão de Vespa à cintura. Essa não seria uma luta no mar, e sim uma batalha em terra, parede de escudos contra parede de escudos, uma luta na lama. Os dinamarqueses tinham vantagem porque podiam se juntar em massa onde teríamos de desembarcar e poderiam nos receber quando saíssemos dos navios, e eu não gostei daquilo. Dava para ver que Leofric odiava, mas Alfredo estava bem calmo enquanto colocava o elmo.

— Deus está conosco — disse ele.

— E precisa estar — murmurou Leofric, depois ergueu a voz para gritar com o homem do leme. — Segure aí! — Era complicado manter o *Heahengel* parado na corrente que redemoinhava, mas nós movimentamos os remos para trás, e o navio girou enquanto Leofric olhava a costa. Presumi que estivesse esperando os outros navios nos alcançarem, para podermos desembarcar juntos, mas ele tinha visto uma língua de areia lamacenta se projetando da margem e havia deduzido que, se encalhássemos o *Heahengel* ali, nossos primeiros homens a sair pela proa não teriam de encarar uma parede de escudos composta por sete tripulações vikings. A faixa de terra era estreita, com largura suficiente apenas para três ou quatro homens ficarem de pé lado a lado, e uma luta ali seria entre números iguais. — É um lugar excelente para morrer, *earsling* — disse ele, e me guiou para a frente. Alfredo veio rapidamente atrás de nós. — Espere — rosnou Leofric para o rei, com tanta selvageria que Alfredo obedeceu. — Ponha o barco na faixa de terra! — gritou Leofric de volta para o homem do leme. — Agora!

O último reino

Ragnar estava lá. Pude ver a asa de águia no mastro, e depois o vi, tão parecido com o pai que por um momento pensei que eu era um menino outra vez.

— Pronto, *earsling*? — perguntou Leofric. Ele havia reunido meia dúzia dos seus melhores guerreiros, todos nós na proa, e atrás os arqueiros se preparavam para atirar as flechas contra os dinamarqueses que vinham correndo para o trecho estreito de areia lamacenta. Então lançamo-nos para a frente enquanto a proa do *Heagengel* raspava o chão.

— Agora! — gritou Leofric, e pulamos para a água que chegava aos joelhos. Instintivamente juntamos os escudos, formamos a parede, e eu estava segurando Ferrão de Vespa quando os primeiros dinamarqueses chegaram correndo.

— Matem todos eles! — gritou Leofric.

Impeli o escudo para a frente e houve o grande entrechoque de bossas de ferro sobre madeira de tília, e um machado girou acima, mas um homem atrás de mim aparou-o no escudo e eu estava dando uma estocada por baixo do meu, levando a espada curta para cima, mas ela se chocou num escudo dinamarquês. Puxei-a, estoquei de novo e senti uma dor no tornozelo quando uma lâmina cortou a água e a bota. Sangue saiu num redemoinho para o mar, mas eu ainda estava de pé e fiz força para a frente, sentindo o cheiro dos dinamarqueses. As gaivotas gritavam no alto, e mais dinamarqueses chegavam, porém mais dos nossos homens se juntavam a nós, alguns enfiados até a cintura na maré, e a frente de batalha era agora um jogo de empurra-empurra, porque ninguém tinha espaço para girar uma arma. Era uma batalha de escudos com grunhidos e xingamentos, e Leofric, ao meu lado, deu um grito. Fizemos força para cima e eles recuaram meio passo, nossas flechas passavam sobre os elmos e eu investi com Ferrão de Vespa, senti-a atravessar couro ou malha, girei-a em carne, puxei-a de volta, empurrei com o escudo, mantive a cabeça baixa sob a borda, empurrei de novo, estoquei de novo, força bruta, escudo forte e aço bom, nada mais. Um homem estava se afogando, sangue escorrendo nas marolas provocadas pelo corpo que se retorcia, e acho que estávamos gritando, mas nunca lembro muita coisa sobre isso. A gente lembra os empurrões, o cheiro, os rostos barbudos rosnando, a raiva, e então o

Cristenlic bateu com a proa no flanco da fileira dinamarquesa, empurrando homens na água, afogando-os e esmagando-os, e sua tripulação saltou nas ondas pequenas com lanças, espadas e machados. Um terceiro barco chegou, mais homens desembarcaram, e ouvi Alfredo atrás de mim, gritando para rompermos a linha deles, matá-los. Eu estava impulsionando Ferrão de Vespa contra os tornozelos de um homem, golpeando repetidamente, empurrando com o escudo, e então ele caiu, nossa linha adiantou-se e ele tentou acertar minha virilha, mas Leofric baixou a cabeça de seu machado transformando o rosto do sujeito numa máscara de sangue e dentes partidos.

— Empurrem! — gritou Leofric, e fizemos força contra o inimigo. E de repente eles estavam fugindo.

Não os tínhamos derrotado. Eles não fugiam de nossas espadas e lanças, e sim porque a maré montante fazia seus navios flutuar e eles correram para resgatá-los, e fomos cambaleando atrás, ou melhor, eu cambaleei porque meu tornozelo direito estava sangrando e doendo, e ainda não tínhamos homens suficientes em terra para dominar as tripulações deles, que estavam se jogando a bordo de seus navios. Mas uma tripulação, todos homens corajosos, ficou na areia para nos segurar.

— Está ferido, *earsling*? — perguntou Leofric.
— Não é nada.
— Fique para trás — ordenou ele. Leofric estava formando uma nova parede de escudos com os homens do *Heahengel*, uma parede para se chocar com aquela tripulação corajosa, e agora Alfredo estava junto, com a cota de malha brilhando, e os dinamarqueses deviam saber que ele era um grande senhor, mas não abandonaram seus navios pela honra de matá-lo. Acho que se Alfredo tivesse trazido o estandarte do dragão e lutado sob ele, para que os dinamarqueses o reconhecessem como o rei, eles teriam ficado e lutado — e poderiam muito bem ter matado ou capturado Alfredo —, mas os dinamarqueses sempre tinham cautela para não sofrer baixas demais e odiavam perder seus amados navios, por isso só queriam sair daquele lugar. E para isso estavam dispostos a pagar o preço de um navio para salvar os outros. E esse navio não era o *Víbora do Vento*. Dava para vê-lo sendo empurrado para o canal, dava para vê-lo recuando lentamente, os remos batendo na areia e não na

água. E fui espadanando pela água rasa, rodeando nossa parede de escudos e deixando a luta à direita enquanto berrava para o navio:

— Ragnar! Ragnar!

Flechas voavam passando por mim. Uma se cravou no meu escudo, outra raspou no elmo com um estalo, lembrando-me de que ele não me reconheceria com o elmo. Por isso larguei Ferrão de Vespa e desnudei a cabeça.

— Ragnar!

As flechas pararam. As paredes de escudos estavam se chocando com estrondo, homens morriam, a maioria dos dinamarqueses escapava, e o *earl* Ragnar me olhou por sobre o espaço que ia aumentando e não pude ver, pelo seu rosto, o que ele estava pensando, mas tinha impedido que seu bando punhado de remadores atirasse contra mim. Depois colocou as mãos em concha diante da boca.

— Aqui! — gritou para mim. — Amanhã ao crepúsculo! — Depois seus remos bateram na água, o *Víbora do Vento* se virou como um dançarino, as lâminas arrastaram o mar e o navio se foi.

Recuperei Ferrão de Vespa e fui me juntar à luta, mas ela havia acabado. Nossas tripulações tinham massacrado aquela tripulação dinamarquesa, todos menos um punhado de homens que foram poupados por ordem de Alfredo. O resto era uma pilha ensanguentada na linha de maré. Nós tiramos suas armas e armaduras, pegamos as roupas e deixamos os corpos brancos para as gaivotas. O navio, uma embarcação velha e vazando, foi rebocado para Hamtun.

Alfredo ficou satisfeito. Na verdade tinha deixado seis navios escapar, mas mesmo assim foi uma vitória, e a notícia encorajaria suas tropas que lutavam no norte. Um de seus padres interrogou os prisioneiros, anotando as respostas num pergaminho. Alfredo também fez algumas perguntas que o padre traduziu e, quando ficou sabendo tudo que podia, voltou para onde eu estava guiando o barco e olhou o sangue manchando o convés do leme junto ao meu pé direito.

— Você luta bem, Uhtred.

— Nós lutamos mal, senhor — respondi, e era verdade. A parede de escudos deles havia resistido, e se não tivessem recuado para resgatar os barcos talvez até pudessem nos empurrar de novo para o mar. Eu não tinha me saído bem. Há dias em que a espada e o escudo parecem desajeitados, quando o inimigo parece mais rápido, e esse fora um dia assim. Eu estava com raiva de mim mesmo.

— Você conversou com um deles — disse Alfredo em tom de acusação. — Eu vi. Estava falando com um dos pagãos.

— Estava dizendo que a mãe dele é uma rameira, senhor, que o pai é um cagalhão do inferno e que os filhos são merda de fuinha.

Ele se encolheu diante daquilo. Alfredo não era covarde e conhecia a fúria da batalha, mas nunca gostou dos insultos que os homens gritavam. Acho que gostaria que a guerra fosse decorosa. Olhou para trás do *Heahengel*, onde a luz do sol agonizante fazia ondular em vermelho nossa longa esteira de água.

— O ano que você prometeu me dar logo estará acabado — disse ele.

— Verdade, senhor.

— Rezo para que fique conosco.

— Quando Guthrum chegar, senhor, virá com uma frota capaz de escurecer o oceano e nossos 12 navios serão esmagados. — Pensei que talvez fosse sobre isso que Leofric estivera discutindo, sobre a inutilidade de tentar impedir uma invasão marítima com 12 navios de nome ruim. — Se eu ficar, de que servirei se a frota não puder zarpar?

— O que você diz é verdade — respondeu Alfredo, sugerindo que a discussão com Leofric fora sobre outra coisa. — Mas as tripulações podem lutar em terra. Leofric me disse que você é um dos melhores guerreiros que ele já viu.

— Então ele nunca viu a si mesmo, senhor.

— Venha me ver quando seu tempo acabar e eu encontrarei um lugar para você.

— Sim, senhor — falei, mas num tom apenas reconhecendo que entendia o desejo dele, não que iria obedecer.

— Mas você deveria saber uma coisa, Uhtred. — Sua voz era séria. — Se alguém comandar minhas tropas, terá de saber ler e escrever.

Quase ri daquilo.

— Para poder ler os salmos, senhor? — perguntei sarcástico.

— Para ler minhas ordens — respondeu Alfredo com frieza — e me mandar notícias.

— Sim, senhor — falei de novo.

Fogueiras de sinalização tinham sido acesas nas águas de Hamtun para encontrarmos o caminho de casa, e o vento noturno agitava os reflexos líquidos da lua e das estrelas enquanto deslizávamos para o ancoradouro. Havia luzes em terra, fogueiras, cerveja, comida e risos, e, melhor do que tudo, a promessa de encontrar Ragnar no dia seguinte.

Ragnar se arriscou tremendamente, claro, voltando a Heilincigae, mas talvez achasse, e estava certo, que nossos navios precisariam de um dia para se recuperar da luta. Havia homens feridos a ser cuidados, armas a afiar, por isso ninguém de nossa frota foi para o mar naquele dia.

Brida e eu fomos de cavalo até Hamanfunta, um povoado que vivia de armadilhas de enguias, da pesca e de fazer sal, e uma moeda de prata garantiu estábulos para os cavalos e um pescador disposto a nos levar a Heilincigae, onde agora ninguém vivia, porque os dinamarqueses tinham trucidado todos. O pescador não esperaria por nós, apavorado demais com a noite que chegava e os fantasmas que estariam gemendo e gritando na ilha. Mas prometeu voltar de manhã.

Brida, Nihtgenga e eu caminhamos por aquele local baixo, passando pelos dinamarqueses mortos na véspera, que já tinham sido destroçados com as bicadas das gaivotas, passando pelas cabanas queimadas onde as pessoas viviam miseravelmente do mar e do pântano antes da chegada dos vikings, e então, enquanto o sol se punha, levamos madeira chamuscada para a praia e eu usei pederneira e aço para fazer uma fogueira. As chamas saltaram ao crepúsculo e Brida tocou meu braço mostrando o *Víbora do Vento*, uma sombra contra o céu que escurecia, vindo pela entrada da laguna. O resto de luz diurna tocou o mar de vermelho e captou o dourado na cabeça de fera do *Víbora do Vento*.

Olhei o navio, pensando em todo o medo que aquele tipo de visão trazia à Inglaterra. Onde quer que houvesse um riacho, um porto ou uma foz de rio, os homens temiam ver os navios dinamarqueses. Temiam aquelas feras na proa, temiam os homens atrás das feras e rezavam para serem poupados da fúria dos nórdicos. Eu adorava a visão. Adorava o *Víbora do Vento*. Seus remos subiam e desciam, eu podia ouvir suas hastes estalando nos buracos forrados de couro e podia ver homens com cotas de malha na proa. Então a proa raspou na areia e os remos compridos se imobilizaram.

Ragnar encostou a escada na proa. Todos os navios dinamarqueses têm uma escada curta para ajudar a desembarcar numa praia, e ele desceu os degraus lentamente e sozinho. Estava com cota de malha inteira, elmo, uma espada ao lado, e assim que desembarcou caminhou até as pequenas chamas de nossa fogueira como um guerreiro chegando para a vingança. Parou à distância de uma lança e me olhou pelos buracos pretos do elmo.

— Você matou meu pai? — perguntou com aspereza.

— Juro por minha vida — respondi. — Por Tor. — Puxei o amuleto do martelo e o segurei com força. — Pela minha alma. Não matei.

Ragnar tirou o elmo, adiantou-se e me abraçou.

— Eu sabia — disse ele.

— Foi Kjartan, e nós vimos.

Contamos toda a história, que estávamos no alto da floresta vigiando o carvão esfriar, que tínhamos sido isolados do castelo e que houvera um incêndio, e como as pessoas tinham sido trucidadas.

— Se eu pudesse ter matado um deles — disse eu —, mataria, e morreria fazendo isso, mas Ravn sempre disse que deve haver pelo menos um sobrevivente para contar a história.

— O que Kjartan diz? — perguntou Brida.

Agora Ragnar estava sentado e dois de seus homens tinham trazido pão, arenque seco, queijo e cerveja.

— Kjartan disse que os ingleses fizeram um levante contra o castelo, encorajados por Uhtred, e que ele se vingou dos assassinos.

— E você acreditou? — perguntei.

— Não. Muitos homens disseram que ele é que tinha feito isso, mas agora ele é o *earl* Kjartan, lidera três vezes mais homens do que eu.

— E Thyra? O que ela diz?

— Thyra? — Ele me olhou perplexo.

— Thyra sobreviveu — disse eu. — Foi levada por Sven.

Ele apenas me encarou. Não sabia que sua irmã estava viva, e eu vi a fúria surgir em seu rosto. Então ele ergueu o olhar às estrelas e uivou como um lobo.

— É verdade — disse Brida em voz baixa. — Sua irmã sobreviveu.

Ragnar desembainhou a espada, pousou-a na areia e tocou a lâmina com a mão direita.

— Nem que seja a última coisa que eu faça — jurou —, vou matar Kjartan, matar o filho dele e todos os seus seguidores. Todos!

— Eu ajudaria — disse eu. Ragnar me olhou por entre as chamas. — Eu amava seu pai, e ele me tratava como filho.

— Sua ajuda será bem-vinda, Uhtred — respondeu Ragnar formalmente. Em seguida limpou a areia da lâmina e a colocou de novo na bainha forrada de pelo de ovelha. — Você vem conosco agora?

Fiquei tentado. Fiquei até surpreso com a força da tentação. Queria ir com Ragnar, queria a vida que tinha levado com seu pai, mas o destino nos governa. Eu estava jurado a Alfredo por mais algumas semanas e tinha lutado com Leofric em todos aqueles meses, e lutar ao lado de um homem numa parede de escudos cria um laço tão forte quanto o amor.

— Não posso — respondi, e desejei ser capaz de dizer o oposto.

— Eu posso — disse Brida, e de algum modo não fiquei surpreso. Ela não tinha gostado de ficar em terra em Hamtun enquanto nós navegávamos para lutar, sentia-se travada e inútil, indesejada, e acho que ansiava pela vida dos dinamarqueses. Odiava Wessex. Odiava os padres, odiava a desaprovação deles e odiava a negação de tudo que fosse alegria.

— Você é testemunha da morte de meu pai — disse Ragnar a ela, ainda formal.

— Sou.

— Então lhe dou as boas-vindas.

Em seguida ele me olhou de novo. Balancei a cabeça.

— Por enquanto estou jurado a Alfredo. No inverno estarei livre do juramento.

— Então venha até nós no inverno e vamos a Dunholm.

— Dunholm?

— É a fortaleza de Kjartan agora. Ricsig o deixa viver lá.

Pensei na fortaleza de Dunholm em seu penhasco altíssimo, cercada pelo rio, protegida pela rocha pura, as altas muralhas e a guarnição forte.

— E se Kjartan marchar contra Wessex? — perguntei.

Ragnar balançou a cabeça.

— Ele não fará isso porque não vai aonde eu vou, portanto devo ir até ele.

— Então ele o teme?

Ragnar sorriu, e se Kjartan visse aquele sorriso teria estremecido.

— Sim, teme. Ouvi dizer que mandou homens para me matar na Irlanda, mas seus barcos foram jogados contra o litoral e os *skraelings* mataram a tripulação. Por isso ele vive com medo. Nega a morte do meu pai, mas mesmo assim me teme.

— Há uma última coisa — disse eu, e assenti para Brida que trouxe a bolsa de couro com seu âmbar negro, ouro e prata. — Isso era do seu pai e Kjartan não encontrou, e nós sim, e gastamos um pouco, mas o que resta é seu. — Empurrei a bolsa para ele e me tornei instantaneamente pobre.

Ragnar a empurrou de volta sem sequer pensar, tornando-me rico de novo.

— Meu pai amava você também, e eu sou suficientemente rico.

Comemos, bebemos, dormimos e, ao alvorecer, quando uma névoa leve tremulava sobre os juncos, o *Víbora do Vento* partiu. A última coisa que Ragnar me disse foi uma pergunta.

— Thyra vive?

— Ela sobreviveu, portanto acho que ainda deve viver.

Abraçamo-nos, eles se foram e eu fiquei sozinho.

Chorei por Brida. Fiquei magoado. Era jovem demais para saber como enfrentar o abandono. Durante a noite tinha tentando convencê-la a ficar, mas ela possuía uma vontade tão forte quanto o ferro de Ealdwulf, foi embora com Ragnar para a névoa da manhã e me deixou chorando. Naquele momento

O último reino

odiei as três fiandeiras, porque teciam brinquedos cruéis em seus fios vulneráveis. Então o pescador veio me pegar e voltei para casa.

As tempestades de outono assolaram a costa, e a frota de Alfredo foi guardada para o inverno, arrastada para a terra por cavalos e bois, e Leofric e eu fomos de cavalo a Wintanceaster, mas descobrimos que Alfredo estava em sua propriedade em Cippanhamm. O porteiro nos deu permissão de entrar no palácio de Wintanceaster. Ele me reconheceu ou ficou aterrorizado com Leofric, e dormimos lá, mas o local ainda era assombrado por monges, apesar da ausência de Alfredo, por isso passamos o dia numa taverna próxima.

— Então o que vai fazer, *earsling*? — perguntou Leofric. — Renovar o juramento a Alfredo?

— Não sei.

— Não sei — repetiu ele com sarcasmo. — Perdeu sua decisão junto com sua garota?

— Eu poderia voltar para os dinamarqueses.

— Isso me daria uma chance de matá-lo — disse ele, feliz.

— Ou ficar com Alfredo.

— Por que não fazer isso?

— Porque não gosto dele.

— Você não precisa gostar dele. Ele é o seu rei.

— Não é meu rei. Eu sou da Nortúmbria.

— Então, *earsling*, você é um *ealdorman* da Nortúmbria, não é?

Assenti, exigi mais cerveja, parti um pedaço de pão em dois e empurrei um para Leofric.

— O que eu deveria fazer é voltar à Nortúmbria. Há um homem lá que eu preciso matar.

— Uma rixa?

Assenti de novo.

— Há uma coisa que sei sobre as rixas de sangue — disse Leofric. — Elas duram a vida inteira. Você terá anos para fazer sua matança, mas só se sobreviver.

— Vou sobreviver — respondi, despreocupado.

— Não se os dinamarqueses tomarem Wessex. Ou talvez você viva, *earsling*, mas vai viver sob o domínio deles, sob a lei deles e sob as espadas deles. Se quiser ser um homem livre, fique aqui e lute por Wessex.

— Por Alfredo?

Leofric se recostou, espreguiçou-se, arrotou e tomou um gole comprido.

— Eu também não gosto dele — admitiu — e não gostava dos irmãos dele quando eram reis aqui, e não gostava do pai dele quando era rei, mas Alfredo é diferente.

— Diferente?

Leofric bateu na testa marcada por cicatrizes.

— O sacana pensa, *earsling*, o que é mais do que você ou eu jamais vamos fazer. Ele sabe o que deve ser feito, e não o subestime. Ele pode ser implacável.

— Ele é um rei. Deve ser implacável.

— Implacável, generoso, devoto, chato, esse é o Alfredo — disse Leofric, mal-humorado. — Quando era criança o pai lhe dava guerreiros de brinquedo. Você sabe, esculpidos em madeira. Umas coisinhas pequenas. Ele colocava todos em fileiras e não havia um único fora do lugar, nenhum, e nem mesmo um grão de poeira em nenhum deles! — Leofric parecia achar isso espantoso, porque deu um muxoxo. — E quando tinha 15 anos, mais ou menos, virou um selvagem por um tempo. Fornicava com toda garota escravizada do palácio, e não tenho dúvida de que também as enfileirava e garantia que não tivessem um único grão de poeira antes de devassá-las.

— E ouvi dizer que teve um filho bastardo — falei.

— Osferth — disse Leofric, surpreendendo-me com o conhecimento. — Foi escondido em Winburnan. O desgraçadozinho deve ter uns seis, sete anos agora. Você não deveria saber que ele existe.

— Nem você.

— Foi na minha irmã que ele fez o filho — disse Leofric, então viu minha surpresa. — Não sou o único bonito da família, *earsling*. — Em seguida serviu mais cerveja. — Eadgyth era serviçal do palácio e Alfredo disse que a amava. — Ele fez uma careta de desprezo, depois deu de ombros. — Mas agora

Alfredo cuida dela. Dá dinheiro, manda padres para fazer pregações para ela. A mulher dele sabe de tudo sobre o bastardozinho, mas não deixa Alfredo chegar perto.

— Odeio Ælswith — falei.

— Uma vaca do inferno — concordou ele, feliz.

— E gosto dos dinamarqueses.

— Gosta? Então por que os mata?

— Gosto deles — falei, ignorando a pergunta — porque eles não têm medo da vida.

— Quer dizer, eles não são cristãos.

— Não são cristãos — concordei. — E você?

Leofric pensou durante alguns instantes.

— Acho que sou — respondeu, de má vontade. — Mas você não é, certo? — Balancei a cabeça, mostrei o martelo de Tor e ele riu. — Então o que vai fazer, *earsling*, se voltar para os pagãos? Além de sua rixa de sangue?

Era uma boa pergunta e eu pensei nela o tanto que a cerveja permitiu.

— Eu serviria a um homem chamado Ragnar, como servi ao pai dele.

— Então por que deixou o pai dele?

— Porque ele foi morto.

Leofric franziu a testa.

— Então você pode ficar lá enquanto seu senhor dinamarquês viver, certo? E sem um senhor você não é nada?

— Não sou nada — admiti. — Mas quero estar na Nortúmbria para tomar de volta a fortaleza do meu pai.

— Ragnar fará isso por você?

— Talvez. O pai dele faria, acho.

— E se você voltar à sua fortaleza, será o senhor dela? Senhor de sua própria terra? Ou os dinamarqueses mandarão em você?

— Os dinamarqueses mandarão.

— Então você aceita ser escravo, hein? Sim, senhor, não, senhor, deixe-me segurar seu pau enquanto o senhor mija em cima de mim, senhor?

— E o que acontece se eu ficar aqui? — perguntei, azedo.

— Vai liderar homens.

Ri disso.

— Alfredo tem senhores suficientes para servi-lo.

Leofric balançou a cabeça.

— Não tem. Alfredo tem alguns bons comandantes guerreiros, certo, mas precisa de mais. Eu disse a ele, naquele dia no barco quando ele deixou os desgraçados escaparem, disse para me mandar para terra e me dar homens. Ele recusou. — Leofric bateu na mesa com o punho enorme. — Eu disse que sou um guerreiro de verdade, mas mesmo assim o desgraçado recusou!

Então essa é que tinha sido a discussão, pensei.

— Por que ele recusou?

— Porque não sei ler — rosnou Leofric. — E não vou aprender agora. Tentei uma vez, e não fez o mínimo sentido para mim. E não sou um senhor, sou? Nem mesmo um *thegn*. Sou apenas um filho de escravo que por acaso sabe matar os inimigos do rei, mas para Alfredo isso não basta. Ele diz que eu posso auxiliar — Leofric disse essa palavra com se ela azedasse sua língua — um dos seus *ealdormen*, mas que não posso liderar homens porque não sei ler e não posso aprender a ler.

— Eu posso — falei, ou a bebida falou.

— Você leva muito tempo para entender as coisas, *earsling* — disse Leofric rindo. — Você é um desgraçado de um senhor e sabe ler, não sabe?

— Não, na verdade, não. Um pouco. Palavras curtas.

— Mas pode aprender?

Pensei nisso.

— Posso aprender.

— E temos 12 tripulações de navios procurando emprego — disse ele. — Então vamos dá-las a Alfredo e dizer que o senhor *earsling* é o líder delas, ele lhe dá um livro, você lê as palavras bonitas, então você e eu levamos os sacanas para a guerra e causamos alguns danos de verdade contra seus amados dinamarqueses.

Eu não disse que sim nem que não, porque não tinha certeza do que queria. O preocupante é que me pegava concordando com qualquer coisa que a última pessoa sugerisse: quando estava com Ragnar eu queria segui-lo. Agora era seduzido pela visão de futuro de Leofric. Não tinha certeza. Por isso, em vez de dizer sim ou não, voltei ao palácio e encontrei Merewenna e descobri que ela era de fato a empregada que havia causado as lágrimas de Alfredo na noite em que eu o vi no campo perto de Snotengaham, em Mércia, e soube o que quis fazer com ela, e não chorei depois.

E no dia seguinte, sob insistência de Leofric, cavalgamos para Cippanhamm.

NOVE

Se você está lendo isto, acho que aprendeu a decifrar as letras, o que significa que algum desgraçado de um monge ou padre bateu nos seus dedos, deu-lhe cascudos na cabeça ou algo pior. Não que tenham feito isso comigo, claro, porque eu não era mais criança, mas suportei os risinhos deles enquanto lutava com as letras. Era principalmente Beocca que me ensinava, reclamando o tempo todo que eu o estava tirando de seu trabalho de verdade: a vida de Swithun, que tinha sido bispo de Wintanceaster quando Alfredo era criança. E Beocca estava escrevendo a vida do bispo. Outro padre ia traduzindo o livro para o latim, já que o domínio de Beocca sobre essa língua não era suficiente para a tarefa. E as páginas eram mandadas a Roma, na esperança de que Swithun fosse declarado santo. Alfredo tinha grande interesse pelo livro, vivia indo ao quarto de Beocca perguntar se ele sabia que um dia Swithun havia pregado o evangelho para uma truta ou cantado um salmo para uma gaivota, e Beocca escrevia as histórias com grande empolgação. E então, quando Alfredo ia embora, voltava com relutância ao texto que estivesse me obrigando a decifrar.

— Leia em voz alta — dizia, depois protestava violentamente. — Não, não, não! *Forliðan* é naufragar! Esta é a vida de São Paulo, Uhtred, e o apóstolo sofreu um naufrágio! Não a palavra que você leu!

Olhei de novo.

— Não é *forlegnis*?

— Claro que não! — disse ele, ficando vermelho de indignação. — Essa palavra significa... — Beocca fez uma pausa, percebendo que não estava me ensinando inglês, e sim a ler a língua.

— Prostituta — respondi. — Sei o que significa. Até sei quanto elas cobram. Há uma ruiva na taverna do Chad que...

— *Forliðan* — interrompeu ele. — A palavra é *forliðan*. Continue lendo.

Aquelas semanas foram estranhas. Agora eu era um guerreiro, um homem, mas na sala de Beocca parecia criança de novo enquanto lutava com as letras negras se arrastando pelos pergaminhos rachados. Aprendi a partir da vida dos santos, e no fim Beocca não pôde resistir a deixar que eu lesse um pouco de sua crescente vida de Swithun. Ele esperou meu elogio, mas em vez disso estremeci.

— Não podíamos encontrar alguma coisa mais interessante? — perguntei.

— Mais interessante? — O olho bom de Beocca me espiou cheio de reprovação.

— Alguma coisa sobre a guerra — sugeri —, sobre os dinamarqueses. Sobre escudos, lanças e espadas.

Ele fez uma careta.

— Temo só de ouvir falar nesse tipo de escritos! Há alguns poemas. — Ele fez uma careta de novo e evidentemente decidiu não contar sobre os poemas beligerantes. — Mas isto — bateu no pergaminho —, isto lhe dará inspiração.

— Inspiração! Saber como Swithun emendou alguns ovos quebrados?

— Foi um ato de santidade — censurou Beocca. — A mulher era velha e pobre, os ovos eram tudo que ela possuía para vender, ela tropeçou e os quebrou. Estava diante da fome! O santo fez com que os ovos ficassem inteiros de novo e, Deus seja louvado, ela os vendeu.

— Mas por que Swithun não deu simplesmente dinheiro a ela? Ou a levou à sua casa lhe deu uma refeição de verdade?

— É um milagre! — insistiu Beocca. — Uma demonstração do poder de Deus.

— Eu gostaria de ver um milagre — falei, lembrando-me da morte do rei Edmundo.

— Isso é uma fraqueza da sua parte — disse Beocca, sério. — Você precisa ter fé. Os milagres tornam a fé uma coisa fácil, por isso você nunca deve rezar para ver um. É muito melhor encontrar Deus através da fé do que através dos milagres.

— Então por que existem milagres?

— Ah, continue lendo, Uhtred — disse o pobre homem, cansado. — Pelo amor de Deus, continue lendo.

Continuei. Mas a vida em Cippanhamm não era feita somente de leituras. Alfredo caçava pelo menos duas vezes por semana, mas não era uma caçada como eu conhecera no norte. Ele jamais perseguia javalis, preferindo atirar em cervos com um arco. A presa era direcionada a ele por batedores, e se um cervo não aparecesse rapidamente ele se entediava e voltava aos livros. Na verdade acho que ele só ia caçar porque isso era esperado da parte de um rei, e não porque gostasse, mas suportava. Eu adorava, claro. Matava lobos, cervos, raposas e javalis, e foi numa dessas caçadas ao javali que conheci Æthelwold.

Æthelwold era o sobrinho mais velho de Alfredo, o garoto que teria sucedido ao pai, o rei Æthelred, mas não era mais um garoto, porque tinha apenas cerca de um mês a menos do que eu, e em muitos sentidos era parecido comigo, só que fora abrigado pelo pai, e por Alfredo, portanto nunca havia matado um homem nem lutado em batalha. Era alto, de boa compleição, forte e selvagem como um potro indomado. Tinha cabelo comprido e escuro, o rosto estreito da família e olhos fortes que atraíam a atenção das garotas serviçais. Na verdade, de todas as garotas. Ele caçava comigo e com Leofric, bebia conosco, pegava prostitutas conosco quando conseguia escapar dos padres que eram seus guardiões e reclamava constantemente do tio, mas essas reclamações só eram ditas a mim, jamais a Leofric, a quem Æthelwold temia.

— Ele roubou a coroa — dizia Æthelwold, falando de Alfredo.

— O *witan* achou que você era novo demais — observei.

— Agora não sou novo, sou? — perguntou ele, indignado. — Portanto Alfredo deveria se afastar.

Brindei a essa ideia com um pote de cerveja, mas não disse nada.

— Eles nem me deixam lutar! — disse Æthelwold com amargura. — Ele diz que eu deveria virar padre. O desgraçado estúpido. — Em seguida bebeu um pouco de cerveja antes de me lançar um olhar sério. — Fale com ele, Uhtred.

— O que vou dizer? Que você não quer ser padre?

— Ele sabe disso. Não, diga a ele que vou lutar com você e Leofric. Pensei nisso durante pouco tempo, depois balancei a cabeça.

— Não vai adiantar.

— Por quê?

— Porque ele teme que você faça nome.

Æthelwold franziu a testa para mim.

— Nome? — perguntou perplexo.

— Se você se tornar um guerreiro famoso — falei sabendo que estava certo —, homens irão segui-lo. Você já é um príncipe, o que é bastante perigoso, mas Alfredo não vai querer que você se torne um príncipe guerreiro e famoso, vai?

— O devoto desgraçado. — Æthelwold empurrou o cabelo comprido para longe do rosto e olhou mal-humorado para Eanflæd, a ruiva que recebera um quarto na taverna e trouxe um bocado de negócios. — Meu Deus, ela é bonita. Uma vez ele foi apanhado comendo uma freira.

— Alfredo? Uma freira?

— Foi o que me disseram. E ele vivia atrás de garotas. Não conseguia manter os calções abotoados! Agora os padres o dominam. O que eu deveria fazer — continuou ele, sombrio — é cortar a goela do desgraçado.

— Se disser isso a qualquer outra pessoa você vai ser enforcado.

— Eu poderia fugir e me juntar aos dinamarqueses.

— Poderia sim. E eles iriam recebê-lo bem.

— E depois me usar? — perguntou, mostrando que não era totalmente idiota.

Assenti.

— Você seria como Egbert ou Burghred, ou aquele sujeito novo em Mércia.

— Ceolwulf.

— Rei ao bel-prazer deles. — Ceolwulf, um *ealdorman* de Mércia, fora nomeado rei de seu país, agora que Burghred estava de joelhos em Roma, mas Ceolwulf não era rei de verdade, exatamente como Burghred antes. Ele emitia moedas, claro, e administrava a justiça, mas todo mundo sabia que havia dinamarqueses em seu conselho e ele não ousava fazer nada que provocasse sua ira. — Então é isso que você quer? — perguntei. — Fugir para os dinamarqueses e ser útil a eles?

Ele balançou a cabeça.

— Não. — Em seguida traçou um desenho na mesa com a cerveja derramada. — Melhor não fazer nada.

— Nada?

— Se eu não fizer nada — disse ele, sério —, o desgraçado pode morrer. Ele vive doente! Não pode viver muito, não é? E o filho dele é apenas um bebê. Por isso, se ele morrer, eu serei rei! Ah, meu doce Jesus! — Essa blasfêmia foi pronunciada porque dois padres tinham entrado na taverna, ambos do séquito de Æthelwold, mas eram mais como carcereiros do que cortesãos, e tinham vindo achá-lo e arrastá-lo para a cama.

Beocca não aprovava minha amizade com Æthelwold.

— Ele é uma criatura tola — alertou.

— Eu também, pelo menos é o que você diz.

— Então não precisa ter sua tolice encorajada, precisa? Agora vamos ler sobre como o Santo Swithun construiu o Portão Leste da cidade.

Na época da festa da Epifania eu era capaz de ler tão bem quanto um garoto inteligente de 12 anos, pelo menos é o que Beocca dizia, e isso bastava para Alfredo que, afinal de contas, não exigia que eu lesse textos teológicos, mas apenas que decifrasse suas ordens, caso algum dia decidisse me dar alguma. E esse, claro, era o âmago da questão. Leofric e eu queríamos comandar tropas, e para isso suportei os ensinos de Beocca e tinha apreciado a habilidade do Santo Swithun com trutas, gaivotas e ovos quebrados, mas a entrega dessas tropas dependia do rei, e em verdade não havia muitas tropas para comandar.

O exército saxão do oeste estava dividido em duas partes. A primeira, e menor, era composta pelos homens do rei, seus servos que o guardavam e à sua família. Eles não faziam nada além disso, porque eram guerreiros profissionais, mas não eram muitos, e nem Leofric nem eu queríamos ter nada a ver

O último reino

com eles, porque entrar para a guarda doméstica significaria permanecer perto de Alfredo. O que, por sua vez, significaria ir à igreja.

A segunda parte do exército, e de longe a maior, era o *fyrd* que, por sua vez, era dividido entre os condados. Cada condado, sob o comando de seu *ealdorman* e seu *reeve*, era responsável por montar o *fyrd*, que supostamente abarcaria todo homem capaz que estivesse dentro das fronteiras do condado. Isso podia levantar um vasto número de homens. Hamptonscir, por exemplo, podia facilmente armar três mil homens, e havia nove condados em Wessex, capazes de convocar números semelhantes. No entanto, exceto pelas tropas que serviam aos *ealdormen*, o *fyrd* era quase totalmente composto por agricultores. Alguns tinham uma espécie de escudo, lanças e machados eram bem comuns, mas espadas e armaduras eram raras. E pior, o *fyrd* sempre relutava em marchar para além das fronteiras de seu condado. E relutava ainda mais em servir quando houvesse trabalho a ser feito nas fazendas. Na colina de Æsc, a única batalha que os saxões do oeste tinham vencido contra os dinamarqueses, as tropas domésticas do rei é que haviam garantido a vitória. Divididas entre Alfredo e seu irmão, tinham montado a ponta de lança da luta, enquanto o *fyrd*, como acontecia geralmente, parecia ameaçador mas só se engajou quando os soldados de verdade já haviam vencido a luta. Resumindo, o *fyrd* tinha quase tanta utilidade quanto um buraco no fundo de um barco, mas era onde Leofric podia ter esperanças de encontrar homens.

Só que havia as tripulações daqueles barcos se embebedando nas tavernas de Hamtun durante o inverno, e aqueles eram os homens que Leofric queria, e para consegui-los precisava convencer Alfredo a tirar o comando de Hacca. E por sorte nossa o próprio Hacca veio a Cippanhamm e implorou para ser liberado da frota. Rezava diariamente, segundo disse a Alfredo, para nunca mais ver o oceano.

— Sinto enjoos, senhor.

Alfredo sempre era simpático com quem sofria de doença, porque ele próprio vivia doente, e devia saber que Hacca era um comandante de navios inadequado, mas o problema de Alfredo era como substituí-lo. Para isso convocou quatro bispos, dois abades e um padre para aconselhá-lo, e Beocca me contou que todos estavam rezando pela nova nomeação.

— Faça alguma coisa! — rosnou Leofric para mim.

— O que, diabos, eu deveria fazer?

— Você tem amigos padres! Fale com eles. Fale com Alfredo, *earsling*.

— Ele raramente me chamava assim nos últimos tempos, só quando estava com raiva.

— Ele não gosta de mim — respondi. — Se eu pedir para nos colocar no comando da frota ele vai dá-la a qualquer um, menos a nós. Provavelmente vai dá-la a um bispo.

— Inferno! — disse Leofric.

No fim das contas foi Eanflæd quem nos salvou. A ruiva era uma alma alegre e tinha um apreço especial por Leofric. Ouviu-nos discutindo e se sentou, bateu na mesa para nos silenciar, e perguntou por que estávamos brigando. Então espirrou, porque estava com gripe.

— Eu quero que esse *earsling* inútil — Leofric sacudiu o polegar na minha direção — seja nomeado comandante da frota, só que ele é novo demais, feio demais, horrível demais e pagão demais, e Alfredo está ouvindo um bando de bispos que vão acabar indicando algum velho encarquilhado que não sabe diferenciar a popa do próprio pau.

— Que bispos? — perguntou Eanflæd.

— Os de Scireburnan, Wintanceaster, Wunburnam e Exanceaster — respondi.

Ela sorriu, espirrou de novo, e dois dias depois fui convocado à presença de Alfredo. Por acaso o bispo de Exanceaster tinha uma queda pelas ruivas.

Alfredo me recebeu em seu castelo; um belo prédio com traves, caibros e uma lareira central de pedra. Seus guardas nos observavam da porta onde um grupo de peticionários esperava para ver o rei, e um amontoado de padres rezava na outra extremidade, mas nós dois estávamos sozinhos perto da lareira, e Alfredo andava de um lado para o outro enquanto falava. Disse que estava pensando em me nomear comandante da frota. Só pensando, enfatizou. Disse que Deus estava orientando sua escolha, mas que agora devia falar comigo para ver se o conselho de Deus ressoava com sua intuição. Ele dava grande importância à intuição. Uma vez me fez um sermão sobre o olho interior dos homens, e como ele pode nos levar a uma sabedoria mais elevada, e ouso dizer que estava certo, mas para nomear um comandante de frota não era necessário sabedoria mística, era necessário encontrar um guerreiro disposto a matar alguns dinamarqueses.

— Diga — continuou ele, — aprender a ler fez aumentar sua fé?

— Sim, senhor — respondi com ímpeto, fingindo descaradamente.

— Fez? — Ele parecia em dúvida.

— A vida de São Swithun — disse eu, balançando a mão para sugerir que ela havia me deixado pasmo — e as histórias de Chad! — Fiquei em silêncio como se não pudesse pensar num elogio suficiente para aquele homem tedioso.

— O abençoado Chad! — disse Alfredo, feliz. — Você sabe que homens e gado foram curados pelo pó de seu cadáver?

— Um milagre, senhor.

— É bom ouvi-lo dizer isso, Uhtred. E me regozijo em sua fé.

— Isso me dá grande felicidade, senhor — respondi, com o rosto impassível.

— Porque é apenas com fé em Deus que prevaleceremos contra os dinamarqueses.

— De fato, senhor — respondi com o máximo de entusiasmo que pude juntar, imaginando por que ele simplesmente não me nomeava comandante da frota e acabava com aquilo.

Mas Alfredo estava num humor discursivo.

— Lembro-me de quando conheci você e fiquei espantado por sua fé infantil. Foi uma inspiração para mim, Uhtred.

— Fico satisfeito com isso, senhor.

— E então — ele se virou e franziu as sobrancelhas —, detectei uma diminuição em sua fé.

— Deus nos testa, senhor.

— De fato! De fato! — Alfredo se encolheu subitamente. Sempre foi um homem doente. Tinha desmoronado de dor durante o casamento, se bem que isso poderia ter sido o horror de perceber que estava se casando, mas na verdade ele tendia a ataques de agonia súbita e dilacerante. Isso, pelo que me

280
O último reino

disse, era melhor do que a primeira doença, que fora uma aflição de ficus, o que é uma verdadeira *endwerc*, tão dolorosa e sangrenta que às vezes ele não conseguia se sentar, e algumas vezes o ficus voltava, mas na maior parte do tempo ele sofria com dores de barriga. — Deus realmente nos testa — continuou —, e acho que estava testando você. Eu gostaria de pensar que você resistiu ao teste.

— Acredito que sim, senhor — respondi seriamente, desejando que ele simplesmente acabasse com aquela conversa ridícula.

— Mas ainda hesito em nomeá-lo. Você é jovem! É verdade que provou sua diligência aprendendo a ler e que é nobre de nascimento, mas você tem mais probabilidade de ser encontrado numa taverna do que numa igreja. Não é verdade?

Isso me silenciou, pelo menos por alguns instantes, mas então me lembrei de algo que Beocca tinha dito durante suas intermináveis lições e, sem pensar, sem realmente saber o que significavam, pronunciei as palavras em voz alta.

— "O filho do homem vem comer e beber, e..."

— "Você diz: olhe um ganancioso beberrão!" — Alfredo terminou as palavras para mim. — Está certo, Uhtred, está certo em me censurar. Glória a Deus! Cristo foi acusado de passar o tempo em tavernas, e eu esqueci. Está nas escrituras!

Os deuses me ajudam, pensei. Aquele sujeito estava bêbado de Deus. Mas não era idiota, porque agora se virou para mim como uma serpente.

— E ouvi dizer que você passa tempo com meu sobrinho. Dizem que você o distrai das lições.

Pus a mão no coração.

— Vou fazer um juramento de que não fiz nada além de dissuadi-lo de sua rudeza, senhor. — E era verdade, ou razoavelmente verdadeiro. Eu nunca havia encorajado Æthelwold em seus mais loucos voos de fantasia que envolviam cortar a garganta de Alfredo ou fugir para se juntar aos dinamarqueses. Encorajei-o à cerveja, às prostitutas e às blasfêmias, mas não considerava que essas coisas fossem rudes. — Juro, senhor.

A palavra juro era poderosa. Todas as nossas leis dependem de juramentos. A vida, a lealdade e a aliança dependem de juramentos, e o fato de eu ter usado a palavra o convenceu.

— Obrigado — disse ele, sério. — E devo lhe dizer, Uhtred, que para minha surpresa o bispo de Exanceaster teve um sonho em que apareceu um mensageiro de Deus dizendo que você deveria ser nomeado comandante da frota.

— Um mensageiro de Deus?

— Um anjo, Uhtred.

— Louvado seja Deus — falei sério, pensando em como Eanflæd gostaria de descobrir que agora era um anjo.

— No entanto — disse Alfredo, e se encolheu de novo quando a dor explodiu em seu cu ou na barriga. — No entanto — disse de novo, e eu soube que algo inesperado estava para vir. — Eu me preocupo por você ser da Nortúmbria, e que o seu compromisso com Wessex não seja de coração.

— Eu estou aqui, senhor.

— Mas por quanto tempo?

— Até os dinamarqueses irem embora, senhor.

Ele ignorou isso.

— Preciso de homens ligados a mim por Deus. Por Deus, pelo amor, pelo dever, pela paixão e pela terra. — Alfredo fez uma pausa, me olhando, e eu soube que o ferrão estava na última palavra.

— Eu tenho terras na Nortúmbria — falei, pensando em Bebbanburg.

— Terra de Wessex, terra das quais você será dono, terras que você defenderá, terras pelas quais lutará.

— Um pensamento abençoado — respondi, com o coração se encolhendo diante do que suspeitava que viria.

Só que não veio de imediato, em vez disso, ele mudou de assunto abruptamente e falou, com bastante sensibilidade, sobre a ameaça dinamarquesa. Disse que a frota tivera sucesso em reduzir os ataques-surpresa dos vikings, mas achava que o próximo ano traria uma frota dinamarquesa, uma frota grande demais para ser enfrentada por nossos 12 navios.

— Não ouso perder a frota — disse ele —, por isso duvido que devêssemos lutar contra os navios deles. Estou esperando que um exército terrestre de pagãos venha descendo o Temes e que a frota deles ataque nossa costa sul. Eu posso conter um, mas não o outro, de modo que o serviço do comandante da frota será seguir os navios deles e assediá-los. Distraí-los. Mantê-los olhando para um lado enquanto eu destruo o exército terrestre.

Falei que achava uma boa ideia, e provavelmente era, mas eu imaginava como 12 navios deveriam distrair uma frota inteira, mas esse era um problema que teria de esperar até a chegada da frota inimiga. Então Alfredo voltou ao assunto da terra, e esse, claro, era o fator decisivo que me daria ou me negaria a frota.

— Eu ligaria você a mim, Uhtred — disse ele, sério.

— Eu lhe farei um juramento, senhor.

— Fará mesmo — respondeu ele rispidamente —, mas ainda quero que você seja de Wessex.

— Uma alta honraria, senhor.

O que mais eu poderia dizer?

— Você deve pertencer a Wessex — disse ele, depois sorriu como se me fizesse um favor. — Há uma órfã em Defnascir — continuou ele, e aí vinha: — Uma garota que eu gostaria de ver casada.

Não falei nada. Qual é o sentido de protestar quando a espada do carrasco está no meio do golpe?

— O nome dela é Mildrith, e ela me é muito querida. Uma garota devota, modesta e fiel. Seu pai era *reeve* do *ealdorman* Odda, e ela trará terras para o marido, terras boas, e eu gostaria que um homem bom ficasse com elas.

Ofereci um sorriso que esperava não ser doentio demais.

— Ele seria um homem de sorte, senhor, em se casar com uma garota que lhe é querida.

— Então vá até ela — ordenou Alfredo — e se case. — A espada acertou o golpe. — Depois eu o nomearei comandante da frota.

— Sim, senhor.

Leofric, claro, riu como uma gralha demente.

— Ele não é idiota, não é? — disse quando se recuperou. — Está transformando você num saxão do oeste. Então, o que você sabe sobre essa *Milterwærc*?

Milterwærc significa dor no baço.

— Mildrith — falei —, e ela é devota.

— Claro que é devota. Ele não quereria que você se casasse se a garota gostasse de abrir as pernas.

— É órfã e tem uns 16 ou 17 anos.

— Jesus Cristo! Tao velha assim? Deve ser uma porca horrorosa! Mas coitadinha, deve estar gastando os joelhos rezando para não ser comida por um *earsling* como você. Mas é o destino dela! Então vamos casá-lo, e aí poderemos matar alguns dinamarqueses.

Era inverno. Tínhamos passado a festa de Natal em Cippanhamm, e isso não era uma comemoração de Yule. Agora cavalgamos para o sul, através de geadas e vento. O padre Willibald nos acompanhava porque ainda era o sacerdote da frota, e meu plano era chegar a Defnascir, fazer o que fosse horrivelmente necessário e depois seguir direto para Hamtun para garantir que o trabalho de inverno nos 12 barcos estivesse sendo bem-feito. É no inverno que os barcos são calafetados, raspados, limpos e preparados para a primavera, e a ideia de navios me fazia sonhar com os dinamarqueses, com Brida. E imaginei onde ela estaria, o que fazia e se iríamos nos encontrar de novo. E pensei em Ragnar. Teria encontrado Thyra? Será que Kjartan vivia? Agora o mundo deles era outro e eu sabia que estava me afastando dele, sendo emaranhado nos fios da vida arrumada de Alfredo. Ele estava tentando me transformar num saxão do oeste, e começava a ter sucesso. Agora eu estava jurado para lutar por Wessex e aparentemente devia me casar com aquele país, mas ainda me agarrava ao velho sonho de retomar Bebbanburg.

Eu amava Bebbanburg e quase amava Defnascir igualmente. Quando o mundo foi feito por Tor a partir da carcaça de Ymir, ele fez bem ao moldar Defnascir e o condado adjacente, Thornsæta. Ambos eram lindas terras de colinas suaves e riachos rápidos, campos ricos e solo profundo, charnecas altas e bons portos. Um homem podia viver bem em qualquer um dos dois condados, e eu poderia ter sido feliz em Defnascir se não tivesse mais amor por Bebbanburg. Cavalgamos pelo vale do rio Uisc, através de campos bem-cuidados, de terra vermelha, passando por povoados grandes e castelos altos, até chegarmos a Exanceaster, que era a principal cidade do condado. Fora feita pelos romanos, que tinham construído uma fortaleza numa colina acima do Uisc, rodeada por uma muralha de sílex, pedras e tijolos, e a muralha ainda estava lá, e guardas nos fizeram parar quando chegamos ao portão norte.

— Viemos ver o *ealdorman* Odda — disse Willibald.

— Da parte de quem?

— Do rei — disse Willibald com orgulho, tirando com floreio uma carta que tinha o lacre de Alfredo, mas duvido que os guardas o reconhecessem. Mas pareceram adequadamente impressionados e nos deixaram entrar numa cidade de prédios romanos decadentes em meio aos quais uma igreja de madeira erguia-se alta perto do castelo do *ealdorman* Odda.

O *ealdorman* nos fez esperar, mas finalmente chegou com o filho e uma dúzia de servos, e um dos seus padres leu a carta do rei em voz alta. Era um prazer para Alfredo que Mildrith se casasse com seu leal servo, o *ealdorman* Uhtred, e Odda recebeu a ordem de organizar a cerimônia com o mínimo de demora possível. Odda não ficou satisfeito. Era um homem idoso, tinha pelo menos quarenta anos, com cabelos grisalhos e um rosto tornado grotesco por quistos bulbosos. Seu filho, Odda, o Jovem, ficou ainda menos satisfeito, já que fez uma careta diante da notícia.

— Não é adequado, pai — reclamou ele.

— É o desejo do rei.

— Mas...

— É o desejo do rei!

Odda, o Jovem, ficou quieto. Tinha mais ou menos a minha idade, quase 19 anos, boa aparência, cabelos pretos e estava elegante numa túnica preta quase tão limpa quanto um vestido de mulher e com acabamento em fio de ouro. Um crucifixo dourado pendia do pescoço. Lançou-me um olhar atento, e eu devo ter parecido sujo da viagem e maltrapilho. E depois de me inspecionar e me considerar quase tão atraente quanto um vira-lata molhado, virou-se nos calcanhares e saiu do salão.

— Amanhã de manhã — anunciou Odda, infeliz —, o bispo pode casar vocês. Mas primeiro você deve pagar o preço da noiva.

— O preço da noiva? — perguntei. Alfredo não tinha mencionado isso, mas, claro, era o costume.

— Trinta e três xelins — disse Odda peremptoriamente, e com a sugestão de um risinho.

Trinta e três xelins eram uma fortuna. Um saque. O preço de um bom cavalo de guerra ou um navio. Isso me deixou pasmo e ouvi Leofric ofegar, atrás.

— É isso que Alfredo diz? — perguntei.

— É o que eu digo — respondeu Odda —, já que Mildrith é minha afilhada.

Não é de espantar que o sujeito desse um risinho. O preço era gigantesco, e ele duvidava que eu pudesse pagá-lo, e se não pudesse pagá-lo a garota não seria minha, e, mesmo que Odda não soubesse, a frota também não seria minha. E o preço não era meramente 33 xelins, ou 396 pence de prata, era o dobro disso, porque também era costume o marido dar à nova esposa uma quantia equivalente depois de o casamento se consumar. O segundo presente não era da conta de Odda, e eu duvidava muito que quereria pagá-lo, assim como o *ealdorman* Odda agora tinha certeza, a partir da minha hesitação, de que eu não pagaria o preço da noiva e, portanto, não poderia haver contrato de casamento.

— Posso me encontrar com a dama? — perguntei.

— Pode encontrá-la na cerimônia, amanhã de manhã — disse Odda com firmeza —, mas apenas se pagar o preço da noiva. Caso contrário, não.

Ele pareceu desapontado quando abri minha bolsa e lhe dei uma moeda de ouro e trinta e seis *pennies* de prata. Pareceu ainda mais desapontado ao ver que essas não eram as únicas moedas que eu possuía, mas agora estava sem saída.

— Pode se encontrar com ela na catedral, amanhã — disse ele.

— Por que não agora?

— Porque ela está rezando — respondeu o *ealdorman*, e com isso nos dispensou.

Leofric e eu encontramos lugar para dormir numa taverna perto da catedral, que era a igreja do bispo, e naquela noite fiquei bêbado como uma lebre na primavera. Arranjei briga com alguém, não faço ideia de quem, e só lembro que Leofric, que estava tão bêbado quanto eu, nos separou e esmagou meu oponente. Depois disso fui para o pátio do estábulo e vomitei toda a cerveja que tinha acabado de beber. Bebi um pouco mais, dormi mal, acordei com a chuva encharcando o teto do estábulo e vomitei de novo.

— Por que não vamos simplesmente para Mércia? — sugeri a Leofric. O rei tinha nos emprestado cavalos e eu não me importava em roubá-los.

— O que vamos fazer lá?

— Encontrar homens? Lutar?

— Não seja idiota, *earsling*. Nós queremos a frota. E se você não se casar com a porca feia eu não fico com o comando.

— Eu terei o comando.

— Mas só se casar. Então você comanda a frota e eu comando você.

Então o padre Willibald chegou. Tinha dormido no mosteiro ao lado da taverna e viera se certificar se eu estava pronto. Ficou alarmado com minha condição precária.

— O que é essa marca no seu rosto? — perguntou ele.

— Um sacana me acertou ontem à noite. Eu estava bêbado. Ele também, mas eu estava mais. Aceite meu conselho, padre, nunca entre numa briga quando estiver muito bêbado.

Bebi mais cerveja como desjejum. Willibald insistiu em que eu usasse minha melhor túnica, o que não queria dizer muito, porque ela estava manchada, amarrotada e rasgada. Eu teria preferido usar a cota de malha, mas Willibald disse que não era adequada para a igreja, e acho que ele estava certo. Deixei-o me escovar e tentar tirar as piores manchas da lã. Amarrei o cabelo com uma tira de couro, prendi o cinto com Bafo de Serpente e Ferrão de Vespa, o que, de novo, Willibald disse que eu não deveria usar num lugar sagrado, mas insisti em manter as armas. E então, condenado, fui para a catedral com Willibald e Leofric.

Estava chovendo como se os céus perdessem toda a água. A chuva ricocheteava nas ruas, corria em riachos pelas sarjetas e vazava pela palha do teto da catedral. Um vento frio e cortante vinha do leste e encontrava cada fenda nas paredes de madeira da catedral, de modo que as velas nos altares tremulavam e algumas se apagaram. Era uma igreja pequena, não muito maior do que o castelo queimado de Ragnar, e devia ter sido construída sob um alicerce romano, já que o piso era feito de pedras que agora estavam cheias de poças de chuva. O bispo já estava lá, dois outros padres cuidavam das velas que estalavam no altar elevado. Então o *ealdorman* Odda chegou com minha noiva.

Que me olhou e irrompeu em lágrimas.

O que eu estava esperando? Uma mulher que parecia uma porca, acho, uma mulher com rosto marcado de varíola, expressão azeda e quadris de boi. Ninguém espera amar uma esposa, principalmente se se casa em troca de terra ou posição, e eu estava me casando pela terra, e ela estava se casando porque não tinha escolha, e realmente não há muito sentido em se abalar com isso, porque é assim que o mundo funciona. Meu trabalho era pegar as terras dela, trabalhá-las, ganhar dinheiro, e o dever de Mildrith era me dar filhos e garantir que houvesse comida e cerveja na minha mesa. Este é o santo sacramento do matrimônio.

Eu não queria casar com ela. Por direito, como *ealdorman* da Nortúmbria, podia ter esperança de casar com uma filha da nobreza, uma filha que me traria muito mais terra do que 12 jeiras em morros em Defnascir. Podia ter esperança de casar com uma filha da nobreza, uma filha que aumentaria as posses e o poder de Bebbanburg, mas isso claramente não iria acontecer, portanto estava me casando com uma garota de nascimento ignóbil que agora seria conhecida como a senhora Mildrith. E ela poderia ter demonstrado alguma gratidão, mas em vez disso chorou e até tentou se soltar do *ealdorman* Odda.

Que provavelmente simpatizava com ela, mas o preço da noiva fora pago, e assim ela foi trazida ao altar. E o bispo, que viera de Cippanhamm com uma gripe feroz, devidamente nos declarou marido e mulher.

— E que a bênção de Deus, o Pai — disse ele —, Deus, o Filho, e Deus, o Espírito Santo, esteja em vossa união. — O bispo ia dizer amém, mas em vez disso deu um espirro portentoso.

— Amém — disse Willibald. Ninguém mais falou.

Assim Mildrith era minha.

Odda, o Jovem, ficou olhando enquanto saíamos da igreja, e provavelmente achou que eu não o vi, mas vi, e o marquei. Sabia por que ele estava olhando.

Porque a verdade — que me surpreendeu — era que Mildrith era desejável. Essa palavra não lhe faz justiça, mas é difícil demais lembrar um rosto de tanto tempo atrás. Algumas vezes, num sonho, eu a vejo, e então ela é real, mas, quando estou acordado e tento invocar seu rosto, não consigo. Lembro que tinha pele clara, pálida, que o lábio inferior se projetava muito, que os olhos eram muito azuis e que o cabelo tinha o mesmo ouro que o meu. Era alta, coisa da qual ela não gostava, achando que a deixava pouco feminina, e tinha uma expressão nervosa, como se temesse constantemente o desastre, e isso pode ser muito atraente numa mulher. E confesso que a achei atraente. Isso me surpreendeu, na verdade me deixou pasmo, porque uma mulher assim deveria estar casada há muito tempo. Tinha quase 17 anos, e nessa idade a maioria das mulheres já tinha dado à luz três ou quatro filhos ou morrido na tentativa, mas enquanto cavalgávamos para sua propriedade, que ficava a oeste da foz do rio Uisc, ouvi parte de sua história. Ela estava sendo carregada numa carroça puxada por dois bois, que Willibald insistira em enfeitar com guirlandas de flores. Leofric, Willibald e eu seguíamos junto à carroça, e Willibald lhe fazia perguntas e ela respondia de boa vontade, porque ele era padre e gentil.

Contou que o pai tinha deixado terras e dívidas, e que as dívidas eram maiores do que o valor das terras. Leofric deu um risinho quando ouviu a palavra "dívidas". Não falei nada, apenas olhei teimosamente adiante.

O problema, segundo Mildrith, começou quando seu pai prometera um décimo de suas terras como *ælmesæcer*, que é terra dedicada à igreja. A igreja não a possui, mas tem o direito a tudo que a terra produzir, seja em colheitas ou gado, e seu pai tinha feito a doação, segundo Mildrith, porque todos os filhos, a não ser ela, tinham morrido, e ele queria receber favores de Deus. Suspeito que ele quisesse receber favores de Alfredo, já que em Wessex os homens ambiciosos deviam cuidar da igreja se quisessem que o rei cuidasse deles.

Mas então os dinamarqueses atacaram, o gado foi morto, uma safra se perdeu e a igreja levou seu pai à justiça por não fornecer o rendimento prometido da terra. Wessex, como descobri, era muito devotada à lei, e todos os homens da lei são padres, até o último, o que significa que a lei é a igreja. E, quando o pai de Mildrith morreu, a lei havia decretado que ele devia uma quantia gigantesca à igreja, muito além de sua capacidade de pagar, e Alfredo, que tinha o poder de perdoar a dívida, se recusou a fazê-lo. Isso significava que qualquer homem que se casasse com Mildrith se casaria com a dívida, e ninguém se dispusera a aceitar esse fardo, até que um idiota da Nortúmbria caiu na armadilha como um bêbado cambaleando morro abaixo.

Leofric estava rindo. Willibald parecia preocupado.

— Então, de quanto é a dívida? — perguntei.

— Dois mil xelins, senhor — disse Mildrith em voz muito baixa.

Leofric quase engasgou de tanto rir, e eu poderia tê-lo matado no ato, alegremente.

— E aumenta todo ano? — perguntou Willibald espertamente.

— Sim — respondeu Mildrith, recusando-se a me encarar. Um homem mais sensato teria investigado as circunstâncias de Mildrith antes do contrato de casamento, mas eu vira o casamento apenas como um caminho para a frota. De modo que agora tinha a frota, tinha a dívida e tinha a garota. E também um novo inimigo, Odda, o Jovem, que claramente quisera Mildrith para si, mas seu pai, sensatamente, havia se recusado a atar a família àquela dívida mutiladora. E também suspeito que não quisesse que o filho se casasse com alguém de nível inferior.

Há uma hierarquia entre os homens. Beocca gostava de me dizer que ela refletia a hierarquia do céu, e talvez reflita, mas não sei nada sobre isso, no entanto sei que os homens têm classes. No topo fica o rei, abaixo dele estão seus filhos. Depois vêm os *ealdormen* que são os principais nobres da terra, e sem terras um homem não pode ser nobre, mas eu era, porque nunca abandonei minha reivindicação de Bebbanburg. O rei e seus *ealdormen* são o poder de um reino, os homens que têm grandes terras e montam os exércitos, e abaixo deles estão nobres inferiores, geralmente chamados de *reeves*, e estes são responsáveis pela lei na terra de um senhor, mas um homem pode deixar de ser *reeve* caso desagrade ao seu senhor. Os *reeves* são retirados das fileiras dos *thegns*, homens ricos que podem liderar seguidores na guerra, mas que não têm as grandes posses de nobres como Odda ou meu pai. Abaixo dos *thegns* estão os *ceorls*, todos homens livres, mas se um *ceorl* perder seu meio de vida pode ser escravizado, que é o fundo do monte de esterco. Pessoas escravizadas podem ser libertadas, e frequentemente são, mas, a menos que os senhores lhes deem terra ou dinheiro, eles logo serão escravizados de novo. O pai de Mildrith era um *thegn*, e Odda fizera dele um *reeve*, responsável por manter a paz num grande trecho do sul de Defnascir, mas também era um *thegn* com terras insuficientes, cuja tolice havia diminuído o pouco que possuía, por isso deixara Mildrith empobrecida, o que a tornava inadequada para o filho de um *ealdorman*, ainda que fosse considerada suficientemente boa para um senhor exilado da Nortúmbria. Na verdade ela era apenas outro peão no tabuleiro de xadrez de Alfredo, e ele só a dera a mim para eu me tornar responsável por pagar uma vasta quantia à igreja.

Ele era uma aranha, pensei azedamente, uma aranha negra como um padre, tecendo teias pegajosas. E eu pensava que tinha sido esperto ao conversar com ele no castelo em Cippanhamm. Na verdade eu poderia ter rezado abertamente a Tor antes de mijar nas relíquias do altar de Alfredo e ele ainda me daria a frota, porque sabia que a frota teria pouco a fazer na guerra vindoura, e só quisera me prender por causa de suas ambições futuras no norte da Inglaterra. De modo que agora eu estava preso, e o desgraçado do *ealdorman* tinha cuidadosamente me deixado entrar na armadilha.

O pensamento no *ealdorman* de Defnascir me levou a fazer uma pergunta.

— Que preço de noiva Odda lhe deu? — perguntei a Mildrith.

— Quinze xelins, senhor.

— Quinze xelins? — perguntei chocado.

— Sim, senhor.

— Que desgraçado pão-duro!

— Arranque o resto dele — rosnou Leofric. Um par de olhos muito azuis me encararam, depois desapareceram de novo sob o capuz.

Suas 12 jeiras de terra, que agora eram minhas, ficavam nas colinas acima da foz do rio Uisc, num lugar chamado Oxton, que simplesmente significa "fazenda onde existem bois". Era um *shieling*, como diziam os dinamarqueses, uma pequena fazenda, e a casa tinha cobertura de palha tão cheia de musgo e capim que parecia um monte de terra. Não havia castelo, e um nobre precisa de castelo onde alimentar seus seguidores, mas tinha um telheiro para gado, um para porcos e terra suficiente para sustentar 16 pessoas escravizadas e cinco famílias de agregados. Todos foram convocados para me conhecer, bem como meia dúzia de serviçais domésticos, que na maioria também eram escravizados, e eles receberam Mildrith com carinho, já que, desde a morte do pai, ela estivera morando nos aposentos da mulher do *ealdorman* Odda, enquanto a fazenda era administrada por um homem chamado Oswald, que parecia tão digno de confiança quanto uma doninha.

Naquela noite jantamos ervilhas, alho-poró, pão velho e cerveja azeda, e foi meu primeiro festim de casamento em minha casa, que também era uma casa endividada. Na manhã seguinte havia parado de chover, e no desjejum comi mais pão velho e tomei cerveja azeda. Depois andei com Mildrith até o topo de um morro, de onde pude olhar para a vastidão do mar que ficava diante da terra como a lâmina cinza de um machado.

— Para onde essas pessoas vão quando os dinamarqueses chegam? — perguntei.

— Para as colinas, senhor.

— Meu nome é Uhtred.

— Para as colinas, Uhtred.

— Você não irá para as colinas — falei com firmeza.

— Não? — Seus olhos se arregalaram, alarmados.

— Você irá comigo para Hamtun e teremos uma casa lá enquanto eu comandar a frota.

Ela assentiu, claramente nervosa, e então segurei sua mão, abri-a e coloquei 33 xelins, tantas moedas que se derramaram no colo.

— São seus, esposa — disse eu.

E ela era mesmo. Minha esposa. E naquele mesmo dia partimos para o leste, marido e mulher.

Agora a história se apressa. Acelera como um rio chegando a uma cachoeira nas colinas e, como uma cascata espumando por rochas caídas, fica furiosa e violenta, até mesmo confusa. Porque foi naquele ano, 876, que os dinamar-

O último reino

queses fizeram seu maior esforço até então para livrar a Inglaterra de seu último reino. A carnificina foi enorme, selvagem e súbita.

Guthrum, o Sem-sorte, liderou o ataque. Ele estivera vivendo em Grantaeceaster, chamando-se de rei de Ânglia Oriental, e Alfredo, acho, presumiu que teria um bom aviso caso o exército de Guthrum deixasse aquele lugar. Mas os espiões de Wessex falharam e os alertas não vieram. O exército dinamarquês estava todo montado em cavalos, e as tropas de Alfredo estavam no lugar errado, Guthrum liderou seus homens para o sul, atravessando o Temes, e cruzou todo o Wessex para capturar uma grande fortaleza no litoral sul. Essa fortaleza se chamava Werham e ficava não muito longe, a oeste de Hamtun. Mas entre nós e aquele lugar ficava um vasto trecho de mar interior chamado de Poole. O exército de Guthrum atacou Werham, capturou-a, estuprou as freiras do convento de Werham e fez tudo isso antes que Alfredo pudesse reagir. Assim que entrou na fortaleza, Guthrum estava protegido por dois rios, um ao norte da cidade e outro ao sul. A leste ficava o amplo e calmo Poole, e uma enorme muralha com fosso guardava a única rota de aproximação, do oeste.

Não havia nada que a frota pudesse fazer. Assim que ouvimos dizer que os dinamarqueses estavam em Werham, nos preparamos para zarpar, mas nem bem chegamos ao mar aberto vimos a frota deles e encerramos nossas ambições.

Eu nunca vira tantos navios. Guthrum tinha atravessado Wessex com quase mil cavaleiros, mas o resto de seu exército viera pelo mar, e os navios escureciam a água. Eram centenas de barcos. Mais tarde disseram que eram 350, mas acho que havia menos, porém certamente eram mais de duzentos. Navio após navio, proa de dragão após cabeça de serpente, remos fazendo o mar escuro espumar em branco, uma frota indo à batalha, e só podíamos recuar para Hamtun e rezar para que os dinamarqueses não viessem pelas águas de Hamtun nos trucidar.

Não vieram. A frota navegou para se juntar a Guthrum em Werham, de modo que agora um gigantesco exército dinamarquês estava alojado no sul de Wessex, e me lembrei do aviso de Ragnar a Guthrum. Divida as forças deles, dissera Ragnar, e isso certamente significava que havia outro exército dinamarquês em algum lugar ao norte, só esperando para atacar, e, quando Alfredo fosse ao encontro daquele segundo exército, Guthrum irromperia de trás dos muros de Werham para atacá-lo pela retaguarda.

— É o fim da Inglaterra — disse Leofric em tom sombrio. Ele não era muito dado à tristeza, mas naquele dia estava arrasado. Mildrith e eu tínhamos arranjado uma casa em Hamtun, perto da água, e ele comia conosco na maior parte das noites em que estávamos na cidade. Ainda saíamos com os navios, agora numa flotilha de 12, sempre com esperança de pegar algum navio dinamarquês desprevenido, mas suas equipes de pilhagem só saíam do Poole em grandes números, jamais menos de trinta navios, e eu não ousava perder a marinha de Alfredo num ataque suicida contra forças tão grandes. No auge do verão uma força dinamarquesa chegou às águas de Hamtun, remando quase até o nosso ancoradouro, e amarramos os navios juntos, vestimos armadura, afiamos armas e esperamos o ataque. Mas eles não estavam mais dispostos à batalha do que nós. Para nos alcançar teriam de passar por um canal ladeado de lama e só poderiam pôr dois navios lado a lado naquele lugar, por isso ficaram contentes em permanecer no mar aberto, zombando de nós, e depois foram embora.

Guthrum esperava em Werham. E o que ele esperava, ficamos sabendo mais tarde, era que Halfdan liderasse uma força conjunta de nórdicos e britânicos a partir de Gales. Halfdan estivera na Irlanda, vingando-se da morte de Ivar, e agora deveria trazer sua frota e o exército para Gales, montar um grande exército lá e liderá-lo atravessando o Mar de Sæfern para atacar Wessex. Mas, segundo Beocca, Deus interveio. Deus ou as três fiandeiras. O destino é tudo, pois chegaram notícias de que Halfdan tinha morrido na Irlanda. Dos três irmãos, apenas Ubba vivia, mas estava ainda no distante norte selvagem. Halfdan fora morto pelos irlandeses, trucidado com dezenas de seus homens numa batalha violenta, e assim os irlandeses salvaram Wessex naquele ano.

Em Hamtun não sabíamos de nada disso. Fazíamos nossas incursões impotentes e esperávamos notícias do segundo golpe que deveria cair sobre Wessex, e mesmo assim ele não veio. Então, enquanto os primeiros vendavais do outono agitavam a costa, chegou um mensageiro de Alfredo, cujo exército estava acampado a oeste de Werham, exigindo que eu fosse falar com o rei. O mensageiro era Beocca, e fiquei surpreendentemente satisfeito em vê-lo, ainda que irritado por ele me dar a ordem verbalmente.

— Por que aprendi a ler se você não traz ordens escritas? — perguntei.

— Você aprendeu a ler, Uhtred — disse ele, feliz —, para melhorar sua mente, claro. — Depois viu Mildrith e sua boca começou a se abrir e fechar como um peixe fora d'água. — Esta é... — começou ele, e ficou parado feito um pedaço de pau.

— A senhora Mildrith — respondi.

— Minha senhora — disse Beocca, depois ofegou e se remexeu como um filhote de cachorro querendo carinho. — Eu conheço Uhtred — conseguiu dizer ele — desde que era criança! Desde que ele era apenas uma criança pequenina!

— Agora ele é grande — respondeu Mildrith, o que Beocca achou uma pilhéria maravilhosa, porque deu risinhos sem parar.

— Por que tenho de ir até Alfredo? — perguntei, conseguindo cortar sua alegria.

— Porque Halfdan está morto, Deus seja louvado, e nenhum exército virá do norte, Deus seja louvado, por isso Guthrum pede um acordo! As discussões já começaram, e Deus seja louvado por isso também. — Ele sorriu para mim como se fosse responsável por esse jorro de boas notícias, e talvez porque fosse dizer que a morte de Halfdan era resultado de suas orações. — Tantas orações, Uhtred! Você vê o poder das orações?

— Que Deus seja louvado, de fato — respondeu Mildrith, e não eu. Ela era de fato muito devota, mas ninguém é perfeito. Além disso estava grávida, mas Beocca não notou e eu não contei.

Deixei Mildrith em Hamtun e parti com Beocca para o exército dos saxões do oeste. Uma dúzia de soldados da guarda do rei servia como nossa escolta, já que a rota nos levava perto da margem norte do Poole e barcos dinamarqueses vinham pilhando aquela costa antes que fossem abertas as conversações de trégua.

— O que Alfredo quer de mim? — eu perguntava constantemente a Beocca, insistindo, apesar de suas negativas, em que ele devia fazer alguma ideia, mas ele afirmava ignorância, e no fim parei de perguntar.

295

O último reino

Chegamos diante de Werham numa tarde gélida de outono. Alfredo estava rezando numa tenda que servia como sua capela real. O *ealdorman* Odda e seu filho esperavam do lado de fora, e o *ealdorman* me lançou um olhar desconfiado enquanto seu filho me ignorava. Beocca entrou na tenda para se juntar às orações enquanto eu me agachava, desembainhava Bafo de Serpente, e a afiava com uma pedra de amolar que estava sempre na minha bolsa.

— Esperando lutar? — perguntou o *ealdorman* Odda.

Olhei para o filho dele.

— Talvez — respondi, depois olhei de novo para o pai. — Você deve dinheiro à minha esposa, 18 xelins. — Ele ficou vermelho, não disse nada, mas o filho pôs a mão no punho da espada. Isso me fez sorrir e ficar de pé, com a lâmina nua de Bafo de Serpente já a postos. O *ealdorman* Odda empurrou o filho para longe, com raiva. — Dezoito xelins! — gritei para eles, depois me agachei de novo e passei a pedra pelo comprido gume da espada.

Mulheres. Homens lutam por elas, e essa era outra lição a aprender. Na infância eu achava que os homens lutavam por terra ou pelo domínio, mas lutam igualmente por mulheres. Mildrith e eu estávamos inesperadamente satisfeitos juntos, mas era claro que Odda, o Jovem, me odiava porque eu tinha me casado com ela, e imaginei se ele ousaria fazer alguma coisa com relação a esse ódio. Uma vez Beocca me contou a história de um príncipe de uma terra distante que roubou a filha de um rei, e o rei comandou seu exército até a terra do príncipe, e milhares de grandes guerreiros morreram na luta para pegá-la de volta. Milhares! E tudo por uma mulher. De fato, a discussão que deu início a esta narrativa, a rivalidade entre o rei Osbert da Nortúmbria e Ælla, o homem que queria ser rei, começou porque Ælla roubou a esposa de Osbert. Já ouvi algumas mulheres reclamando que não têm poder e que os homens controlam o mundo, e é verdade, mas as mulheres têm o poder de levar os homens à batalha e à sepultura.

Estava pensando essas coisas quando Alfredo saiu da tenda. Tinha a expressão de prazer beatífico que costuma apresentar sempre que acaba de fazer suas orações, mas também estava andando rigidamente, o que talvez significasse que o ficus o perturbava de novo, e parecia nitidamente desconfortável quando se sentou para o jantar naquela noite. A refeição era um grude indizível que eu hesitaria em servir aos porcos, mas havia bastante pão e queijo, por isso não passei fome. Notei que Alfredo estava distante comigo, mal notava minha presença, e achei que isso se devia ao fracasso da frota em obter qualquer vitória verdadeira naquele verão, mas mesmo assim ele havia me convocado, e eu me perguntava por quê, se tudo que o rei pretendia era me ignorar.

No entanto, na manhã seguinte, chamou-me depois das orações e nós andamos de um lado para o outro diante da tenda real, onde a bandeira do dragão adejava ao sol do outono.

— A frota — perguntou Alfredo, franzindo a testa — pode impedir que os dinamarqueses deixem o Poole?

— Não, senhor.

— Não? — isso foi dito de modo brusco. — Por quê?

— Porque, senhor, nós temos 12 navios e eles têm mais de duzentos. Poderíamos matar alguns deles, mas no fim eles nos dominariam e o senhor não teria mais frota nenhuma. E eles ainda teriam mais de duzentos navios.

Acho que Alfredo sabia disso, mas mesmo assim não gostou da resposta. Fez uma careta, depois deu mais alguns passos em silêncio.

— Fiquei satisfeito por você ter se casado — disse abruptamente.

— Com uma dívida — respondi incisivo.

Ele não gostou do meu tom, mas admitiu.

— A dívida, Uhtred — disse de modo reprovador —, é para com a igreja, portanto você deve aceitá-la. Além disso você é jovem, tem tempo para pagar. O Senhor, lembre-se, ama o doador alegre. — Este era um dos seus ditados prediletos, e se ouvi uma vez, ouvi mil vezes. Ele girou nos calcanhares e olhou para trás. — Espero sua presença nas negociações.

Mas não explicou por quê, nem esperou resposta. Apenas foi andando.

Ele e Guthrum estavam conversando. Uma cobertura fora montada entre o acampamento de Alfredo e a muralha oeste de Werham, e era sob aquele abrigo que uma trégua estava sendo martelada. Alfredo gostaria de atacar Werham, mas a rota de aproximação era estreita, a muralha alta e em muito bom estado, e os dinamarqueses eram numerosos. Seria uma luta muito arriscada, uma luta que os dinamarqueses poderiam vencer, por isso Alfredo tinha abandonado a ideia. Quanto aos dinamarqueses, estavam encurralados.

Tinham contado com a chegada de Halfdan para atacar a retaguarda de Alfredo, mas Halfdan estava morto na Irlanda, e os homens de Guthrum eram muito numerosos para serem levados nos navios, por maior que fosse a frota. E, se tentassem sair por terra, seriam obrigados a lutar contra Alfredo na estreita tira de terra entre os dois rios, o que causaria grande carnificina. Lembrei-me de Ravn dizendo como os dinamarqueses temiam perder homens demais porque não podiam substituí-los rapidamente. Guthrum podia ficar onde estava, claro, mas Alfredo iria sitiá-lo e já ordenara que cada celeiro, depósito de grãos ou armazém a distância de ser atacado a partir do Poole fosse esvaziado. Os dinamarqueses morreriam de fome no próximo inverno.

O que significava que os dois lados queriam paz, e Alfredo e Guthrum vinham discutindo os termos. Cheguei quando eles estavam terminando as discussões. Já era tarde demais no ano para que a frota dinamarquesa se arriscasse a uma longa jornada pela costa sul de Wessex, por isso Alfredo tinha concordado que Guthrum poderia permanecer em Werham durante o inverno. Também concordou em lhes fornecer prata porque sabia que os dinamarqueses sempre queriam prata, e em troca eles prometeram que ficariam pacificamente em Werham e partiriam pacificamente na primavera, quando a frota voltaria a Ânglia Oriental e o resto do exército marcharia para o norte guardado por nossos homens, até chegarem a Mércia.

Ninguém, de nenhum dos lados, acreditava nas promessas, por isso elas precisavam ser garantidas, e para isso cada lado exigia reféns, e os reféns tinham de ser de alto nível, caso contrário suas vidas não garantiriam coisa alguma. Uma dúzia de *earls* dinamarqueses, nenhum dos quais eu conhecia, seria entregue a Alfredo, e um número equivalente de nobres ingleses seria dado a Guthrum.

Por isso eu fora convocado. Por isso Alfredo estivera tão distante comigo, porque sabia o tempo todo que eu seria um dos reféns. Minha utilidade para ele havia diminuído naquele ano por causa da impotência da frota, mas meu nível social ainda servia como barganha, por isso eu estava entre os escolhidos. Eu era o *ealdorman* Uhtred, e só era útil por ser nobre, e vi Odda, o Jovem, dar um sorriso largo quando meu nome foi aceito pelos dinamarqueses.

Então Guthrum e Alfredo fizeram juramentos. Alfredo insistiu em que o líder dinamarquês fizesse seu juramento com uma das mãos nas relíquias que Alfredo sempre carregava em sua bagagem. Havia uma pena da pomba que Noé havia soltado da Arca, uma luva que pertencera a São Cedd e, o mais sagrado de tudo, um anel de dedo do pé que pertencera a Maria Madalena. O anel santo, como Alfredo o chamava. E Guthrum pareceu achar divertido quando pôs a mão no pedaço de ouro e jurou que manteria as promessas. Então insistiu em que Alfredo pusesse a mão no osso pendurado em seu cabelo e fez o rei de Wessex jurar sobre uma mãe dinamarquesa morta que os saxões do oeste manteriam o tratado. Só quando os juramentos foram feitos, santificados pelo ouro de uma santa e pelo osso de uma mãe, os reféns foram trocados. E enquanto eu andava pelo espaço entre os dois lados, Guthrum deve ter me reconhecido, porque me lançou um olhar longo e contemplativo, e então fomos escoltados, com cerimônia, a Werham.

Onde o *earl* Ragnar, filho de Ragnar, me recebeu.

Houve júbilo naquele encontro. Ragnar e eu nos abraçamos como irmãos — e eu o considerava um irmão. Ele bateu nas minhas costas, serviu cerveja e me contou as novidades. Kjartan e Sven estavam vivos e continuavam em Dunholm. Ragnar os havia confrontado num encontro formal em que os dois lados foram proibidos de portar armas, e Kjartan jurou que era inocente da queima do castelo e declarou que não sabia nada sobre Thyra.

— O desgraçado mentiu — disse-me Ragnar. — E sei que ele mentiu. E ele sabe que vai morrer.

— Mas não por enquanto?

— Como posso tomar Dunholm?

Brida estava lá, compartilhando a cama de Ragnar, e me recebeu calorosamente, mas não tanto quanto Nihtgenga, que pulou em cima de mim e lavou meu rosto com a língua. Brida achou divertida a notícia de que eu ia ser pai.

— Mas será bom para você — disse ela.

— Bom para mim? Por quê?

299

O último reino

— Porque você vai ser um homem de verdade.

Eu achava que já era, no entanto faltava uma coisa, uma coisa que nunca havia confessado a ninguém, nem a Mildrith, nem a Leofric, e nem, agora, a Ragnar e Brida. Eu havia lutado com os dinamarqueses, tinha visto navios queimar e afundar, mas nunca havia lutado numa grande parede de escudos. Tinha lutado em pequenas, tinha lutado em tripulação de barco contra tripulação de barco, mas nunca havia ficado num campo de batalha vendo as bandeiras do inimigo esconder o sol, nem conhecido o medo que surge quando centenas ou milhares de homens vêm para a matança. Tinha estado em Eoferwic e na colina de Æsc, e tinha visto as paredes de escudo se chocando, mas todas eram pequenas, e as lutas pequenas terminam depressa. Nunca havia suportado o longo derramamento de sangue, as lutas terríveis em que a sede e o cansaço enfraquecem o homem e em que seu inimigo, não importando quantos você mate, continua chegando. Só quando tivesse feito isso, pensei, poderia me chamar de homem de verdade.

Sentia falta de Mildrith, e isso me surpreendeu. Também sentia falta de Leofric, mas havia um prazer gigantesco na presença de Ragnar, e a vida de refém não era difícil. Vivíamos em Werham, recebíamos comida suficiente e víamos o cinza do inverno diminuir os dias. Um dos reféns era primo de Alfredo, um padre chamado Wælla, que se agitava e algumas vezes chorava, mas o resto estava bem contente. Hacca, que já havia comandado a frota de Alfredo, estava entre os reféns, e era o único que eu conhecia bem, mas eu passava o tempo com Ragnar e seus homens, que me aceitavam como um deles e até tentavam me transformar em dinamarquês de novo.

— Eu tenho uma esposa — disse a eles.

— Então traga-a! — disse Ragnar. — Mulher nunca é demais.

Mas agora eu era inglês. Não odiava os dinamarqueses. Na verdade preferia a companhia deles à dos outros reféns, mas eu era inglês. Essa jornada estava feita. Alfredo não havia mudado minha aliança, mas Leofric e Mildrith sim, ou então as três fiandeiras tinham se entediado de me provocar, mas Bebbanburg ainda me assombrava e eu não sabia como, mantendo a lealdade a Alfredo, poderia ver de novo aquele lugar maravilhoso.

Ragnar aceitou minha escolha.

— Mas se houver paz — disse ele — você me ajuda a lutar contra Kjartan?

— Se? — repeti a palavra.

Ele deu de ombros.

— Guthrum ainda quer Wessex. Todos nós queremos.

— Se houver paz eu vou ao norte — prometi.

No entanto eu duvidava de que houvesse paz. Na primavera, Guthrum sairia de Wessex, os reféns seriam libertados, e depois o quê? O exército dinamarquês ainda existia e Ubba ainda vivia, de modo que o massacre de Wessex deveria recomeçar, e Guthrum devia estar pensando a mesma coisa, porque conversava com todos os reféns numa tentativa de descobrir qual era a força de Alfredo.

— É uma grande força — disse eu. — Você pode matar o exército dele e outro vai brotar. — Era tudo bobagem, claro, mas o que mais ele esperava que eu dissesse?

Duvido que tenha convencido Guthrum, mas Wælla, o padre que era primo de Alfredo, pôs nele o temor a Deus. Guthrum passava horas falando com Wælla e frequentemente eu servia de intérprete. Guthrum não perguntava sobre tropas ou navios, e sim sobre Deus. Quem era o deus cristão? O que ele oferecia? Ficou fascinado com a história da crucificação e acho que, se tivéssemos tempo suficiente, Wælla até poderia convencer Guthrum a se converter. Wælla certamente pensava o mesmo, já que me instigava a rezar por essa conversão.

— Está próxima, Uhtred — dizia empolgado. — E assim que ele for batizado haverá paz!

Esse é o sonho dos padres. Meus sonhos eram com Mildrith e a criança que estava dentro dela. Ragnar sonhava com vingança. E Guthrum?

Apesar do fascínio pelo cristianismo, Guthrum sonhava apenas com uma coisa.

A guerra.

TERCEIRA PARTE
A parede de escudos

DEZ

O EXÉRCITO DE ALFREDO saiu de Werham. Alguns saxões do oeste ficaram para vigiar Guthrum, mas muito poucos, porque os exércitos são caros de se manter e, assim que estão reunidos, sempre parecem ficar doentes. Por isso Alfredo aproveitou a trégua para mandar os homens dos *fyrds* de volta às suas fazendas, ao passo que ele e suas tropas domésticas foram para Scireburnan, que ficava a meio dia de marcha a noroeste de Werham e, felizmente para Alfredo, era lar de um bispo e um mosteiro. Beocca me disse que Alfredo passou aquele inverno lendo os antigos códigos legais de Kent, Mércia e Wessex, e sem dúvida estava se preparando para compilar suas próprias leis, coisa que eventualmente fez. Tenho certeza de que ele estava feliz naquele inverno, criticando as regras de seus ancestrais e sonhando com a sociedade perfeita em que a igreja nos dizia o que não fazer e o rei nos punia por fazê-lo.

Huppa, *ealdorman* de Thornasæta, comandava os poucos homens que foram deixados diante das fortificações de Werham, enquanto Odda, o Jovem, liderava uma tropa de cavaleiros que patrulhavam as margens do Poole, mas os dois bandos compunham apenas uma força pequena e podiam fazer pouco, além de ficar de olho nos dinamarqueses. E por que deveriam fazer mais do que isso? Havia uma trégua, Guthrum tinha jurado sobre o anel santo, e Wessex estava em paz.

A festa de Yule foi uma coisa sem graça em Werham, mas os dinamarqueses se esforçaram, e pelo menos havia cerveja suficiente para os homens se embebedarem, mas minha principal lembrança daquele Yule é de Guthrum chorando. As lágrimas escorriam pelo seu rosto enquanto um harpista tocava uma música triste e um *skald* recitava um poema sobre a mãe dele. Sua beleza, segundo o *skald*, só era rivalizada pelas estrelas, e sua gentileza era tamanha que as flores brotavam no inverno para lhe prestar homenagem.

— Ela era uma vaca rançosa — sussurrou Ragnar para mim — e feia como um balde de merda.

— Você a conheceu?

— Ravn a conheceu. Ele sempre dizia que ela tinha uma voz capaz de cortar uma árvore.

Guthrum estava à altura de seu apelido, "o Sem-sorte". Tinha chegado tão perto de destruir Wessex e apenas a morte de Halfdan o havia privado do prêmio. Isso não era culpa de Guthrum, no entanto havia um ressentimento crescente no exército encurralado. Homens murmuravam que nada jamais poderia prosperar sob a liderança de Guthrum, e talvez essa desconfiança o tenha tornado mais soturno do que nunca, ou talvez fosse a fome.

Porque os dinamarqueses estavam famintos. Alfredo manteve a palavra e mandava comida, mas nunca havia suficiente, e eu não entendia por que os dinamarqueses não comiam seus cavalos que eram deixados pastando nos pântanos invernais entre a fortaleza e o Poole. Os cavalos ficaram terrivelmente magros, com a pastagem patética suplementada pelo pouco que os dinamarqueses tinham descoberto na cidade, e quando isso acabou eles tiraram a palha de algumas das casas de Werham. Essa dieta pobre manteve os cavalos vivos até os primeiros vislumbres da primavera. Eu gostei daqueles novos sinais da virada do ano; a canção de um tordo-visgueiro, as violetas silvestres surgindo em locais abrigados, os tufos brancos nas aveleiras e as primeiras rãs coaxando no pântano. A primavera estava chegando. Quando a terra estivesse verde, Guthrum partiria e nós, reféns, estaríamos livres.

Recebíamos poucas notícias, além do que os dinamarqueses nos contavam, mas algumas vezes era entregue uma mensagem a um dos reféns, geralmente pregada num salgueiro do lado de fora do portão, e uma dessas mensagens era dirigida a mim. Pela primeira vez agradeci por Beocca ter me ensinado a ler, porque o padre Willibald havia escrito que eu tinha um filho. Mildrith dera à luz antes do Yule, o menino era saudável e ela também estava saudável. O menino se chamava Uhtred. Chorei ao ler aquilo. Não esperava sentir tanto, mas senti. Ragnar perguntou por que eu estava chorando e eu contei, ele arranjou um barril de cerveja e nós fizemos um festim. Ou pelo menos o máximo de festa que pudemos. Ele me deu um bracelete minúsculo como presente para o menino. Eu tinha um filho. Uhtred.

No dia seguinte ajudei Ragnar a lançar de novo o *Víbora do Vento*. Ele fora arrastado a terra para que as tábuas pudessem ser calafetadas e nós sustentamos a parte inferior do casco com pedras que tinham servido como lastro, preparamos o mastro e depois matamos uma lebre que tínhamos acuado nos campos onde os cavalos tentavam pastar. Ragnar derramou o sangue do animal na proa do *Víbora do Vento*, invocou Tor para mandar bons ventos e Odin para mandar grandes vitórias. Naquela noite comemos a lebre e bebemos o resto da cerveja. Na manhã seguinte chegou um barco-dragão, vindo do mar, e fiquei espantado porque Alfredo não ordenara que nossa frota patrulhasse as águas junto à foz do Poole, mas nenhum de nossos barcos estava lá, de modo que aquele único navio dinamarquês subiu o rio e trouxe uma mensagem para Guthrum.

Ragnar foi vago com relação ao navio. Vinha de Ânglia Oriental, disse ele, o que acabou não sendo verdade, e meramente trazia notícias daquele reino, o que era igualmente inverídico. O barco tinha vindo do oeste, ao redor de Cornwalum, das terras dos galeses, mas só fiquei sabendo disso mais tarde. Na época não me importei porque Ragnar também me disse que iríamos partir em breve, muito em breve, e eu só tinha pensamentos para o filho que ainda não conhecia. Uhtred Uhtredson.

Naquela noite Guthrum deu uma festa aos reféns, uma festa boa, com comida e cerveja trazidas pelo navio-dragão recém-chegado. Guthrum nos elogiou por sermos bons hóspedes e deu um bracelete a cada um, prometendo que logo estaríamos todos livres.

— Quando? — perguntei.

— Logo! — Seu rosto longo brilhava à luz do fogo enquanto ele erguia um chifre de cerveja para mim. — Logo! Agora beba!

Todos bebemos. Depois da festa, nós, reféns, fomos para o salão do convento onde Guthrum insistia em que dormíssemos. Durante o dia éramos livres para ir aonde quiséssemos dentro das linhas dinamarquesas, e éramos

307

A parede de escudos

livres para portar armas, se quiséssemos, mas à noite ele queria todos os reféns num só lugar para que seus guardas de capas pretas pudessem ficar de olho em nós. E foram aqueles guardas que vieram até nós no escuro da noite. Seguravam tochas acesas e nos acordaram com chutes, ordenando que saíssemos, e um deles chutou Bafo de Serpente para longe quando tentei pegá-la.

— Para fora — rosnou ele, e quando tentei pegar a espada de novo um cabo de lança estalou no meu crânio e mais duas lanças cutucaram minha bunda. E não tive escolha além de ir cambaleando até a porta, saindo num vento forte que trazia uma chuva fria e fraca. O vento agitava as chamas das tochas que iluminavam a rua onde pelo menos cem dinamarqueses esperavam, todos armados, e pude ver que eles haviam selado e arreado seus cavalos magros. Meu primeiro pensamento foi que aqueles eram os homens que iriam nos escoltar de volta às fileiras dos saxões do oeste.

Então Guthrum, vestido de preto, passou entre os homens cobertos por elmos. Nenhuma palavra foi dita. Guthrum, de rosto sério, com o osso branco no cabelo, apenas assentiu e seus homens de preto desembainharam as espadas. O pobre Wælla, o primo de Alfredo, foi o primeiro refém a morrer. Guthrum se encolheu ligeiramente na hora da morte do padre, porque acho que tinha gostado de Wælla, mas nesse momento eu estava girando, pronto para lutar contra os homens atrás de mim, mesmo não tendo arma e sabendo que a luta só poderia terminar com a minha morte. Uma espada já vinha na minha direção, segurada por um dinamarquês com gibão de couro cheio de rebites de metal, e ele estava rindo enquanto brandia a espada para a minha barriga desprotegida. E ainda estava rindo quando o machado atirado cravou a lâmina entre seus olhos. Lembro-me do som oco da lâmina acertando, do jorro de sangue à luz das chamas, do ruído quando o homem caiu na rua calçada de sílex e lascas de madeira, e o tempo todo os protestos frenéticos dos outros reféns que eram assassinados, mas eu sobrevivi. Ragnar tinha lançado o machado e agora estava junto de mim, com a espada na mão. Usava seu equipamento de guerra, a polida cota de malha, botas de cano alto e um elmo que havia decorado com um par de asas de águia. E à luz das tochas agitadas pelo vento ele parecia um deus descido a Midgard.

— Todos devem morrer — insistiu Guthrum. Os outros reféns estavam mortos ou morrendo, as mãos ensanguentadas devido às tentativas inúteis de afastar as lâminas, e uma dúzia de guerreiros dinamarqueses, com as espadas vermelhas, agora vinha na minha direção para terminar o serviço.

— Se querem matar este — gritou Ragnar —, devem me matar primeiro. — Seus homens saíram da multidão para se postar a seu lado. Estavam em desvantagem numérica de pelo menos cinco para um, mas eram dinamarqueses e não demonstravam medo.

Guthrum olhou para Ragnar. Hacca ainda não estava morto, e se retorcia agonizando. Guthrum, irritado por ele ainda viver, desembainhou sua espada e cravou na garganta de Hacca. Os homens de Guthrum estavam tirando os braceletes dos mortos, braceletes que tinham sido ofertados por seu senhor havia apenas algumas horas.

— Todos devem morrer — disse Guthrum quando Hacca estava imóvel. — Alfredo vai matar nossos reféns agora, portanto deve ser homem por homem.

— Uhtred é meu irmão — respondeu Ragnar. — E o senhor pode vir matá-lo, mas primeiro deve me matar.

Guthrum recuou.

— Este não é momento para dinamarquês lutar contra dinamarquês — disse de má vontade e embainhou a espada para mostrar que eu poderia viver. Atravessei a rua para encontrar o homem que havia roubado Bafo de Serpente, Ferrão de Vespa e minha armadura, e ele me entregou tudo sem protesto.

Os homens de Guthrum estavam montando nos cavalos.

— O que aconteceu? — perguntei a Ragnar.

— O que você acha? — perguntou ele, truculento.

— Acho que vocês estão rompendo a trégua.

— Nós não chegamos tão longe para ir embora como cães espancados. — Ele ficou olhando enquanto eu afivelava o cinto de Bafo de Serpente. — Venha conosco.

— Ir com vocês aonde?

— Tomar Wessex, claro.

A parede de escudos

Não nego que houve uma nítida tensão nas cordas do meu coração, uma tentação de me juntar aos selvagens dinamarqueses em sua corrida louca através de Wessex, mas foi fácil resistir.

— Eu tenho uma mulher. Um filho.

Ele fez uma careta.

— Alfredo colocou você numa armadilha, Uhtred.

— Não, foram as fiandeiras. — Urðr, Verðandi e Skuld, as três mulheres que fazem nossos fios ao pé de Yggdrasil, tinham decidido meu destino. O destino é tudo. — Devo ir até minha mulher.

— Mas não por enquanto — disse Ragnar com um meio sorriso, e me levou ao rio onde um barquinho nos levou até onde o recém-lançado *Víbora do Vento* estava ancorado. Quase toda a tripulação já estava a bordo, assim como Brida, que me deu um desjejum de pão e cerveja. Às primeiras luzes, quando havia apenas cinza suficiente para o céu revelar a lama brilhante das margens do rio, Ragnar ordenou que a âncora fosse levantada e deslizamos corrente e maré abaixo, passando pelas formas escuras de outros navios dinamarqueses até chegarmos a um lugar com largura suficiente para o *Víbora do Vento* dar a volta. Ali os remos foram postos, os homens o puxaram e o navio girou graciosamente. As duas fileiras de remos começaram a se movimentar e ele disparou no Poole, onde a maioria da frota dinamarquesa estava ancorada. Não fomos longe, apenas até a margem descampada de uma ilha grande que fica no centro do Poole, um lugar de esquilos, aves marinhas e raposas. Ragnar deixou o navio deslizar lentamente e, quando a proa tocou a praia, me abraçou.

— Você está livre — disse ele.

— Obrigado — respondi veementemente, lembrando-me dos cadáveres ensanguentados junto ao convento de Werham.

Ele segurou meus ombros.

— Você e eu estamos unidos como irmãos. Não se esqueça. Agora vá.

Saí espadanando pelos baixios enquanto o *Víbora do Vento*, de um cinza fantasmagórico ao alvorecer, recuava. Brida gritou dando adeus, ouvi os remos batendo, e o navio se foi.

Aquela ilha era um lugar inóspito. Pescadores e caçadores já tinham vivido ali. Um anacoreta — um monge que vive sozinho — ocupara o oco de uma árvore no centro da ilha, mas a chegada dos dinamarqueses tinha-o expulsado e o que sobrara das casas dos pescadores não passava de madeira chamuscada e chão enegrecido. Eu tinha a ilha para mim, e foi de sua margem que vi a enorme frota dinamarquesa remar na direção da entrada do Poole, mas parou ali, em vez de ir para o mar, porque o vento, já forte, tinha se revigorado ainda mais e agora havia um vendaval soprando do sul, as ondas se despedaçavam loucas e brancas acima da língua de areia que protegia o novo ancoradouro. A frota dinamarquesa tinha ido até lá, supus, porque se ficassem no rio teriam exposto a tripulação aos arqueiros saxões do oeste que estariam entre as tropas que reocupavam Werham.

Guthrum tinha liderado seus cavaleiros para fora de Werham, isso era óbvio, e todos os dinamarqueses que haviam permanecido na cidade estavam agora apinhados nos navios, onde esperavam o tempo acalmar para irem embora. Mas, para onde, eu não fazia ideia.

Durante todo o dia soprou aquele vento sul, ficando mais forte e trazendo uma chuva intensa, e eu me entediei de olhar a frota dinamarquesa se demorar nas âncoras. Por isso explorei a margem da ilha e encontrei os restos de um barquinho meio escondido num matagal. Puxei aqueles destroços até a água e descobri que flutuava muito bem. E o vento iria me levar para longe dos dinamarqueses, por isso esperei a mudança da maré e, um pouco inundado no barquinho partido, flutuei livre. Usei um pedaço de madeira como remo improvisado, mas agora o vento uivava e me levou, molhado e com frio, naquelas águas amplas, até que, quando a noite caiu, cheguei à margem norte do Poole e ali me tornei um *sceadugengan* de novo, seguindo por entre juncos e pântanos até encontrar terreno mais elevado, onde os arbustos me abrigaram para um sono entrecortado. De manhã fui para o leste, ainda incomodado pelo vento e pela chuva. Assim cheguei a Hamtun naquela noite.

Onde descobri que Mildrith e meu filho tinham sumido.

Levados por Odda, o Jovem.

O padre Willibald me contou a história. Odda tinha vindo naquela manhã, enquanto Leofric estava na margem prendendo os barcos por causa do vento forte, e dissera que os dinamarqueses haviam partido, que deviam ter matado os reféns, que podiam chegar a Hamtun a qualquer momento e que Mildrith deveria fugir.

— Ela não queria ir, senhor — disse Willibald, e pude ouvir a timidez em sua voz. Minha fúria estava amedrontando-o. — Eles tinham cavalos, senhor — completou, como se isso explicasse tudo.

— Você não mandou chamar Leofric?

— Eles não deixaram, senhor. — Willibald fez uma pausa. — Mas nós ficamos com medo, senhor. Os dinamarqueses tinham violado a trégua e achamos que o senhor estava morto.

Leofric havia saído em perseguição, mas quando ficou sabendo que Mildrith havia partido, Odda tinha pelo menos meia manhã de dianteira, e Leofric nem sabia para onde ele iria.

— Para o oeste — falei — De volta a Defnascir.

— E os dinamarqueses? — perguntou Leofric. — Aonde eles vão?

— De volta a Mércia? — sugeri.

Leofric deu de ombros.

— Atravessar Wessex? Com Alfredo esperando? E você disse que foram a cavalo? Em que condições estavam os cavalos?

— Em más condições. Quase morrendo de fome.

— Então não foram para Mércia — disse ele com firmeza.

— Talvez tenham ido se encontrar com Ubba — sugeriu Willibald.

— Ubba! — Eu não ouvia esse nome havia muito tempo.

— Correram histórias de que ele estava entre os britânicos em Gales — disse Willibald, nervoso. — Que tinha uma frota no Sæfern.

Isso fazia sentido. Ubba estava substituindo o irmão morto, Halfdan, e evidentemente liderando outra força de dinamarqueses contra Wessex, mas onde? Se atravessasse o amplo mar do Sæfern estaria em Defnascir, ou talvez estivesse marchando ao redor do rio, indo para o coração do reino de Alfredo a partir do norte, mas no momento eu não me importava. Só queria encontrar minha mulher e meu filho. Havia orgulho nesse desejo, claro, porém mais do que orgulho. Mildrith e eu éramos feitos um para o outro, eu sentia falta dela, queria ver meu filho. Aquela cerimônia na catedral cheia de goteiras tinha feito sua magia, e eu a queria de volta e queria punir Odda, o Jovem, por levá-la.

— Defnascir — falei de novo. — É para onde o desgraçado foi. E é para onde iremos amanhã. — Eu tinha certeza de que Odda iria para a segurança de casa. Não que ele temesse minha vingança, porque certamente presumia que eu estivesse morto, mas estaria preocupado com os dinamarqueses, e eu estava preocupado com a hipótese de eles o terem encontrado na fuga para o oeste.

— Você e eu? — perguntou Leofric.

Balancei a cabeça.

— Vamos levar o *Heahengel* e uma tripulação inteira de guerreiros.

Leofric mostrou-se cético.

— Nesse tempo?

— O vento está diminuindo — respondi, e estava mesmo, mas ainda agitava a palha do teto e chacoalhava as janelas, e na manhã seguinte ficou mais calmo. Mas não muito, já que as águas de Hamtun ainda estavam pintalgadas de branco enquanto as pequenas ondas se chocavam furiosas contra o litoral, sugerindo que o mar para além do Solente estivesse enorme e furioso. Mas havia aberturas entre as nuvens, o vento tinha ido para o leste e eu não estava com humor para esperar. Dois tripulantes, ambos marinheiros durante toda a vida, tentaram me dissuadir da viagem. Tinham visto esse tipo de tempo antes, disseram, e a tempestade voltaria, mas me recusei a acreditar. E eles, para seu crédito, foram de boa vontade, assim como o padre Willibald, o que foi corajoso de sua parte, já que ele odiava o mar e enfrentaria ondas mais violentas do que jamais vira.

Remamos subindo pelas águas de Hamtun, içamos a vela no Solente, puxamos os remos para bordo e corremos diante daquele vento leste como se a serpente Estripadora de Cadáveres estivesse em nossa popa. O *Heahengel* chacoalhava nas ondas baixas, lançava para o alto a água branca, corria, tudo isso enquanto ainda estávamos nas águas abrigadas. Depois passamos pelas alturas brancas da ponta de Wiht, as rochas que são chamadas de Nædles. As primeiras ondas tumultuosas nos acertaram e o *Heahengel* se curvou para elas. No entanto continuávamos voando. O vento estava diminuindo e o sol brilhou através de rasgos nas nuvens escuras para fazer o mar agitado brilhar. E de repente Leofric rugiu um aviso, apontando adiante.

Estava apontando para a frota dinamarquesa. Como eu, eles tinham acreditado que o tempo estava melhorando e deviam estar com pressa para se juntar a Guthrum, porque toda a frota ia saindo do Poole e agora navegava em direção ao sul, para rodear a ponta de terra rochosa. O que queria dizer que, como nós, iam para o oeste. O que poderia significar que estavam indo a Defnascir ou talvez velejar ao largo de Cornwalum para se juntar a Ubba em Gales.

— Você quer se embolar com eles? — perguntou Leofric, sério.

Fiz força no leme, levando-nos para o sul.

— Vamos passar ao largo deles — falei, querendo dizer que iríamos para o mar aberto, e duvidava de que qualquer navio deles se incomodaria conosco. Estavam com pressa para ir aonde iam, e com sorte, pensei, o *Heahengel* os ultrapassaria, porque era um navio rápido, e eles ainda estavam bem antes da ponta de terra.

Voamos a favor do vento e havia júbilo nisso, o júbilo de guiar um barco em mares violentos, mas duvido que houvesse muito júbilo para os homens que precisavam tirar a água do fundo do *Heahengel*, jogando-a por cima da amurada. E foi um desses homens que olhou para trás e gritou um súbito aviso para mim. Virei-me e vi uma tempestade negra se formando sobre as ondas agitadas. Era um trecho furioso de escuridão e chuva, vindo depressa, tão depressa que Willibald, que estivera segurando a borda do navio enquanto vomitava na água, caiu de joelhos, fez o sinal da cruz e começou a rezar.

— Baixe a vela! — gritei para Leofric, e ele cambaleou para a frente, mas era tarde demais, tarde demais. Porque o vendaval chegou.

Num instante o sol estivera brilhando, depois fomos abruptamente lançados na área de brinquedos do diabo, enquanto o vendaval nos atacava como uma parede de escudos. O navio estremeceu, água, vento e escuridão se chocando contra nós num tumulto repentino, e o *Heahengel* balançou sob o golpe, adernando, e nada que eu pudesse fazer iria mantê-lo aprumado. Vi Leofric cambalear pelo convés quando o lado de *stærbord* entrou sob a água.

— Tirar água! — gritei desesperadamente. — Tirar água! — E então, com um ruído parecido com um trovão, a grande vela se rasgou em farrapos que chicoteavam, soltando-se da verga, e lentamente o navio se ergueu, mas estava baixo na água. Eu usava toda a força para mantê-lo girando, lentamente, revertendo o curso para colocar a proa em direção àquele tumulto de mar e vento, e os homens rezavam, faziam o sinal da cruz, tiravam a água do casco, e os restos da vela e as cordas arrebentadas eram coisas loucas, demônios esgarçados, e o vendaval súbito uivava como as fúrias no cordame. E pensei em como seria inútil morrer no mar tão pouco tempo depois de Ragnar ter salvado minha vida.

De algum modo conseguimos colocar seis remos na água e, com dois homens em cada remo, conseguimos nos mover naquele caos fervilhante. Doze homens moviam seis remos, três tentavam cortar os restos do cordame e os outros tiravam água do casco. Nenhuma ordem foi dada, já que nenhuma voz poderia ser ouvida acima do vento que gritava, soltava a pele do mar e a chicoteava em jorros brancos. Ondas enormes rolavam, mas não representavam perigo, porque o *Heahengel* as cavalgava, mas suas cristas esgarçadas ameaçavam nos inundar. Então vi o mastro oscilar, com os ovéns se partindo, e gritei inutilmente, já que ninguém podia me ouvir, e a enorme verga feita de espruce se quebrou e caiu. Caiu sobre a lateral do navio e a água entrou de novo, mas Leofric e uma dúzia de homens conseguiram de algum modo jogar o mastro na água. A madeira bateu no nosso flanco e depois se sacudiu porque ainda estava presa ao navio por um emaranhado de cordas de couro de foca. Vi Leofric pegar um machado no fundo inundado e começar a cortar o nó de cordas, mas gritei com ele com toda a força, para largar o machado.

Porque o mastro, amarrado a nós e flutuando atrás, parecia firmar o navio. Ele manteve o *Heahengel* nas ondas e no vento, deixando as grandes ondas passar rolando por nós, e finalmente pudemos recuperar o fôlego. Homens se entreolhavam como se espantados por estar vivos, e até pude soltar o leme porque o mastro, com a grande verga e os restos da vela ainda presos, nos mantinha firmes. Descobri que meu corpo doía. Estava totalmente encharcado, devia estar frio, mas não notei.

A parede de escudos

Leofric veio para perto de mim. A proa do *Heahengel* estava virada para o leste, mas viajávamos para o oeste, empurrados de popa pela maré e o vento, e me virei para ter certeza de que tínhamos espaço de manobra. Depois toquei o ombro de Leofric e apontei para o litoral.

Onde vimos uma frota agonizando.

Os dinamarqueses estavam velejando para o sul, seguindo a costa a partir da entrada do Poole em direção à ponta de terra que se erguia, e isso significava que se encontravam numa costa a sotavento, e naquele súbito retorno da tempestade não tiveram chance. Navio após navio estavam sendo empurrados para o litoral. Alguns tinham conseguido ultrapassar a ponta de terra, e outro punhado tentava remar para longe dos penhascos, mas a maioria foi condenada. O estalar dos cascos contra as rochas, a água agitada quebrando as tábuas, as pancadas do mar, do vento e da madeira contra os homens que se afogavam, proas de dragão se partindo e os salões do deus do mar se enchendo com as almas de guerreiros. E, mesmo eles sendo inimigos, duvidei de que algum de nós sentisse algo além de piedade. O mar dá uma morte fria e solitária.

Ragnar e Brida. Simplesmente fiquei olhando, mas não podia distinguir um navio do outro através das nuvens e do mar turbulento. Vimos um navio, que parecia ter escapado, afundar de repente. Num instante estava sobre uma onda, com borrifos voando do casco, os remos libertando-o, e no outro simplesmente havia sumido. Desapareceu. Outros navios se entrechocavam, remos se enroscando e partindo. Alguns tentaram virar e voltar ao Poole, e muitos desses foram empurrados para terra, alguns nas areias e outros nos penhascos. Alguns navios, pouquíssimos, livraram-se, homens puxando os remos num frenesi, mas todos os navios dinamarqueses estavam com carga demasiada, levando homens cujos cavalos tinham morrido, transportando um exército não sabíamos para onde, e agora aquele exército morria.

Agora estávamos ao sul da ponta de terra, sendo impulsionados rapidamente para o oeste, e um navio dinamarquês, menor do que o nosso, chegou perto. O homem do leme olhou e deu um sorriso sério, como se reconhecendo que agora havia apenas um inimigo, o mar. O dinamarquês deslizou à nossa frente, sem ser retardado, como nós, pelos destroços a reboque. A chuva sibilava, uma chuva malévola, picando no vento, e o mar estava cheio de tábuas, vergas quebradas, proas de dragão, remos compridos, escudos e cadáveres. Vi um cachorro nadando freneticamente, olhos brancos, e por um momento pensei que fosse Nihtgenga, depois vi que o cachorro tinha orelhas pretas, e as de Nihtgenga eram brancas. As nuvens eram cor de ferro, irregulares e baixas, e a água estava sendo envolta em jorros de branco e preto-esverdeado. O *Heahengel* se erguia a cada onda, batia nos intervalos e se sacudia como uma coisa viva a cada golpe, mas sobreviveu. Era bem construído, manteve-nos vivos, e o tempo todo olhávamos os navios dinamarqueses morrer, e o padre Willibald rezava.

Estranhamente seu enjoo havia passado. Ele estava pálido, sem dúvida sentia-se péssimo, mas, à medida que a tempestade atacava, seu vômito tornara-se menos regular e ele até veio para perto de mim, firmando-se no leme.

— Quem é o deus dinamarquês do mar? — perguntou acima do ruído do vento.

— Njorð! — gritei de volta.

Ele riu.

— Reze para ele, que eu rezo a Deus.

Ri.

— Se Alfredo soubesse que você disse isso, você jamais se tornaria bispo!

— Não vou me tornar bispo se não sobrevivermos a isso! Então reze!

Rezei. E lentamente, de maneira relutante, a tempestade amainou. Nuvens baixas corriam sobre as águas furiosas, mas o vento morreu e pudemos cortar os destroços do mastro e da verga. Em seguida encaixamos os remos e viramos o *Heahengel* para o oeste, passando pelos destroços de uma frota de guerra despedaçada. Havia uma quantidade de navios dinamarqueses à nossa frente e outros atrás, mas achei que pelo menos metade da frota teria afundado, talvez mais do que isso, e senti um medo imenso por Ragnar e Brida. Alcançamos os menores navios dinamarqueses e cheguei perto do maior número deles que pude, e gritei acima das ondas agitadas:

— Vocês viram o *Víbora do Vento*?

— Não! — gritaram de volta. Não, era a resposta, repetidamente. Sabiam que éramos um navio inimigo, mas não se importavam porque não havia inimigo naquela água a não ser a própria água. Assim continuamos remando num navio sem mastro e deixamos os dinamarqueses para trás. Enquanto a noite caía, e enquanto uma tira de luz do sol vazava como sangue através de uma fenda nas nuvens ao norte, guiei o *Heahengel* para a foz torta do rio Uisc. E assim que estávamos atrás da ponta de terra o mar se acalmou e remamos, subitamente em segurança, passando pela comprida língua de areia. Entramos no rio e eu pude olhar para os montes que iam escurecendo, onde ficava Oxton, e não vi nenhuma luz por lá.

Encalhamos o *Heahengel* e cambaleamos em terra. Alguns homens se ajoelharam e beijaram o chão enquanto outros faziam o sinal da cruz. Havia um pequeno porto na ampla curva do rio e algumas casas perto. Entramos nelas, exigimos que os fogos fossem acesos e que trouxessem comida. Então, no escuro, voltei para fora e vi as fagulhas de luz se acendendo rio acima. Percebi que havia tochas sendo acesas no resto dos navios dinamarqueses, que de algum modo tinham entrado no Uisc e agora remavam terra adentro, indo para o norte na direção de Exanceaster. E eu soube que era para lá que Guthrum devia ter ido, e que os dinamarqueses estavam lá. Os sobreviventes da frota engrossariam o exército. E Odda, o Jovem, se estivesse vivo, podia ter tentado ir para lá também.

Com Mildrith e meu filho. Toquei o martelo de Tor e rezei para que estivessem vivos.

E então, enquanto os barcos escuros passavam rio acima, dormi.

De manhã puxamos o *Heahengel* para o pequeno porto, onde poderia descansar na lama enquanto a maré baixava. Éramos 48 homens, cansados mas vivos. O céu estava com costelas de nuvens altas e rosa-acinzentadas, correndo à frente do vento agonizante da tempestade.

Caminhamos até Oxton através de florestas cheias de campânulas. Será que eu esperava encontrar Mildrith lá? Acho que sim, mas claro que ela não estava. Ali se encontravam apenas Oswald, o administrador, e as pessoas escravizadas, e nenhum deles sabia o que estava acontecendo.

Leofric insistiu em pararmos um dia para secar as roupas, afiar as armas e encher a barriga, mas eu não estava com ânimo para descansar e peguei dois homens, Cenwulf e Ida, e caminhei para o norte em direção a Exanceaster, que ficava do outro lado do Uisc. Os povoados do rio estavam vazios porque os moradores tinham ouvido falar da vinda dos dinamarqueses e haviam fugido para os morros. Assim caminhamos pelas trilhas mais altas e perguntamos o que teria acontecido, mas eles não sabiam de nada, a não ser que havia navios-dragão no rio, e isso nós podíamos ver sozinhos. Havia uma frota batida pela tempestade, parada na margem do rio, abaixo dos muros de pedra de Exanceaster. Eram mais navios do que eu tinha suspeitado, sugerindo que boa parte da frota de Guthrum tinha sobrevivido, ficando no Poole quando a tempestade atacou, e alguns desses navios continuavam chegando, as tripulações remando pelo rio estreito. Contamos cascos e achamos que eram perto de noventa navios, o que significava que quase metade da frota de Guthrum havia sobrevivido. Tentei distinguir o *Víbora do Vento* entre os outros, mas eles estavam muito distantes.

Guthrum, o Sem-sorte. Como ele merecia esse nome! Com o tempo chegou perto de merecer um melhor, mas por enquanto fora bastante azarado. Tinha saído de Werham, sem dúvida esperava conseguir suprimentos para o exército em Exanceaster e depois atacar em direção ao norte, mas os deuses do mar e do vento tinham-no derrubado e ele ficou com um exército trôpego. No entanto ainda era um exército forte e, por enquanto, estava em segurança atrás da muralhas romanas de Exanceaster.

Esperei para atravessar o rio, mas havia muitos dinamarqueses perto de seus barcos, por isso andamos mais ao norte e vimos homens armados na estrada que saía de Exanceaster em direção ao oeste, uma estrada que cruzava a ponte abaixo da cidade e passava sobre a charneca indo para Cornwalum. Observei aqueles homens durante longo tempo, temendo que fossem dinamarqueses, mas estavam olhando para o leste, o que sugeria que vigiavam os dinamarqueses, e achei que eram ingleses. Por isso saímos da floresta, com os escudos pendurados às costas para mostrar que não queríamos fazer mal.

Eram 18 homens liderados por um *thegn* chamado Withgil, que fora comandante da guarnição de Exanceaster e perdera a maioria dos homens com o ataque de Guthrum. Ficou relutante em contar a história, mas estava claro que não tinha esperado encrenca e pusera apenas alguns guardas no portão do leste. E quando viram os cavaleiros que se aproximavam, os guardas pensaram que eram ingleses, assim os dinamarqueses puderam capturar o portão e penetrar na cidade. Withgil afirmou que lutou na fortaleza do centro da cidade, mas era óbvio, pelo embaraço de seus homens, que fora uma resistência patética, se é que fora resistência, e a verdade provável é que Withgil havia simplesmente fugido.

— Odda estava lá? — perguntei.
— O *ealdorman* Odda? Claro que não.
— Onde ele estava?

Withgil franziu a testa para mim, como se eu tivesse acabado de chegar da lua.

— No norte, claro.
— No norte de Defnascir?
— Ele marchou há uma semana. Liderando o *fyrd*.
— Contra Ubba?
— Foi o que o rei ordenou.
— E onde está Ubba?

Parecia que Ubba tinha trazido seus navios atravessando o amplo mar de Sæfern e havia desembarcado no extremo oeste de Defnascir. Tinha viajado antes da tempestade, o que sugeria que seu exército estava intacto, e Odda recebera ordens de ir para o norte para bloquear o avanço de Ubba em direção ao resto de Wessex. E se Odda tinha marchado havia uma semana, certamente Odda, o Jovem, saberia disso e teria ido se juntar ao pai, não é? O que sugeria que Mildrith estava lá, onde quer que fosse. Perguntei se Withgil tinha visto Odda, o Jovem, mas ele disse que não o via nem sabia sobre ele desde o Natal.

— Quantos homens tem Ubba? — perguntei.
— Muitos — respondeu Withgil, o que não ajudou, mas era só isso que sabia.
— Senhor. — Cenwulf tocou meu braço e apontou para o leste, e eu vi cavaleiros aparecendo nos campos baixos que se estendiam do rio para a colina onde fica Exanceaster. Um monte de cavaleiros. Atrás deles vinha o porta-estandarte e, mesmo longe demais para ver o distintivo da bandeira, o verde

e o branco proclamavam que era o estandarte saxão do oeste. Então Alfredo tinha vindo para cá? Parecia provável, mas eu não estava com humor para atravessar o rio e descobrir. Só tinha interesse em procurar Mildrith.

A guerra é travada no mistério. A verdade pode levar dias para viajar. Adiante da verdade voa o boato e é sempre difícil saber o que realmente está acontecendo, e a arte é arrancar o osso limpo do fato da carne podre do medo e das mentiras.

Portanto o que eu sabia? Que Guthrum tinha violado a trégua e tomado Exanceaster, que Ubba estava no norte de Defnascir. O que sugeria que os dinamarqueses estavam tentando fazer o que tinham fracassado em realizar no ano anterior: dividir as forças dos saxões do oeste. E, enquanto Alfredo enfrentava um exército, o outro devastaria a terra ou talvez cairia sobre a retaguarda de Alfredo. E, para impedir isso, o *fyrd* de Defnascir recebera ordens de bloquear Ubba. Será que essa batalha fora travada? Odda estaria vivo? Seu filho estaria vivo? Mildrith e meu filho estariam vivos? Em qualquer choque entre Ubba e Odda eu apostaria em Ubba. Ele era um grande guerreiro, um homem lendário entre os dinamarqueses, e Odda era um sujeito atarantado, preocupado, grisalho e envelhecido.

— Vamos para o norte — falei a Leofric quando voltamos a Oxton. Não tinha desejo de ver Alfredo. Ele estaria sitiando Guthrum. Se eu entrasse em seu acampamento, ele sem dúvida ordenaria que eu me juntasse às tropas que cercavam a cidade, e eu ficaria ali, esperando, preocupado. Melhor ir para o norte, encontrar Ubba.

Assim, na manhã seguinte, sob um sol de primavera, a tripulação do *Heahengel* marchou para o norte.

A guerra era entre os dinamarqueses e Wessex. Minha guerra era com Odda, o Jovem, e eu sabia que era impulsionado pelo orgulho. Os padres nos dizem que o orgulho é um pecado enorme, mas os padres estão errados. O orgulho faz o homem, impulsiona-o, é a parede de escudos ao redor de sua reputação, e os dinamarqueses entendiam isso. Os homens morrem, diziam eles, mas a reputação não.

O que procuramos num senhor? Força, generosidade, dureza e sucesso, e por que um homem não deveria ter orgulho dessas coisas? Mostre-me um guerreiro humilde e eu verei um cadáver. Alfredo pregava a humildade, até fingia ser humilde, adorando aparecer na igreja com pés descalços e se prostrando diante do altar, mas jamais professou a humildade verdadeira. Ele era orgulhoso, e os homens o temiam por causa disso, e os homens devem temer um senhor. Devem temer seu desagrado e que sua generosidade cesse. A reputação faz o medo e o orgulho protege a reputação. E eu marchei para o norte porque meu orgulho estava em perigo. Minha mulher e meu filho tinham sido tomados de mim. Eu iria tomá-los de volta, e se tivessem sofrido algum mal eu teria minha vingança, e o fedor do sangue daquele homem faria outros homens me temerem. Por mim, Wessex podia cair, minha reputação era mais importante, por isso marchamos, rodeando Exanceaster, seguindo uma sinuosa trilha de gado morro acima até chegarmos a Twyfyrde, um lugarejo atulhado de refugiados de Exanceaster, e nenhum deles tinha visto nem tido notícias de Odda, o Jovem. Tampouco tinham ouvido falar de alguma batalha no norte, mas um padre falou que o raio havia caído três vezes na noite anterior, o que ele jurou ser um sinal de que Deus havia golpeado os pagãos.

De Twyfyrde pegamos caminhos que bordejavam a grande charneca, seguindo por um terreno com muitas florestas, montanhoso e belo. Iríamos mais rápido se tivéssemos cavalos, mas não tínhamos, e os poucos que víamos eram velhos, doentes, e jamais havia o bastante para todos os nossos homens. Por isso andamos, dormimos naquela noite num vale estreito cheio de flores e pontilhado de campânulas azuis. Um rouxinol cantou para dormirmos, o coro do amanhecer nos acordou, e continuamos andando sob as flores-de-maio brancas. Naquela tarde chegamos às colinas acima da margem norte e encontramos pessoas que tinham fugido das terras litorâneas, trazendo famílias e animais, e sua presença nos disse que logo veríamos os dinamarqueses.

Eu não sabia, mas as três fiandeiras estavam fazendo meu destino. Estavam engrossando os fios, torcendo-os com mais força, tornando-me o que sou, mas olhando daquele morro alto só senti uma pontada de medo, porque ali estava a frota de Ubba, remando para o leste, mantendo o passo com os cavaleiros e a infantaria que seguiam ao longo da margem.

As pessoas que haviam fugido de suas casas nos disseram que os dinamarqueses tinham vindo das terras galesas, do outro lado do amplo mar de Sæfern, e que haviam desembarcado num lugar chamado Beardastopol, que fica longe no oeste de Defnascir. Lá haviam pegado cavalos e suprimentos, mas então seu ataque para o leste, entrando no coração de Wessex, fora atrasado pela grande tempestade que destroçou a frota de Guthrum. Os navios de Ubba tinham ficado no porto de Beardastopol até a tempestade passar. Então, inexplicavelmente, continuaram esperando mesmo quando o tempo melhorou. Achei que Ubba, que não faria nada sem o consentimento dos deuses, tinha lançado as varetas de runas, descoberto que eram desfavoráveis e esperou até que os augúrios ficassem melhores. Agora as runas deviam ter sido boas porque o exército de Ubba estava em movimento. Contei 36 navios, o que sugeria um exército de pelo menos mil e duzentos ou mil e trezentos homens.

— Aonde eles estão indo? — perguntou um dos meus homens.

— Para o leste — grunhi. O que mais poderia dizer? Para o leste, entrando em Wessex. Para o leste, no coração rico do último reino da Inglaterra. Para o leste, até Wintanceaster ou qualquer outra das cidades abastadas onde as igrejas, os mosteiros e conventos eram cheios de tesouros, para o leste, onde a pilhagem esperava, para o leste, onde havia comida e mais cavalos, para o leste, para convidar dinamarqueses a vir em direção ao sul atravessando a fronteira de Mércia, e Alfredo seria obrigado a se virar e enfrentá-los, e então o exército de Guthrum viria de Exanceaster e o exército de Wessex seria apanhado entre duas hordas de dinamarqueses. Só que o *fyrd* de Defnascir estava em algum lugar naquele litoral, e era seu dever impedir os homens de Ubba.

Caminhamos para o leste, passando de Defnascir para Smorsæte, seguindo os dinamarqueses através de terreno mais elevado, e naquela noite vi os navios de Ubba chegando à margem. As fogueiras foram acesas no acampamento dinamarquês, nós acendemos as nossas no meio de uma floresta e marchamos de novo antes do alvorecer. Assim ficamos na frente dos inimigos e ao meio-dia pudemos ver as primeiras forças dos saxões do oeste. Eram cavaleiros, presumivelmente mandados para atuar como batedores. Agora estavam recuando da ameaça dinamarquesa, e nós continuamos andando até que as colinas foram baixando em direção a onde um rio desaguava no mar de

A parede de escudos

Sæfern. Foi ali que descobrimos que o *ealdorman* Odda tinha decidido ficar numa fortaleza construída pelo povo antigo, num morro junto ao rio.

O rio se chamava Pedredan, e perto da foz havia um lugarejo chamado Cantucton. Perto de Cantucton ficava a antiga fortaleza com muro de terra que, segundo os moradores locais, chamava-se Cynuit. Era antiga aquela fortaleza. O padre Willibald disse que era mais antiga do que os romanos, que já era antiga quando o mundo era jovem. Fora feita levantando-se muros de terra sobre o topo de um morro e cavando-se um fosso ao redor. O tempo havia atuado sobre aquelas muralhas, desgastando-as e tornando o fosso mais raso, e o capim tinha crescido em cima. Num dos lados a muralha havia se reduzido a quase nada, até se tornar uma mera sombra no chão, mas era uma fortaleza, o local aonde o *ealdorman* Odda havia levado suas forças e onde morreria se não pudesse derrotar Ubba, cujos navios já estavam surgindo na foz do rio.

Não fui direto à fortaleza. Parei ao abrigo de algumas árvores e me vesti para a guerra. Tornei-me o *ealdorman* Uhtred em sua glória de batalha. Os escravizados em Oxton tinham polido com areia minha cota de malha, e eu a vesti. Sobre ela afivelei um cinto de espada para Bafo de Serpente e Ferrão de Vespa. Calcei botas de cano alto, pus o elmo brilhante e peguei meu escudo com bossa de ferro. E, quando todas as tiras estavam apertadas e as fivelas firmes, senti-me um deus vestido para a guerra, vestido para matar. Meus homens afivelaram suas tiras, amarraram as botas, testaram o gume das armas, e até o padre Willibald cortou um cajado, um grande pedaço de freixo que poderia quebrar o crânio de um homem.

— Você não precisará lutar, padre — disse eu.

— Agora todos temos de lutar, senhor. — Ele recuou um passo e me olhou de cima a baixo, e um pequeno sorriso surgiu em seu rosto. — O senhor cresceu.

— É o que fazemos, padre.

— Lembro quando o vi pela primeira vez. Era uma criança. Agora tenho medo do senhor.

— Esperemos que o inimigo também tenha — respondi, não sabendo direito de que inimigo estava falando, Odda ou Ubba, e desejei ter o estandarte de Bebbanburg, a cabeça de lobo rosnando, mas tinha minhas espadas e meu escudo. Liderei meus homens saindo da floresta e atravessamos os campos até onde o *fyrd* de Defnascir enfrentaria os dinamarqueses.

Os dinamarqueses estavam a cerca de um quilômetro e meio à nossa esquerda, derramando-se da estrada do litoral e correndo para rodear a colina chamada Cynuit, mas chegariam muito tarde para barrar nosso caminho. À minha direita havia mais dinamarqueses, dinamarqueses dos navios, trazendo seus barcos com cabeça de dragão pelo Pedredan acima.

— Eles são em maior número do que nós — disse Willibald.

— De fato — concordei. Havia cisnes no rio, codornizões no feno não cortado e orquídeas vermelhas na campina. Esse era o tempo do ano em que os homens deveriam estar fazendo fardos de feno ou tosquiando as ovelhas. Não preciso estar aqui, pensei. Não preciso ir a esse morro onde os dinamarqueses virão nos matar. Olhei meus homens e imaginei se estariam pensando o mesmo, mas quando captaram meu olhar apenas riram ou assentiram, e de repente percebi que eles confiavam em mim. Eu os estava liderando e eles não questionavam, ainda que Leofric entendesse o perigo. Ele me alcançou.

— Há apenas uma saída daquele morro — disse em voz baixa.

— Eu sei.

— E se não pudermos lutar saindo, vamos ficar lá. Enterrados.

— Eu sei — repeti. E pensei nas fiandeiras, soube que elas estavam retesando os fios. Olhei para a encosta de Cynuit e vi que havia algumas mulheres no topo, mulheres sendo abrigadas por seus homens, e pensei que Mildrith podia estar entre elas. Por isso subi o morro, porque não sabia onde mais procurá-la.

Mas as fiandeiras estavam me mandando para aquele antigo forte de terra por outro motivo. Eu ainda não estivera na grande parede de escudos, na linha de guerreiros, no empurra-empurra e no horror de uma batalha de verdade, onde matar uma vez é meramente convidar a chegada de outro inimigo. A colina de Cynuit era a estrada para ser totalmente homem, e eu a subi porque não tinha escolha; as fiandeiras haviam me mandado.

Então um rugido soou à nossa direita, no vale do Pedredan, e vi um estandarte ser erguido ao lado de um navio encalhado. Era a bandeira do corvo.

325

A parede de escudos

A bandeira de Ubba. Ubba, o último, mais forte e mais apavorante dos filhos de Lothbrok, havia trazido suas armas a Cynuit.

— Está vendo aquele barco? — perguntei a Willibald, apontando para onde o estandarte balançava. — Há dez anos limpei aquele navio. Raspei, esfreguei, limpei. — Dinamarqueses estavam tirando seus escudos do costado da embarcação e o sol brilhou nas miríades de pontas de lanças. — Eu tinha dez anos.

— O mesmo barco?

— Talvez. Talvez não. — Talvez esse fosse um navio novo. Na verdade não importava, só importava que ele havia trazido Ubba.

Para Cynuit.

Os homens de Defnascir tinham feito uma fileira onde a muralha do antigo forte havia se erodido. Alguns, poucos, tinham pás e estavam tentando refazer a barreira de terra, mas não teriam tempo de acabar, não se Ubba atacasse a colina. Passei por eles, usando o escudo para empurrar homens para fora do caminho, ignorando todos que questionavam quem éramos, e assim fomos até o cume do morro, onde adejava o estandarte de Odda, com um cervo preto.

Tirei o elmo enquanto me aproximava dele. Joguei o elmo para o padre Willibald. Depois desembainhei Bafo de Serpente, porque tinha visto Odda, o Jovem, parado junto ao pai, e ele estava me olhando como se eu fosse um fantasma, e para ele eu devia parecer exatamente isso.

— Onde ela está? — gritei, e apontei Bafo de Serpente para ele. — Onde ela está?

Os servos de Odda desembainharam espadas e apontaram lanças, e Leofric sacou sua espada afinada pelas batalhas, Matadora de Dinamarqueses.

— Não! — gritou o padre Willibald enquanto corria com o cajado erguido numa das mãos e meu elmo na outra. — Não! — Ele tentou passar à minha frente, mas eu o empurrei de lado, porém descobri três dos padres de Odda barrando meu caminho. Essa era a coisa em Wessex: sempre havia padres. Eles apareciam como ratos saindo de um teto de palha em chamas, mas empurrei os padres de lado e confrontei Odda, o Jovem.

326
O último reino

— Onde ela está?

Odda, o Jovem, usava cota de malha. Malha tão polida que doía nos olhos. Tinha um elmo incrustado de prata, botas com placas de ferro e uma capa azul presa ao pescoço por um grande broche de ouro e âmbar.

— Onde ela está? — perguntei pela quarta vez, e desta vez Bafo de Serpente estava a um palmo de distância da garganta dele.

— Sua mulher está em Cridianton — respondeu o *ealdorman* Odda. Seu filho estava apavorado demais para abrir a boca.

Eu não fazia ideia de onde ficava Cridianton.

— E meu filho? — Encarei os olhos amedrontados de Odda, o Jovem. — Onde está meu filho?

— Os dois estão com minha mulher em Cridianton! — respondeu o *ealdorman* Odda. — E estão em segurança.

— Você jura?

— Se juro? — Agora o *ealdorman* estava furioso, seu rosto feio e bulboso totalmente vermelho. — Você ousa pedir que eu jure? — Ele desembainhou sua espada. — Podemos cortá-lo como um cão — disse, e as espadas de seus homens estremeceram.

Girei minha espada até apontá-la para o rio.

— Você sabe de quem é aquele estandarte? — perguntei, erguendo a voz para que boa parte dos homens na colina de Cynuit ouvissem. — É a bandeira do corvo, de Ubba Lothbrokson. Eu já vi Ubba Lothbrokson matar. Já o vi empurrar homens ao mar, abrir suas barrigas, cortar suas cabeças, andar no meio do sangue e fazer sua espada guinchar com a canção da morte, e você iria me matar, a mim que estou pronto para lutar ao seu lado? Então faça isso. — Abri os braços, revelando meu corpo à espada do *ealdorman*. — Faça — cuspi para ele —, mas primeiro jure que minha mulher e meu filho estão em segurança.

Ele fez uma pausa longa, depois baixou sua espada.

— Eles estão em segurança. Juro.

— E aquela coisa — apontei Bafo de Serpente para o seu filho — não tocou nela?

O *ealdorman* olhou para o filho, que balançou a cabeça.

327

A parede de escudos

— Juro que não toquei — disse Odda, o Jovem, encontrando a voz. — Só queria que ela estivesse em segurança. Achamos que você estava morto, e eu queria que ela ficasse segura. Só isso, juro.

Embainhei Bafo de Serpente.

— Você deve 18 xelins à minha mulher — falei ao *ealdorman*, depois dei-lhe as costas.

Eu tinha vindo a Cynuit Não precisava estar naquela colina. Mas estava. Porque o destino é tudo.

Onze

O EALDORMAN ODDA não queria matar dinamarqueses. Queria ficar onde estava e deixar as forças de Ubba sitiá-lo. Isso, admitiu ele, bastaria.

— Vamos manter o exército deles aqui — disse em tom pesado —, e Alfredo pode marchar para atacá-lo.

— Alfredo está sitiando Exanceaster — respondi.

— Ele deixará homens lá, para vigiar Guthrum, e marchará até aqui — disse Odda com ar superior. Odda não gostava de falar comigo, mas eu era um *ealdorman* e ele não podia me barrar em seu conselho de guerra, do qual participavam seu filho, os padres e uma dúzia de *thegns*, todos ficando irritados com meus comentários. Insisti em que Alfredo não viria nos ajudar. E o *ealdorman* Odda estava se recusando a sair do topo da colina porque tinha certeza de que Alfredo viria. Seus *thegns*, todos homens grandes com pesadas cotas de malha e rostos sérios, endurecidos pelo tempo, concordaram com ele. Um murmurou que as mulheres precisavam ser protegidas.

— Não deveria haver mulher alguma aqui — disse eu.

— Mas há — disse o homem peremptoriamente. Pelo menos cem mulheres tinham seguido seus homens e agora estavam no topo da colina, onde não havia abrigo para elas e suas crianças.

— E, mesmo que Alfredo venha, quanto tempo isso vai demorar? — perguntei.

— Dois dias? — sugeriu Odda. — Três?

— E o que vamos beber enquanto ele estiver vindo? Mijo de pássaro?

Todos ficaram apenas me encarando, cheios de ódio, mas eu estava certo, porque não havia fonte em Cynuit. A água mais próxima era do rio, e entre nós e o rio estavam os dinamarqueses. Odda entendia bem que seríamos assolados pela sede, mas mesmo assim insistiu para ficarmos. Talvez seus padres estivessem rezando por um milagre.

Os dinamarqueses pareciam igualmente cautelosos. Estavam em maior número do que nós, mas não muito maior, e ocupávamos o terreno elevado, o que significava que eles teriam de lutar subindo a encosta íngreme de Cynuit. Portanto Ubba optou por cercar a colina em vez de atacá-la. Os dinamarqueses odiavam perder homens, e me lembrei da cautela de Ubba em Gewæsc, onde havia hesitado em atacar as forças de Edmundo subindo os dois caminhos a partir do pântano. E talvez essa cautela tenha sido reforçada por Storri, seu feiticeiro, se Storri ainda vivesse. Qualquer que fosse o motivo, em vez de formar seus homens na parede de escudos para atacar a antiga fortaleza, Ubba os colocou num círculo ao redor de Cynuit e, com cinco de seus comandantes de navios, subiu o morro. Não levava espada nem escudo, o que mostrava que queria conversar.

O *ealdorman* Odda, seu filho, dois *thegns* e três padres foram ao encontro de Ubba. Como eu era *ealdorman*, fui junto. Odda me lançou um olhar malévolo, mas de novo não podia me proibir, assim nos encontramos na metade da encosta onde Ubba não fez nenhum cumprimento nem perdeu tempo com seus insultos rituais de sempre. Em vez disso, observou que estávamos encurralados e que o caminho mais sensato era a rendição.

— Vocês entregarão as armas — disse ele. — Eu tomarei reféns e todos vocês viverão.

Um dos padres de Odda traduziu as exigências ao *ealdorman*. Fiquei olhando Ubba. Ele parecia mais velho do que eu recordava, com fios grisalhos no emaranhado preto da barba, mas ainda era um homem amedrontador; com peito enorme, um homem confiante e áspero.

O *ealdorman* Odda estava claramente apavorado. Ubba, afinal de contas, era um renomado chefe dinamarquês, um homem que havia atravessado longos mares para fazer grandes matanças, e agora Odda era obrigado a enfrentá-lo. Ele se esforçou ao máximo para parecer desafiador, retrucando que ficaria onde estava e que tinha a fé no único Deus verdadeiro.

— Então vou matá-lo — respondeu Ubba.

— Pode tentar — disse Odda.

Era uma resposta débil e Ubba cuspiu cheio de escárnio. Já ia se virar, mas eu falei e não precisei de intérprete.

— A frota de Guthrum se foi. Njorð veio das profundezas, Ubba Lothbrokson, e arrastou a frota de Guthrum para o leito do mar. Todos aqueles homens corajosos se foram para Ran e Ægir. — Ran era a esposa de Njorð, e Ægir, o gigante que guardava as almas dos homens afogados. Peguei meu amuleto de martelo e o segurei. — Falo a verdade, senhor Ubba. Eu vi aquela frota morrer e vi os homens afundando sob as ondas.

Ele me encarou com seus olhos chapados e duros, e a violência em seu coração era como o calor de uma forja. Pude senti-la, mas também pude sentir seu medo, não de nós, mas dos deuses. Ele era um homem que não fazia coisa alguma sem um sinal dos deuses, por isso eu tinha falado sobre os deuses quando mencionei o afundamento da frota.

— Conheço você — rosnou ele, apontando para mim com dois dedos, para evitar o mal de minhas palavras.

— E eu conheço você, Ubba Lothbrokson — respondi, em seguida soltei o amuleto e levantei três dedos. — Ivar está morto — dobrei um dedo. —, Halfdan está morto — o segundo dedo —, e só resta você. O que as runas dizem? Que na lua nova não restará nenhum irmão Lothbrok em Midgard?

Eu havia tocado num ponto sensível, como pretendia, porque Ubba instintivamente segurou seu amuleto de martelo. O sacerdote de Odda estava traduzindo num murmúrio baixo, e o *ealdorman* me encarava com olhos arregalados e perplexos.

— É por isso que você quer nossa rendição? — perguntei a Ubba. — Porque as varetas de runas disseram que nós não podemos ser derrotados em batalha?

— Vou matá-lo — disse Ubba. — Vou cortá-lo da virilha até a goela. Vou derramar suas entranhas.

Obriguei-me a sorrir, mas isso era difícil quando Ubba estava fazendo ameaças.

— Pode tentar, Ubba Lothbrokson, mas vai fracassar. E eu sei. Eu lancei as runas, Ubba, lancei as runas sob a lua da noite passada, e sei.

Ele odiou aquilo porque acreditou na minha mentira. Queria se manter desafiador, mas por um momento só conseguiu me encarar com medo, porque suas próprias varetas de runas, supus, tinham lhe dito o que eu estava dizendo, que qualquer ataque contra Cynuit acabaria em fracasso.

— Você é o garoto de Ragnar — disse ele, finalmente me situando.

— E Ragnar, o Intrépido, fala comigo. Ele grita do castelo dos cadáveres, ele quer vingança, Ubba, vingança contra os dinamarqueses, porque Ragnar foi morto traiçoeiramente por seu próprio povo. Agora sou o mensageiro dele, uma coisa saída do castelo dos cadáveres, e vim pegar você.

— Eu não o matei! — rosnou Ubba.

— O que isso importa a Ragnar? Ele só quer vingança, e para ele a vida de um dinamarquês é tão boa quanto a de qualquer outro, portanto lance suas runas outra vez e depois nos ofereça sua espada. Você está condenado, Ubba.

— E você é um monte de merda de fuinha — disse ele, e não falou mais. Apenas se virou e partiu rapidamente.

O *ealdorman* Odda ainda estava me olhando.

— Você o conhece? — perguntou.

— Conheço Ubba desde que tinha dez anos — respondi, olhando o chefe dinamarquês ir embora. Estava pensando que, se tivesse escolha, se pudesse seguir meu coração de guerreiro, preferiria lutar ao lado de Ubba do que contra ele, mas as fiandeiras haviam decretado o contrário. — Desde que eu tinha dez anos. E uma coisa que sei sobre Ubba é que ele teme os deuses. Agora está aterrorizado. Você pode atacar. O coração dele vai abandoná-lo porque ele acha que vai perder.

— Alfredo virá — disse Odda.

— Alfredo está vigiando Guthrum — respondi. Não tinha certeza disso, claro. Pelo que sabia, Alfredo poderia estar nos olhando das colinas, mas duvidava que ele deixaria Guthrum livre para saquear Wessex. — Ele vigia Guthrum porque o exército de Guthrum é duas vezes maior do que o de Ubba. Mesmo com metade da frota afundada, Guthrum tem mais homens, e por que Alfredo os deixaria sair de Exanceaster? Alfredo não virá — terminei —, e todos morreremos de sede antes que Ubba nos ataque.

— Nós temos água — disse o filho dele, carrancudo. — E cerveja. — Odda, o Jovem, estivera me olhando cheio de ressentimento, espantado por eu falar com tanta familiaridade com Ubba.

— Vocês têm cerveja e água para um dia — respondi com escárnio e vi, pela expressão do *ealdorman*, que estava certo.

Odda se virou e olhou para o sul, pelo vale de Pedredan. Esperava ver as tropas de Alfredo, mas claro que não havia nada ali, a não ser as árvores balançando ao vento.

Odda, o Jovem, sentiu a incerteza do pai.

— Podemos esperar dois dias — insistiu.

— A morte não será melhor depois de dois dias — respondeu Odda em tom pesado. Então eu o admirei. Ele havia esperado não lutar, havia esperado que seu rei viesse resgatá-lo, mas no coração sabia que eu estava certo, aqueles dinamarqueses eram sua responsabilidade e que os homens de Defnascir tinham a Inglaterra nas mãos e precisavam preservá-la.

— Ao alvorecer — respondeu sem me olhar. — Atacaremos ao alvorecer.

Dormimos com equipamento de guerra. Ou melhor, os homens tentaram dormir usando couro ou cota de malha, com cintos de espadas afivelados, elmos e armas por perto, e não acendemos fogueiras porque Odda não queria que o inimigo visse que estávamos prontos para a batalha, mas o inimigo tinha fogueiras, e nossas sentinelas podiam olhar encosta abaixo e usar a luz delas para procurar infiltradores. Nenhum veio. Havia uma lua minguante entrando e saindo de trás de nuvens esfarrapadas. As fogueiras dinamarquesas nos cercavam, mais densas ao sul, perto de Cantucton, onde Ubba acampava. Mais fogueiras ardiam a leste, ao lado dos navios dinamarqueses, as chamas se refletindo nas cabeças douradas das feras e nas proas de dragão pintadas. Entre nós e o rio havia uma campina, e do lado mais distante dela os dinamarqueses vigiavam o morro, e mais além ficava um amplo trecho de pântano. Do outro lado do pântano havia uma faixa de terreno mais firme ao lado do rio, onde algumas choupanas ofereciam abrigo aos guardas dos navios dinamarqueses. As choupanas tinham pertencido a pescadores, fugidos havia muito, e

A parede de escudos

foram acesas fogueiras entre elas. Um punhado de dinamarqueses montava guarda à margem do rio, perto dessas fogueiras, andando entre as proas esculpidas. Fiquei parado sobre a fortificação de terra, olhando aqueles navios longos e graciosos, rezando para que o *Víbora do Vento* ainda estivesse vivo.

Não conseguia dormir. Estava pensando em escudos, dinamarqueses, espada e medo. Estava pensando no meu filho que eu nunca vira e em Ragnar, o Intrépido, imaginando se ele me olhava do Valhalla. Estava preocupado com a possibilidade de fracassar no dia seguinte, quando, finalmente, chegaria ao portão vital de uma parede de escudos. E não era o único a quem o sono era negado já que, no coração da noite, um homem subiu o muro de terra, coberto de grama, e parou perto de mim. Vi que era o *ealdorman* Odda.

— Como você conhece Ubba? — perguntou.

— Fui capturado pelos dinamarqueses e criado por eles. Os dinamarqueses me ensinaram a lutar. — Toquei um dos meus braceletes. — Ubba me deu este.

— Você lutou por ele? — perguntou Odda, não de modo acusador, mas com curiosidade.

— Lutei para sobreviver — respondi evasivamente.

Ele olhou para o rio tocado pela lua.

— Quando se trata de lutar — disse ele —, os dinamarqueses não são bobos. Estarão esperando um ataque ao alvorecer. — Não falei nada, imaginando se os temores de Odda estariam mudando suas ideias. — E eles são em maior número.

Continuei sem dizer nada. O medo atua sobre os homens e não há medo igual à perspectiva de confrontar uma parede de escudos. Eu estava cheio de medo naquela noite porque nunca havia lutado de homem para homem no choque de exércitos. Estivera na colina de Æsc e nas outras batalhas daquele verão distante, mas não havia lutado numa parede de escudos. Amanhã, pensei, amanhã, e, como Odda, queria ver o exército de Alfredo vindo nos resgatar, mas sabia que não haveria resgate.

— Eles são em maior número — repetiu Odda —, e alguns de meus homens têm apenas foices como armas.

— Uma foice pode matar — respondi, mas era uma coisa idiota de se dizer. Não gostaria de enfrentar um dinamarquês se tivesse apenas uma foice. — Quantos têm armas de verdade?

— Metade? — supôs ele.

— Então esses homens são nossas fileiras da frente, o resto deve pegar as armas dos inimigos mortos. — Eu não fazia ideia do que estava falando, mas só sabia que precisava parecer confiante. O medo pode atuar sobre os homens, mas a confiança luta contra o medo.

Odda parou de novo, olhando os navios escuros abaixo.

— Sua mulher e seu filho estão bem — disse, depois de um tempo.

— Bom.

— Meu filho simplesmente a resgatou.

— E rezou para que eu estivesse morto.

Ele deu de ombros.

— Mildrith morou conosco depois da morte do pai, e meu filho passou a gostar dela. Não queria fazer mal, e não fez. — Ele estendeu a mão e eu vi, à luz fraca do luar, que oferecia uma bolsa de couro. — O resto do preço da noiva.

— Fique com ele, senhor, e me dê depois da batalha. E, se eu morrer, dê a Mildrith.

Uma coruja passou acima, pálida e rápida, e me perguntei que augúrio seria. Longe, no leste, litoral acima, muito além do Pedredan, uma fogueira minúscula tremulava, e isso também era um augúrio, mas eu não sabia lê-lo.

— Meus homens são bons — disse Odda —, mas e se forem flanqueados? — O medo ainda estava assombrando-o. — Seria melhor se Ubba viesse nos atacar.

— Seria melhor — concordei. — Mas Ubba não fará nada enquanto as varetas de runas não mandarem.

O destino é tudo. Ubba sabia disso, motivo pelo qual lia os sinais dos deuses, e eu sabia que a coruja fora um sinal, e ela voara sobre nossa cabeça, por cima dos navios dinamarqueses e fora em direção àquela fogueira distante acesa na margem do Sæfern. E de repente me lembrei dos quatro barcos do rei Edmundo chegando à praia de Ânglia Oriental e as flechas de fogo batendo

335

A parede de escudos

nos navios dinamarqueses encalhados. E percebi que finalmente era capaz de ler os augúrios.

— Se seus homens forem flanqueados eles morrerão. Mas se os dinamarqueses forem flanqueados eles morrerão. Portanto devemos flanqueá-los.

— Como? — perguntou Odda amargamente. Só conseguia ver carnificina de manhã; um ataque, uma luta e uma derrota, mas eu tinha visto a coruja. A coruja tinha voado dos navios para o fogo, e esse era o sinal. Queimar os navios. — Como vamos flanqueá-los?

E continuei em silêncio, imaginando se deveria contar. Se eu seguisse o augúrio isso significaria dividir nossas forças, e esse era o erro que os dinamarqueses haviam cometido na colina de Æsc, por isso hesitei, mas Odda não tinha vindo me procurar porque subitamente gostava de mim, e sim porque eu havia desafiado Ubba. Apenas eu, em Cynuit, confiava na vitória, ou parecia confiar, e isso, apesar da minha idade, me tornou o líder nessa colina. O *ealdorman* Odda, com idade para ser meu pai, queria meu apoio. Queria que eu lhe dissesse o que fazer, eu, que nunca estivera numa grande parede de escudos, mas eu era jovem e arrogante, e os augúrios tinham dito o que deveria fazer. Por isso contei a Odda.

— Você já viu os *sceadugengan*? — perguntei.

Sua resposta foi fazer o sinal da cruz.

— Quando eu era criança — falei —, sonhava com o *sceadugengan*. Saía à noite para encontrá-los e aprendi os caminhos da noite, para me juntar a eles.

— O que isso tem a ver com a alvorada?

— Dê-me cinquenta homens. Eles vão se juntar aos meus e ao alvorecer vamos atacar lá. — Apontei para os navios. — Vamos começar queimando os navios deles.

Odda olhou para as fogueiras mais próximas, morro abaixo, que marcavam o local onde as sentinelas inimigas estavam postadas na campina, a leste de nós.

— Eles saberão que vocês estão indo e estarão preparados. — Queria dizer que uma centena de homens não poderia atravessar o horizonte de Cynuit, descer o morro, passar pelas sentinelas e atravessar o pântano em silêncio. Estava certo. Antes de termos andado dez passos as sentinelas teriam nos visto e soariam o alarme. E o exército de Ubba, que certamente estava tão preparado para a batalha quanto o nosso, iria se derramar do acampamento sul para confrontar meus homens na campina, antes que chegassem ao pântano.

— Mas quando os dinamarqueses virem seus navios queimando — falei — irão para a margem do rio, e não para a campina. E a margem do rio é ladeada pelo pântano. Eles não podem nos flanquear por lá. — Poderiam, claro, mas o pântano prejudicaria os movimentos, de modo que não seria tão perigoso quanto ser flanqueado na campina.

— Mas vocês nunca chegarão à margem do rio — disse ele, desapontado com minha ideia.

— Um caminhante das sombras pode chegar.

Ele me olhou sem dizer nada.

— Eu posso chegar, e quando os primeiros navios se queimarem todos os dinamarqueses correrão para a margem, e é então que os cem homens atacarão. Os dinamarqueses estarão correndo para salvar os navios, e isso dará aos cem homens tempo para cruzar o pântano. Eles devem ir o mais depressa possível, então se juntam a mim, nós queimamos mais navios e os dinamarqueses tentarão nos matar. — Apontei para a margem do rio, mostrando aonde os dinamarqueses iriam, saindo de seu acampamento e seguindo ao longo da faixa de terreno firme até onde os navios estavam encalhados. — E quando os dinamarqueses estiverem todos naquele banco de areia, entre o rio e o pântano, você lidera o *fyrd* para pegá-los pela retaguarda.

Ele pensou, olhando os navios. Se atacássemos, o local óbvio seria pela encosta sul, direto no coração das forças de Ubba, e seria uma batalha de parede de escudos contra parede de escudos, nossos novecentos homens contra os mil e duzentos dele, e no início teríamos vantagem, porque muitos homens de Ubba estavam postados ao redor do morro e demorariam para correr para o centro de seu acampamento, mas os números cresceriam e nós poderíamos ser impedidos, flanqueados e então viria a carnificina. E nessa carnificina eles teriam a vantagem numérica, iriam cercar nossas fileiras. E nossos homens da retaguarda, os que tinham foices em vez de armas, começariam a morrer.

Mas se eu descesse a colina e começasse a queimar os barcos, os dinamarqueses correriam para os navios tentando me impedir, e isso iria colocá-los na estreita faixa de terra ao lado do rio. E se os cem homens sob o comando de Leofric se juntassem a mim, poderíamos segurá-los por tempo suficiente para Odda chegar pela retaguarda, então seriam os dinamarqueses que morreriam, presos entre Odda, meus homens, o pântano e o rio. Ficariam encurralados como o exército da Nortúmbria ficara encurralado em Eoferwic.

Mas na colina de Æsc o desastre tinha vindo para o lado que dividiu suas forças primeiro.

— Pode funcionar — disse Odda, hesitando.
— Dê-me cinquenta homens — insisti. — Jovens.
— Jovens?
— Eles terão de correr morro abaixo. Terão de ir depressa. Terão de chegar aos navios antes dos dinamarqueses e devem fazê-lo ao alvorecer. — Falei isso com uma confiança que não sentia e parei esperando sua concordância, mas ele ficou quieto. — Vença, senhor — disse, e não o chamei de "senhor" porque ele estava num nível acima de mim, e sim porque era mais velho do que eu —, e terá salvado Wessex. Alfredo irá recompensá-lo.

Ele pensou por um tempo, e talvez a ideia de uma recompensa o tenha convencido, porque assentiu.

— Vou lhe dar cinquenta homens.

Ravn tinha me dado muitos conselhos, e todos eram bons, mas agora, no vento noturno, lembrei-me de uma coisa que ele me dissera na noite em que nos conhecemos, algo que nunca esqueci.

Nunca, dissera ele, nunca lute contra Ubba.

Os cinquenta homens eram liderados pelo *reeve* do condado, Edor, um homem que parecia duro como Leofric e, como ele, tinha lutado nas grandes paredes de escudos. Levava uma lança de javali, cortada, como arma predileta, mas havia uma espada pendurada à cintura. A lança, segundo ele, tinha o peso e a força para furar uma cota de malha. E até poderia atravessar um escudo.

Edor, como Leofric, tinha simplesmente aceitado minha ideia. Nunca me ocorreu que eles pudessem não aceitar, no entanto, olhando para trás, fico espantado ao ver que a batalha de Cynuit foi travada segundo a ideia de um sujeito de vinte anos que jamais tinha estado numa parede de escudos. No entanto eu era alto, era um senhor, tinha crescido entre guerreiros e possuía a confiança arrogante de um homem nascido para a batalha. Sou Uhtred, filho de Uhtred, filho de outro Uhtred, e nós não tínhamos mantido Bebbanburg e suas terras gemendo nos altares. Somos guerreiros.

Os homens de Edor e os meus se juntaram atrás da fortificação leste de Cynuit, onde esperariam até que o primeiro navio estivesse queimando ao alvorecer. Leofric estava à direita com a tripulação do *Heahengel*, e eu o queria ali porque era onde o golpe cairia quando Ubba levasse seus homens para nos atacar na margem do rio. Edor e os homens de Defnascir estavam à esquerda, e seu trabalho principal, fora matar quem encontrassem na margem do rio, era pegar madeira queimando nas fogueiras dinamarquesas e atirá-la em mais navios.

— Não vamos tentar queimar todos os navios — falei —, basta incendiar uns quatro ou cinco. Isso trará os dinamarqueses como um enxame de abelhas.

— Abelhas com ferrões — disse uma voz no escuro.

— Está com medo? — perguntei com escárnio. — Eles é que estão com medo! Os augúrios deles são ruins, acham que vão perder, e a última coisa que querem é enfrentar os homens de Defnascir numa madrugada cinzenta. Vamos fazê-los gritar como mulheres, vamos matá-los e vamos mandá-los para o inferno dinamarquês. — Esse foi o meu discurso de batalha. Deveria ter falado mais, porém estava nervoso porque precisava descer o morro primeiro, primeiro e sozinho. Tinha de viver meu sonho de infância, de caminhar nas sombras, e Leofric e Edor não liderariam os cem homens até o rio enquanto não vissem os dinamarqueses correndo para resgatar os navios, e se eu não pudesse pôr fogo nos navios não haveria ataque, os temores de Odda voltariam e os dinamarqueses venceriam. Wessex morreria e não haveria mais Inglaterra. — Portanto descansem agora — terminei debilmente. — Faltam três ou quatro horas para o amanhecer.

A parede de escudos

Voltei ao muro de terra e o padre Willibald se juntou a mim, segurando seu crucifixo esculpido a partir de um osso de coxa de boi.

— Quer a bênção de Deus? — perguntou.

— O que eu quero, padre, é sua capa. — Ele tinha uma ótima capa de lã, com capuz e tingida de marrom-escuro. Entregou-a a mim e eu amarrei os cordões em volta do pescoço, escondendo o brilho da cota de malha. — E de madrugada, padre, quero que fique aqui em cima. A margem do rio não será lugar para padres.

— Se homens morrerem lá, será o meu lugar.

— Quer ir para o céu de manhã?

— Não.

— Então fique aqui — falei mais violentamente do que pretendia, mas por causa do nervosismo. E então era hora de ir. Mesmo que a noite estivesse escura e a madrugada distante, eu precisava de tempo para me esgueirar pelas linhas dinamarquesas. Leofric se despediu de mim, caminhando comigo até o flanco norte de Cynuit, que estava na sombra da luz. Além disso, era o local menos guardado da colina, já que a encosta norte levava apenas aos pântanos e ao mar de Sæfern. Dei meu escudo a Leofric. — Não preciso dele. Só vai me atrapalhar.

Ele tocou meu braço.

— Você é um desgraçado metido a besta, *earsling*, não é?

— Isso é defeito?

— Não, senhor — disse ele, e a última palavra foi um enorme elogio. — Que Deus vá com você, qualquer deus.

Toquei o martelo de Tor, depois o enfiei sob a cota de malha.

— Leve os homens depressa quando vir os dinamarqueses indo para os navios.

— Iremos depressa — prometeu ele —, se o pântano deixar.

Eu tinha visto dinamarqueses cruzando o pântano à luz do dia e tinha notado que era um terreno mole, mas não um atoleiro.

— Vocês podem atravessar depressa — disse eu, depois puxei o capuz sobre o elmo. — É hora de ir.

Leofric não disse nada, e eu pulei do muro de terra para o fosso raso. De modo que agora me tornaria o que sempre quis ser, um caminhante das sombras. O sonho da infância tinha se tornado vida ou morte, e tocando o punho de Bafo de Serpente para dar sorte atravessei a borda do fosso. Agachei-me. Na metade da colina deitei de barriga e me arrastei como uma serpente, preto contra o capim, abrindo caminho para um espaço entre duas fogueiras agonizantes.

Os dinamarqueses estavam dormindo, ou quase dormindo. Dava para vê-los sentados junto às fogueiras meio apagadas, e quando saí da sombra do morro havia luar suficiente para me revelar. Não havia cobertura porque o capim fora cortado pelas ovelhas. Mas movia-me como um fantasma, um fantasma arrastando a barriga, esgueirando-me, sem fazer barulho, uma sombra no capim, e eles só precisariam olhar, ou caminhar por entre as fogueiras, mas não ouviram nada, não suspeitaram de nada e portanto não viram nada. Demorei séculos, mas deslizei entre eles, jamais chegando a menos de vinte passos de um inimigo, e assim que passei por eles estava no pântano, as moitas ofereciam sombra e eu podia me mover mais depressa, retorcendo-me na lama e na água rasa. O único medo veio quando espantei um pássaro do ninho e ele saltou no ar com um grito de alarme e um rápido bater das asas. Senti os dinamarqueses olhando para o pântano, mas eu estava imóvel, preto e parado na sombra entrecortada, e depois de um tempo houve apenas silêncio. Esperei, com água escorrendo pela cota de malha, e rezei a Hoder, o filho cego de Odin e deus da noite. Cuide de mim, rezei, e desejei ter feito um sacrifício a Hoder, mas não tinha feito. Pensei que Ealdwulf estaria me olhando e prometi deixá-lo orgulhoso. Estava fazendo o que ele sempre quis que eu fizesse, levando Bafo de Serpente contra os dinamarqueses.

Segui para o leste, por trás das sentinelas, indo aonde os navios estavam encalhados. Nenhum cinza surgia no céu do leste. Continuei devagar, deitado de barriga, devagar o suficiente para os medos atuarem em mim. Tinha consciência de um músculo tremendo na coxa direita, uma sede que não podia ser saciada, um azedume nas entranhas. Ficava tocando o punho de Bafo de Serpente, lembrando-me dos feitiços que Ealdwulf e Brida haviam posto na lâmina. Nunca, dissera Ravn, nunca lute contra Ubba.

O leste ainda estava escuro. Continuei me esgueirando, agora perto do mar, de modo que pude olhar para o amplo Sæfern e não ver nada além do brilho da lua afundando e da água ondulada que parecia uma folha de prata martelada. A maré estava enchendo, o litoral lamacento se estreitando enquanto o mar crescia. Haveria salmão no Pedredan, pensei, salmão nadando com a maré, voltando ao mar, e toquei o punho da espada porque estava perto da tira de terra firme onde ficavam as choupanas e os guardas dos navios esperavam. Minha coxa estremeceu. Sentia enjoo.

Mas o cego Hoder estava me vigiando. Os guardas dos navios não pareciam mais alertas do que seus colegas ao pé do morro, e por que deveriam estar? Encontravam-se do outro lado das forças de Odda e não esperavam problemas. Na verdade só estavam ali porque os dinamarqueses nunca deixavam os navios sem vigilância, e quase todos os guardas tinham ido dormir nas choupanas, deixando apenas um punhado de homens sentados junto às fogueiras pequenas. Esses estavam imóveis, provavelmente meio adormecidos, mas um andava de um lado para o outro sob as proas altas dos navios encalhados.

Levantei-me.

Tinha andado nas sombras, mas agora estava em terreno dinamarquês, atrás de suas sentinelas. Desatei os cordões da capa, tirei-a e limpei a lama da cota de malha, depois andei abertamente na direção dos navios, as botas chapinhando nos últimos metros de pântano. Então simplesmente parei junto ao barco que estava mais ao norte, joguei o elmo à sombra da embarcação e esperei que o único dinamarquês de pé me descobrisse.

E o que ele veria? Um homem com cota de malha, um senhor, um comandante de navio, um dinamarquês. E me encostei na proa do navio olhando as estrelas. O coração batia forte, a coxa tremia, e pensei que, se morresse naquela manhã, pelo menos estaria com Ragnar outra vez. Estaria com ele no castelo dos mortos no Valhalla, só que alguns homens acreditavam que os que não morriam em batalha iam, em vez disso, para o Niflheim, aquele inferno pavoroso e frio dos nórdicos, onde a deusa dos cadáveres, Hel, caminha pela névoa e a serpente Estripadora de Cadáveres desliza pela geada para morder os mortos. Mas certamente, pensei, um homem que morresse num castelo em chamas iria para o Valhalla, e não para o cinzento Niflheim, não era?

Sem dúvida Ragnar estava com Odin. Então ouvi os passos do dinamarquês e olhei para ele com um sorriso.

— Manhã fria — disse eu.

— Está mesmo. — Era um homem mais velho, com barba grisalha, e ficou claramente perplexo com meu aparecimento súbito, mas não suspeitou.

— Tudo calmo — falei, balançando a cabeça para o norte, sugerindo que estivera visitando as sentinelas do lado do morro voltado para o Sæfern.

— Eles estão com medo de nós — disse o sujeito.

— E devem estar mesmo. — Fingi um bocejo enorme, depois me afastei do navio e dei dois passos para o norte, como se estivesse esticando os membros cansados, depois fingi notar o elmo à beira d'água. — O que é aquilo?

Ele engoliu a isca, indo para a sombra do barco, curvando-se sobre o elmo, e eu desembainhei minha faca, cheguei perto e cravei a lâmina em sua garganta. Não cortei a garganta, e sim esfaqueei-a, cravei a lâmina direto e torci, e ao mesmo tempo o empurrei para a frente, enfiando seu rosto na água, e o segurei ali de modo que, se não sangrasse até a morte, iria se afogar. E demorou muito tempo, mais do que eu esperava, mas é difícil matar um homem. Ele lutou por um tempo e eu pensei que o barulho poderia atrair os homens da fogueira mais próxima, mas essa fogueira estava a quarenta ou cinquenta passos, e as pequenas ondas do rio faziam ruído suficiente para cobrir a agonia da morte do dinamarquês. Assim eu o matei e ninguém soube, ninguém, além dos deuses, viu, e quando sua alma se foi tirei a faca de sua garganta, recuperei o elmo e voltei à proa do navio.

E esperei ali até que a alvorada clareou o horizonte a leste. Esperei até haver uma tira de cinza na borda da Inglaterra.

E era hora.

Caminhei até a fogueira mais próxima. Havia dois homens sentados ali.

— Mate um — cantei baixinho — e dois e três, mate quatro e cinco, e um pouco mais. — Era um canto dinamarquês de remar, que eu ouvira com muita frequência no *Víbora do Vento*. — Vocês serão revezados logo — cumprimentei-os cheio de animação.

343

A parede de escudos

Eles apenas me encararam. Não sabiam quem eu era mas, como o homem que eu tinha matado, não suspeitaram, mesmo eu falando sua língua com um leve sotaque inglês. Havia muitos ingleses nos exércitos dinamarqueses.

— Noite calma — falei, em seguida me abaixei e peguei a ponta não queimada de um pedaço de madeira acesa no fogo. — Egil deixou uma faca no barco dele — expliquei. Egil era um nome suficientemente comum entre os dinamarqueses para não provocar suspeita, e eles apenas ficaram olhando enquanto eu andava para o norte. Presumiram que eu precisava do fogo para iluminar o caminho até os navios. Passei pelas choupanas, assenti para três homens que descansavam ao lado de outra fogueira e continuei andando até ter chegado ao centro da fileira de barcos encalhados. E ali, assobiando baixinho como se não tivesse qualquer preocupação no mundo, subi a escada curta encostada na proa de um navio, pulei no casco e andei entre os bancos dos remadores. Esperava encontrar homens dormindo nas embarcações, mas aquela estava deserta, a não ser pelo som raspado das patas dos ratos no bojo.

Agachei-me na barriga do navio, onde enfiei a madeira acesa entre os remos empilhados, mas duvidei que isso fosse suficiente para incendiar aqueles remos, por isso usei a faca para tirar aparas do cabo de um remo e, quando tinha lascas de madeira suficiente, empilhei-as sobre as chamas e vi o fogo saltar. Cortei mais, depois entalhei os cabos dos remos para facilitar que o fogo pegasse, e ninguém gritou comigo da margem. Qualquer pessoa que olhasse devia pensar que eu estava tão somente procurando algo no fundo, e as chamas ainda não estavam suficientemente altas para provocar alarme, mas iam se espalhando, e eu sabia que tinha muito pouco tempo. Por isso embainhei a faca e deslizei por sobre a amurada. Deixei-me afundar no Pedredan, sem me importar com o que a água faria com minha cota de malha e as armas, e assim que estava no rio vadeei em direção ao norte, indo de popa de navio em popa de navio, até finalmente me afastar do último barco e chegar onde o cadáver com barba grisalha batia com ruído baixo nas ondas pequenas do rio. E ali esperei.

E esperei. Achei que o fogo teria se apagado. Estava sentindo frio.

E continuei esperando. O cinza na borda do mundo clareou e de repente houve um grito furioso. Saí da sombra e vi os dinamarqueses correndo para as chamas luminosas e altas no navio que eu tinha incendiado. Assim fui até sua fogueira abandonada, peguei outro pedaço de madeira aceso e joguei num segundo navio. Os dinamarqueses estavam subindo no navio incendiado, a sessenta passos de distância, e ninguém me viu. Então uma trompa soou, de novo e de novo, tocando o alarme, e eu soube que os homens de Ubba estariam vindo de seu acampamento em Cantucton. Levei um último pedaço de madeira acesa até os navios, queimei a mão enquanto a enfiava sob uma pilha de remos, em seguida voltei ao rio para me esconder sob a barriga sombreada de um barco.

A trompa continuava soando. Homens saíam correndo das choupanas de pescadores, indo salvar sua frota, e mais homens corriam do acampamento ao sul, e assim os dinamarqueses de Ubba caíram na nossa armadilha. Viram os navios queimando e foram salvá-los. Saíam do acampamento em desordem, muitos sem armas, pensando apenas em apagar as chamas que subiam pelo cordame e lançavam sombras sinistras na margem. Eu estava escondido, mas sabia que Leofric viria, e agora tudo dependia do sentido de tempo. Do tempo e da bênção das fiandeiras, da bênção dos deuses, e os dinamarqueses estavam usando seus escudos para jogar água no primeiro navio incendiado. Mas então outro grito soou, e eu soube que eles tinham visto Leofric, que certamente havia passado pela primeira linha de sentinelas, matando-as no caminho, e agora estava no pântano. Saí da sombra do casco do navio e vi os homens de Leofric chegando, vi trinta ou quarenta dinamarqueses correndo para o norte, para enfrentá-los, mas então esse dinamarqueses viram os novos incêndios nos navios mais ao norte e foram assolados pelo pânico porque havia fogo atrás deles e guerreiros à frente, e a maioria dos outros dinamarqueses ainda estava a cem passos de distância. E eu soube que até agora os deuses lutavam do nosso lado.

Saí da água. Os homens de Leofric vinham saindo do pântano, e as primeiras espadas e lanças se chocaram, mas Leofric tinha a vantagem numérica e a tripulação do *Heahengel* suplantou o punhado de dinamarqueses, cortando-os com machado e espada. Um tripulante se virou depressa, com pânico no rosto ao me ver chegando, e gritei meu nome, abaixando-me para pegar um escudo dinamarquês. Os homens de Edor estavam atrás de nós, e gritei para eles alimentarem o fogo nos navios enquanto os homens do *Heahengel* formavam uma parede de escudos atravessando a faixa de terreno firme. Então andamos para a frente. Andamos em direção ao exército de Ubba, que só então começou a perceber que estava sendo atacado.

Marchamos. Uma mulher saiu correndo de uma choupana, gritou ao nos ver e fugiu em direção aos dinamarqueses, onde os homens gritavam uns com os outros para formar uma parede de escudos.

— Edor! — gritei, sabendo que agora precisaríamos dos seus homens, e ele os trouxe para engrossar nossa fileira, de modo a fazermos uma sólida parede de escudos atravessando a faixa de terra firme, e éramos cem, e diante de nós estava todo o exército dinamarquês, mas era um exército em pânico e desordem. Olhei para Cynuit e não vi sinal dos homens de Odda. Eles viriam, pensei, certamente viriam, e então Leofric berrou dizendo para tocarmos os escudos, e a madeira de tília ressoou. Embainhei Bafo de Serpente e peguei Ferrão de Vespa.

Parede de escudos. É um lugar medonho, tinha dito meu pai. Ele havia lutado em sete paredes de escudos e foi morto na última. Jamais lute contra Ubba, tinha dito Ravn.

Atrás de nós os navios mais ao norte queimavam, à frente, um jorro de dinamarqueses enlouquecidos vinha se vingar, e essa foi sua desgraça, porque não formaram uma parede de escudos adequada. Vinham para nós como cães enlouquecidos, interessados apenas em matar, certos de que podiam nos vencer porque eram dinamarqueses e nós, saxões do oeste. Nós nos firmamos e eu vi um homem com cicatrizes no rosto, cuspe voando da boca enquanto gritava, vir na minha direção. E foi então que baixou a calma da batalha. De repente não havia mais azedume nas entranhas, nem boca seca, nem músculos trêmulos, mas apenas a tranquilidade mágica da batalha. Eu estava feliz.

E cansado, também. Não tinha dormido. Estava encharcado. Estava com frio, mas de repente me sentia invencível. É uma coisa maravilhosa essa calma da batalha. O nervosismo some, o medo voa para o vazio e tudo fica claro como cristal precioso. E o inimigo não tem chance porque é lento demais. Virei o escudo para a esquerda, recebendo o golpe de lança do homem com cicatrizes, estoquei com Ferrão de Vespa, e o dinamarquês correu para a ponta da arma. Senti o impacto subir pelo braço enquanto a ponta penetrava nos músculos de sua barriga, e já estava torcendo-a, rasgando para cima e libertando-a, cortando couro, pele, músculos e tripas, e o sangue dele estava quente na minha mão fria, e ele gritou, hálito de cerveja no meu rosto, e eu o empurrei para baixo com a bossa pesada do escudo, pisei em sua virilha, matei-o com a ponta de Ferrão de Vespa em sua garganta, e um segundo homem estava à minha direita, batendo no escudo do meu vizinho com um machado, e ele foi fácil de matar, ponta na garganta, e então estávamos indo para a frente. Uma mulher de cabelos soltos veio para mim com uma lança e eu a chutei com brutalidade, depois esmaguei seu rosto com a borda de ferro do escudo e ela caiu gritando numa fogueira em brasas. Seu cabelo solto se incendiou, luminoso como gravetos pegando fogo, a tripulação do *Heahengel* estava comigo, Leofric berrava para eles matarem, e matarem depressa. Esta era a nossa chance de trucidar dinamarqueses que tinham feito um ataque idiota, que não haviam formado uma parede de escudos adequada, e era um trabalho de machado, um trabalho de espada, trabalho de carniceiro com ferro bom, e já havia mais de trinta dinamarqueses mortos e sete navios estavam queimando, as chamas se espalhando com velocidade espantosa.

— Parede de escudos! — Ouvi o grito vindo dos dinamarqueses. Agora o mundo estava claro, o sol logo abaixo do horizonte. Os navios mais ao norte haviam se transformado em fornalhas. Uma cabeça de dragão erguia-se na fumaça, os olhos dourados e luminosos. Gaivotas gritavam acima da praia. Um cachorro corria ao longo dos navios, latindo. Um mastro caiu, lançando fagulhas no ar prateado, e então vi os dinamarqueses formando sua parede de escudos, vi-os se organizar para nossa morte e vi o estandarte do corvo, o triângulo de pano proclamando que Ubba estava ali, para nos trucidar.

— Parede de escudos! — gritei, e foi a primeira vez que dei essa ordem. — Parede de escudos! — Tínhamos nos desarrumado, mas era hora de apertar. De encostar escudo em escudo. Havia centenas de dinamarqueses à nossa frente e eles vinham nos dominar. Bati com Ferrão de Vespa na borda de metal do meu escudo. — Eles estão vindo morrer! — gritei. — Estão vindo sangrar! Estão vindo para nossas lâminas!

347
A parede de escudos

Meus homens gritaram comemorando. Tínhamos começado como cem, mas havíamos perdido meia dúzia de homens na primeira luta. Mas o resto comemorou, ainda que um número cinco ou seis vezes maior estivesse chegando para matá-los, e Leofric começou o canto de batalha de Hegga, um canto inglês de remadores, rítmico e áspero, falando de uma batalha travada por nossos ancestrais contra os homens que dominavam a Britânia antes de chegarmos, e agora lutávamos de novo por nossas terras, e atrás de mim uma voz solitária murmurou uma oração até que me virei e vi o padre Willibald segurando uma lança. Ri de sua desobediência.

Riso na batalha. Era o que Ragnar havia me ensinado, sentir júbilo na luta. Júbilo na manhã, porque o sol vinha tocando o leste, enchendo o céu de luz, empurrando a escuridão para além da borda oeste do mundo. Bati com Ferrão de Vespa contra o escudo, fazendo barulho para abafar os gritos dos dinamarqueses, e soube que seríamos golpeados com força e teríamos de ficar firmes até que Odda viesse. Mas estava contando com Leofric para ser o bastião no nosso flanco direito, onde os dinamarqueses certamente tentariam nos envolver passando pelo pântano. O lado esquerdo estava seguro, já que era onde se encontravam os navios, e a direita era onde nos quebraríamos se não pudéssemos nos sustentar.

— Escudos! — berrei, e encostamos os escudos de novo, porque os dinamarqueses estavam chegando, e eu sabia que eles não hesitariam em atacar. Éramos muito poucos para amedrontá-los, eles não precisariam juntar coragem para essa batalha. Simplesmente viriam.

E vieram. Uma grossa linha de homens, escudo encostado em escudo, a luz nova da manhã tocando lâminas de machado, pontas de lanças e espadas.

As lanças e os machados de atirar vieram primeiro, mas na primeira fila nós nos agachamos atrás dos escudos, e a segunda fila manteve os escudos acima dos nossos. Os mísseis bateram nos alvos, fazendo barulho, mas sem causar ferimentos. Então ouvi o selvagem grito de guerra dos dinamarqueses, senti um último adejar do medo e então eles estavam ali.

O trovão de escudo batendo em escudo, meu escudo empurrado contra o peito, gritos de fúria, uma lança entre meus tornozelos, Ferrão de Vespa indo para a frente e sendo bloqueada por um escudo, um grito à esquerda, um machado voando em cima. Abaixei-me e estoquei de novo. Acertei escudo de novo, empurrei com meu escudo, torci a espada curta para libertá-la, pisei na lança, estoquei com Ferrão de Vespa por cima do escudo, contra um rosto barbudo, e ele se retorceu para longe, sangue da bochecha cortada enchendo sua boca e eu dei meio passo adiante, golpeei de novo, uma espada resvalou no meu elmo e bateu no meu ombro. Um homem me puxou com força para trás porque eu estava à frente de nossa linha, e os dinamarqueses gritavam, empurravam, golpeavam, e a primeira parede de escudos a se romper seria a parede de escudos que iria morrer. Eu soube que Leofric estava pressionado na direita mas não tinha tempo de olhar nem de ajudar, porque o homem com a bochecha rasgada estava acertando meu escudo com um machado curto, tentando rachá-lo. Baixei o escudo de repente, estragando seu golpe, mandei Ferrão de Vespa contra seu rosto pela segunda vez e ela raspou no osso do crânio, tirou sangue e eu bati em seu escudo com o meu, ele cambaleou recuando, foi empurrado pelos homens que estavam atrás e dessa vez Ferrão de Vespa acertou sua garganta e ele estava gorgolejando sangue e ar pela goela cortada. Caiu de joelhos, e o homem que vinha atrás impeliu uma lança que atravessou meu escudo, mas ficou presa, e os dinamarqueses continuavam apertando. Mas seu próprio colega agonizante os obstruía e o sujeito da lança tropeçou nele. O homem da minha direita bateu com a borda do escudo na cabeça dele, eu o chutei no rosto e dei um golpe para baixo com Ferrão de Vespa. Um dinamarquês arrancou a lança do meu escudo, golpeou com ela, foi cortado pelo homem à minha esquerda. Mais dinamarqueses vieram, e estávamos recuando, dobrando-nos porque havia dinamarqueses no pântano, virando no nosso flanco direito. Mas Leofric fez os homens girar com firmeza até estarmos com as costas voltadas para os navios em chamas, e pude sentir o calor do incêndio, pensando que poderíamos morrer ali. Morreríamos com espadas nas mãos e chamas às costas, e golpeei freneticamente um dinamarquês de barba ruiva, tentando despedaçar seu escudo. Ida, o homem à minha direita, estava no chão, tripas se derramando pelo couro rompido, e um dinamarquês chegou até mim vindo daquele lado. Virei Ferrão de Vespa rapidamente contra seu rosto, abaixei-me, recebi seu golpe de machado no meu escudo meio partido, gritei com os homens de trás para preencher a abertura e golpeei Ferrão

A parede de escudos

de Vespa contra os pés do sujeito do machado, cortando um tornozelo. Uma lança o acertou na lateral da cabeça, eu dei um grito enorme e fiz força contra os dinamarqueses que vinham chegando. Mas não havia espaço para lutar nem para ver, apenas uma massa de homens grunhindo, tentando golpear, estocar, morrendo e sangrando, e então Odda chegou.

O *ealdorman* tinha esperado até que os dinamarqueses se apinhassem na margem do rio, até que estivessem se empurrando uns aos outros na ansiedade de nos alcançar e nos matar, então lançou seus homens pela borda de Cynuit, e eles vieram como trovão, com espadas, machados, foices e lanças. Os dinamarqueses os viram e houve gritos de aviso. Quase imediatamente senti a pressão diminuir na frente enquanto os dinamarqueses da retaguarda se viravam para enfrentar a nova ameaça e golpeei com Ferrão de Vespa rasgando o ombro de um homem. A lâmina penetrou fundo, raspando osso, mas o homem se retorceu, arrancou o *sax* da minha mão, por isso desembainhei Bafo de Serpente e gritei para meus homens matarem os desgraçados. Esse era o nosso dia, gritei, e Odin estava nos dando a vitória.

Para a frente agora. Para a frente, à carnificina. Cuidado com o homem que ama a batalha. Ravn tinha me dito que só um homem em cada três, ou talvez um em cada quatro, é um guerreiro de verdade. O resto são lutadores relutantes, mas eu aprenderia que só um homem em cada vinte ama a batalha. Esses são os mais perigosos, os mais hábeis, os que estripavam as almas e os que deviam ser temidos. Eu era um deles. E naquele dia, ao lado do rio onde o sangue fluía para a maré montante e ao lado dos barcos em chamas, deixei Bafo de Serpente cantar sua canção da morte. Esse era o momento que os *skalds* celebram, o coração da batalha que leva à vitória, e a coragem tinha sumido daqueles dinamarqueses num instante. Tinham pensado que estavam vencendo, que tinham nos encurralado junto aos navios em chamas, que iam mandar nossas almas miseráveis para o outro mundo, e em vez disso o *fyrd* de Defnascir caiu sobre eles como uma tempestade.

— Para a frente! — gritei.

— Wessex! — berrou Leofric. — Wessex! — Ele estava golpeando com o machado, decepando homens, liderando a tripulação do *Heahengel* para longe dos navios ferozes.

Os dinamarqueses estavam recuando, tentando escapar de nós, podíamos escolher as vítimas, e naquele dia Bafo de Serpente foi letal. Bata com um escudo, faça o homem se desequilibrar, impulsione a lâmina, empurre-o, acerte a garganta, encontre o próximo. Empurrei um dinamarquês nos restos de uma fogueira de acampamento, matei-o enquanto ele gritava, e agora alguns dinamarqueses fugiam para seus navios não queimados, empurrando-os para a maré montante, mas Ubba continuava a lutar. Ubba gritava com seus homens para formar uma nova parede de escudos, para proteger os barcos, e tamanha era a força de vontade de Ubba, tamanha sua fúria incandescente, que a nova parede de escudos se sustentou. Nós a acertamos com força, golpeamos com espada, machado e lança, mas de novo não havia espaço, apenas a luta de empurrões, grunhidos, mau-hálito, só que desta vez eram os dinamarqueses que recuavam, passo a passo, enquanto os homens de Odda se juntavam aos meus para envolver os dinamarqueses e martelá-los com ferro.

Mas Ubba estava aguentando. Mantendo firme sua retaguarda, segurando-a sob a bandeira do corvo e, a cada momento que ele nos sustentava, mais um navio era empurrado da margem do rio. Agora ele só queria salvar homens e navios, deixar que parte de seu exército escapasse, que eles se afastassem dessa pressão de escudos e lâminas. Seis navios dinamarqueses já estavam remando para o mar de Sæfern e outros se enchiam de homens. Então gritei para minhas tropas atravessarem, matá-los, mas não havia espaço para matar, só o chão escorregadio do sangue e lâminas golpeando sob os escudos, e homens fazendo força contra a parede oposta, os feridos se arrastando para longe, afastando-se de nossa retaguarda.

E então, com um rugido de fúria, Ubba se chocou contra nossa fileira com seu grande machado de guerra. Lembrei-me de como ele fizera isso na luta ao lado do Gewæsc, como parecera sumir nas fileiras do inimigo apenas para matá-los, e sua lâmina gigantesca estava girando de novo, abrindo espaço. Nossa linha recuou, e os dinamarqueses seguiram Ubba, que parecia decidido a vencer essa batalha sozinho e fazer um nome que jamais seria esquecido nos anais dos nórdicos. A loucura da batalha estava com ele, as varetas de runas tinham sido esquecidas, Ubba Lothbrokson estava fazendo sua lenda, e outro homem caiu, esmagado pelo machado. Ubba gritou em desafio. Os dinamarqueses se adiantaram atrás dele e agora Ubba ameaçava rasgar nossa fileira totalmente. Abri caminho para trás, passando entre meus homens e fui até onde Ubba lutava. Ali gritei seu nome, chamei-o de filho de um bode, de cagalhão, e ele se virou com os olhos selvagens e me viu.

— Seu pirralho desgraçado — rosnou ele, e os homens à minha frente se desviaram de lado enquanto ele se adiantava, a cota de malha encharcada de sangue, parte de seu escudo faltando, o elmo amassado e a lâmina do machado vermelha.

— Ontem vi um corvo cair — disse eu.

— Seu mentiroso desgraçado — respondeu ele, e o machado veio girando. Aparei-o no escudo e foi como ser golpeado por um touro a toda velocidade. Ele puxou o machado, livrando-o, e uma grande lasca de madeira se soltou, deixando a luz nova do dia atravessar o escudo partido.

— Um corvo caiu de um céu limpo — falei.

— Seu filhote de puta — disse ele, e o machado veio de novo, de novo o escudo o aparou e eu cambaleei para trás. A rachadura no escudo aumentava.

— Gritei seu nome enquanto ele caía — disse eu.

— Imundície inglesa — gritou ele e girou a arma pela terceira vez, mas desta vez eu recuei e golpeei rapidamente com Bafo de Serpente, tentando cortar a mão que segurava o machado, mas ele foi rápido, rápido como uma cobra, e puxou a mão bem a tempo.

— Ravn me disse que eu iria matá-lo — falei. — Ele previu. Num sonho perto do buraco de Odin, em meio ao sangue, ele viu a bandeira do corvo cair.

— Mentiroso! — gritou Ubba e veio para mim, tentando me derrubar com peso e força bruta, e eu o encontrei, bossa de escudo contra bossa de escudo, e o sustentei, brandindo Bafo de Serpente contra sua cabeça, mas o golpe resvalou no elmo e eu saltei para trás um segundo antes de o machado girar onde minhas pernas tinham estado, estoquei para a frente, acertei-o limpamente no peito, com a ponta de Bafo de Serpente, mas não tinha força nenhuma no golpe, sua cota de malha recebeu a estocada e parou-a. Ele girou o machado para cima, tentando me estripar da virilha ao peito, mas meu escudo partido interrompeu o golpe e ambos demos um passo atrás.

352
O último reino

— Três irmãos — falei —, e só você está vivo. Dê minhas lembranças a Ivar, e Halfdan. Diga que Uhtred Ragnarson mandou você se juntar a eles.

— Desgraçado. — Ubba deu um passo adiante, girando o machado num enorme golpe lateral destinado a esmagar meu peito, mas a calma da batalha havia baixado sobre mim, o medo tinha ido embora e o júbilo estava ali. Bati com o escudo de lado para receber o golpe do machado, senti a lâmina pesada mergulhar no que restava da madeira e soltei a alça do escudo, de modo que o destroço de metal e madeira pendia de sua lâmina, então o golpeei. Uma, duas vezes, ambos golpes gigantescos usando as duas mãos no punho de Bafo de Serpente e usando toda a força que tinha ganhado com os longos dias no remo do *Heahengel*, e o impeli para trás, rachei seu escudo e ele ergueu o machado, com meu escudo ainda atrapalhando-o, e então escorregou. Tinha pisado nas tripas derramadas de um cadáver, e o pé esquerdo deslizou de lado e, enquanto ele estava sem equilíbrio, estoquei com Bafo de Serpente e a lâmina rasgou a malha acima da dobra do cotovelo. O braço que segurava o machado baixou, tendo toda a força roubada. Bafo de Serpente voltou rapidamente para talhar sua boca, e eu estava gritando, havia sangue em sua barba e então ele soube, soube que ia morrer, soube que veria seus irmãos no castelo dos cadáveres. Não desistiu. Viu a morte chegando e lutou contra ela, tentando me acertar de novo com o escudo, mas eu estava rápido demais, exultante demais, e o próximo golpe foi em seu pescoço. Ele cambaleou, sangue derramando no ombro, mais sangue escorrendo entre os elos da cota de malha, e me olhou enquanto tentava ficar de pé.

— Espere por mim no Valhalla, senhor — disse eu.

Ele caiu de joelhos, ainda me olhando. Tentou falar, mas nada saiu, e eu lhe dei o golpe de misericórdia.

— Agora acabem com eles! — gritou o *ealdorman* Odda, e os homens que tinham olhado o duelo gritaram em triunfo e correram para o inimigo. Agora havia pânico enquanto os dinamarqueses tentavam chegar aos seus barcos, alguns largavam as armas e os mais espertos estavam deitados, fingindo-se de mortos, e homens com foices matavam homens que tinham espadas. As mulheres do cume do Cynuit estavam agora no acampamento dinamarquês, matando e saqueando.

Ajoelhei-me perto de Ubba e fechei seu punho direito, sem nervos, no cabo de seu machado de guerra.

— Vá ao Valhalla, senhor — falei. Ele ainda não tinha morrido, mas estava morrendo, porque meu último golpe havia cortado fundo seu pescoço, então teve um grande tremor e houve um ruído grasnado em sua garganta. Continuei segurando sua mão com força no machado, até ele morrer.

Mais uma dúzia de barcos escapou, todos apinhados de dinamarqueses, mas o resto da frota de Ubba era nossa, e enquanto um punhado de inimigos fugia para a floresta onde foram caçados, os outros dinamarqueses estavam mortos ou foram feitos prisioneiros, e o estandarte do corvo caiu nas mãos de Odda. Naquele dia tivemos a vitória. E Willibald, com a ponta da lança vermelha, dançava de puro deleite.

Tomamos cavalos, ouro, prata, prisioneiros, mulheres, navios, armas e cotas de malha. Eu havia lutado na parede de escudos.

O *ealdorman* Odda fora ferido, acertado na cabeça por um machado que rompera seu elmo penetrando no crânio. Estava vivo, mas tinha os olhos brancos, a pele pálida, a respiração fraca, e o cabelo estava empapado de sangue. Padres rezavam junto dele numa das pequenas casas do povoado, e eu o vi ali, mas ele não podia me ver, não podia falar, talvez não pudesse ouvir. Mas empurrei dois padres de lado, ajoelhei-me junto à sua cama e agradeci por ter lutado contra os dinamarqueses. Seu filho, incólume, com a armadura aparentemente sem arranhões da batalha, me olhava da escuridão no canto mais distante do cômodo.

Levantei-me junto à cama baixa. Minhas costas doíam e os braços queimavam de cansaço.

— Vou a Cridianton — disse ao jovem Odda.

Ele deu de ombros como se não se importasse aonde eu ia. Abaixei-me passando pela porta baixa onde Leofric me esperava.

— Não vá a Cridianton — disse ele.

— Minha mulher está lá. Meu filho está lá.

— Alfredo está em Exanceaster.

— E daí?

— E daí que o homem que levar a notícia desta batalha a Exanceaster ganha o crédito por ela.

— Então vá você.

Os prisioneiros dinamarqueses queriam enterrar Ubba, mas Odda, o Jovem, tinha ordenado que o corpo fosse desmembrado e suas partes dadas aos animais e aos pássaros. Isso ainda não fora feito, mas o grande machado de guerra que eu pusera na mão agonizante de Ubba havia sumido, e lamentei isso, porque eu o queria. Mas também queria que Ubba fosse tratado com decência, portanto deixei que os prisioneiros cavassem sua sepultura. Odda, o Jovem, não me confrontou. Deixou os dinamarqueses enterrarem seu líder e fazer um monte de terra sobre seu cadáver, assim mandando Ubba ao encontro dos irmãos no castelo dos cadáveres.

E, quando isso estava feito, cavalguei para o sul com cerca de vinte dos meus homens, todos montados em cavalos que pegamos dos dinamarqueses.

Fui para a minha família.

Hoje em dia, tanto tempo depois da batalha em Cynuit, emprego um harpista. É um velho galês, mas muito hábil, e frequentemente canta histórias de seus ancestrais. Gosta de cantar sobre Artur e Guinevere, como Artur trucidava os ingleses, mas toma cuidado para que eu não ouça essas canções. Em vez disso me elogia e às minha batalhas com lisonjas ultrajantes, cantando as palavras de meus poetas que me descrevem como Uhtred Espada-Forte, Uhtred Doador da Morte ou Uhtred, o Beneficente. Algumas vezes vejo o cego sorrindo sozinho enquanto suas mãos tangem as cordas e tenho mais simpatia por seu ceticismo do que pelos poetas que não passam de um bando de puxa-sacos hipócritas.

Mas no ano de 877 eu não empregava poetas nem tinha harpista. Era um jovem que vinha atordoado e fascinado da parede de escudos, que fedia a sangue enquanto cavalgava para o sul e, no entanto, por algum motivo, enquanto cruzávamos os morros e as florestas de Defnascir, pensava numa harpa.

Todo senhor tem uma harpa no castelo. Quando era criança, antes de ir para Ragnar, algumas vezes me sentava junto à harpa no castelo de Bebbanburg e ficava intrigado ao ver como as cordas se tocavam sozinhas. Bastava tanger uma e as outras estremeciam, soltando uma música minúscula.

— Desperdiçando o tempo, garoto? — tinha rosnado meu pai um dia, enquanto eu estava agachado perto da harpa, e acho que eu estava desperdiçando, mas naquele dia de primavera em 877 lembrei-me da harpa de minha infância e de como as cordas estremeciam caso apenas uma fosse tocada. Não era música, claro, apenas ruído, e um ruído praticamente inaudível, mas depois da batalha no vale do Pedredan pareceu que minha vida era feita de cordas, que se eu tocasse uma, as outras, mesmo separadas, fariam seu som. Pensei em Ragnar, o Jovem, e me perguntei se ele vivia e se o assassino de seu pai, Kjartan, ainda vivia, e como ele morreria se estivesse vivo. E pensar em Ragnar me fez pensar em Brida, e sua lembrança deslizou para uma imagem de Mildrith, e isso me trouxe à mente Alfredo e sua esposa amarga, Ælswith. E todas essas pessoas separadas faziam parte da minha vida, cordas tocadas na harpa de Uhtred, e mesmo estando separadas afetavam umas às outras e juntas fariam a música da minha vida.

Pensamentos bobos, disse a mim mesmo. A vida é só a vida. Vivemos, morremos, vamos para o castelo dos cadáveres. Não há música, apenas acaso. O destino é implacável.

— O que você está pensando? — perguntou Leofric. Estávamos cavalgando por um vale rosado de flores.

— Achei que você ia a Exanceaster — disse eu.

— E vou, mas primeiro vou a Cridianton, depois vou levá-lo a Exanceaster. Então, o que está pensando? Você parece um padre mal-humorado.

— Estou pensando numa harpa.

— Uma harpa! — Ele riu. — Sua cabeça é cheia de besteiras.

— Encoste a mão numa harpa e ela simplesmente faz barulho. Toque-a e ela faz música.

— Santo Deus! — Ele me olhou com expressão preocupada. — Você é ruim como Alfredo. Pensa demais.

Estava certo. Alfredo era obcecado pela ordem, pela tarefa de transformar o caos da vida em algo que pudesse ser controlado. Faria isso através da igreja e da lei, que são praticamente a mesma coisa, mas eu queria ver um padrão nos fios da vida. No fim encontrei um, e não tinha nada a ver com qualquer deus, e sim com as pessoas. Com as pessoas que amamos. Meu harpista está certo em sorrir quando canta que sou Uhtred, o Doador de Presentes, Uhtred, o Vingador ou Uhtred, o Fazedor de Viúvas, porque é velho e aprendeu o que eu aprendi, que na verdade sou Uhtred, o Solitário. Somos todos solitários e todos procuramos uma mão para nos segurar no escuro. Não é a harpa, e sim a mão que a toca.

— Isso vai lhe dar dor de cabeça — avisou Leofric. — Pensar demais.
— *Earsling* — disse eu.

Mildrith estava bem. Estava em segurança. Não tinha sido estuprada. Chorou ao me ver, eu a peguei nos braços e me espantei ao ver o quanto gostava dela, e ela disse que pensou que eu estava morto, que tinha rezado ao seu deus para me poupar, e me levou ao quarto onde nosso filho estava enrolado em lenços e panos. E pela primeira vez olhei para Uhtred, filho de Uhtred, e rezei para que um dia ele fosse o legítimo e único senhor de terras que são cuidadosamente marcadas por pedras e diques, carvalhos e freixos, pântano e mar. Ainda sou dono dessas terras que foram compradas com o sangue de nossa família, retomarei essas terras do homem que as roubou de mim e irei dá-las aos meus filhos. Porque sou Uhtred, *o earl* Uhtred, Uhtred de Bebbanburg, e o destino é tudo.

Nota Histórica

Alfredo é notoriamente o único monarca da história inglesa a receber a honra de ser chamado de "o Grande". E este romance, com os outros que vêm em seguida, tentará mostrar por que ele ganhou esse título. Não quero antecipar os próximos romances, mas, em termos gerais, Alfredo foi responsável por salvar Wessex — e, em última instância, a sociedade inglesa — dos ataques dinamarqueses, e seu filho Eduardo, a filha Æthelflaed e o neto Æthelstan terminaram o que ele começou a criar, e que foi, pela primeira vez, uma entidade política que chamaram de "Englaland". Pretendo que Uhtred se envolva em toda a história.

Mas a narrativa começa com Alfredo que, de fato, foi um homem muito devoto e vivia frequentemente adoentado. Uma teoria recente sugere que ele sofria da doença de Crohn, que causa dores abdominais agudas, e de hemorroidas crônicas, detalhes que podemos captar num livro escrito por um homem que o conhecia muito bem, o bispo Asser, que entrou na vida de Alfredo depois dos acontecimentos descritos neste romance. Atualmente há um debate sobre se o bispo Asser realmente escreveu aquela biografia ou se ela foi forjada cem anos depois da morte de Alfredo, e sou absolutamente desqualificado para avaliar os argumentos dos acadêmicos e sua disputa. Mas, mesmo que seja uma falsificação, o livro contém muita coisa que tem ar de verdade, sugerindo que quem o escreveu sabia muito sobre Alfredo. O autor, sem dúvida, queria apresentar Alfredo numa luz favorável, como guerreiro, erudito e cristão, mas não se exime de citar os pecados juvenis do herói. Alfredo, diz ele, "não podia se abster do desejo carnal" até que, generosamente, Deus o deixou doente o bastante para resistir à tentação. É discutível se Alfredo teve um filho ilegítimo, Osferth, mas parece bem possível.

O maior desafio enfrentado por Alfredo foi a invasão da Inglaterra pelos dinamarqueses. Alguns leitores podem ficar desapontados ao verem que no romance esses dinamarqueses são chamados de nórdicos ou pagãos, e raramente descritos como vikings. Nisso sigo os antigos escritores ingleses que sofreram na mão dos dinamarqueses e raramente usam a palavra viking, que, de qualquer modo, descreve mais uma atividade do que um povo ou uma tribo. Sair "viking" significa sair fazendo ataques e pilhagens de surpresa, e os dinamarqueses que lutaram contra a Inglaterra no século IX, ainda que indubitavelmente fizessem ataques-surpresa e saques, eram principalmente invasores e ocupantes. Muitas imagens fantasiosas foram ligadas a eles, e dentre as principais estavam o elmo com chifres, o *berserker* e a execução medonha chamada de "arreganhado" (*spread-eagle*) em que as costelas da vítima eram rasgadas e separadas para expor os pulmões e o coração. Isso parece ter sido uma invenção posterior, assim como a existência do *berserker*, o guerreiro nu e enlouquecido que atacava num frenesi insano. Sem dúvida havia guerreiros em frenesis insanos, mas não há evidência de que nudistas lunáticos aparecessem regularmente no campo de batalha. O mesmo é verdadeiro com relação ao elmo com chifres, para o qual não há absolutamente qualquer prova contemporânea. Os guerreiros vikings eram sensatos demais para colocar um par de protuberâncias nos elmos, posicionadas de modo ideal para permitir ao inimigo derrubá-lo da cabeça. É uma pena abandonar esse ícone dos elmos com chifres, mas infelizmente eles não existiram.

Os ataques dos dinamarqueses contra as igrejas são bem-documentados. Os invasores não eram cristãos e não viam motivo para poupar igrejas, mosteiros e conventos de seus ataques, em especial porque esses lugares costumavam conter tesouros consideráveis. É discutível se o ataque combinado contra as casas monásticas do norte aconteceu. A fonte é extremamente tardia, uma crônica do século XIII escrita por Roger de Wendover, mas o certo é que muitos bispados e mosteiros desapareceram durante o ataque dinamarquês, e esse ataque não foi uma grande agressão súbita, e sim uma tentativa deliberada de erradicar a sociedade inglesa e substituí-la por um estado dinamarquês.

Ivar, o Sem-ossos, Ubba, Halfdan, Guthrum, os vários reis, Æthelwold, o sobrinho de Alfredo, o *ealdorman* Odda e os *ealdormen* cujos nomes começam com Æ (uma letra desaparecida chamada de "ash"), todos existiram. Alfredo deveria ser escrito Ælfred, mas preferi o uso pelo qual é conhecido hoje. Não se sabe ao certo como o rei Edmundo de Ânglia Oriental morreu, mas certamente foi morto pelos dinamarqueses, e numa versão antiga o futuro santo era de fato crivado de flechas como São Sebastião. Ragnar e Uhtred são fictícios, mas uma família com o nome de Uhtred foi realmente dona de Bebbanburg (atualmente castelo de Bamburgh) mais tarde no período saxão, e como meus ancestrais são dessa família, decidi lhes dar esse lugar mágico um pouco antes do que sugerem os registros. A maioria dos acontecimentos principais ocorreu; o ataque a York, o cerco de Nottingham, os ataques aos quatro reinos, tudo isso é registrado na Crônica Anglo-saxã ou na vida do rei Alfredo, escrita por Asser, que, juntas, são as principais fontes sobre o período.

Usei essas duas fontes e também consultei uma quantidade de obras secundárias. A vida de Alfredo é notavelmente bem-documentada para o período. Parte dessa documentação foi escrita pelo próprio Alfredo, mas mesmo assim, como escreveu o professor James Campbell num ensaio sobre o rei, "as flechas do conhecimento precisam receber as plumas da especulação". Emplumei fartamente, como devem fazer os romancistas históricos, mas o romance se baseia o máximo possível em acontecimentos reais. A ocupação de Wareham por Guthrum, a troca de reféns e a violação de trégua, o assassinato dos reféns e a ocupação de Exeter aconteceram, assim como a perda da maior parte de sua frota numa grande tempestade perto de Durlston Head, próximo de Swanage. A maior mudança que fiz foi adiantar a morte de Ubba em um ano, de modo que, no próximo livro, Uhtred possa estar em outro local. E persuadido pelos argumentos do livro de John Peddie, *Alfred, Warrior King*, coloquei essa ação em Cannington, em Somerset, em vez de no local mais tradicional de Countisbury Head, no norte de Devon.

Alfredo foi o rei que preservou a ideia da Inglaterra, que seu filho, sua filha e o neto tornaram explícita. Numa época de grande perigo, em que os reinos ingleses estiveram perigosamente próximos da extinção, ele ofereceu um anteparo que permitiu a sobrevivência da cultura anglo-saxã. Suas realizações foram maiores do que isso, mas sua história está longe de terminar, de modo que Uhtred continuará em campanha.

Este livro foi composto na tipologia Stone
Serif, em corpo 9,5/16, e impresso em papel
off-white, no Sistema Cameron da Divisão
Gráfica da Distribuidora Record.